L'IDÉOLOGIE FRANÇAISE

DU MÊME AUTEUR

BANGLA-DESH : NATIONALISME DANS LA RÉVOLUTION,
  Maspero, 1973.
LA BARBARIE À VISAGE HUMAIN, Grasset, 1977.
LE TESTAMENT DE DIEU, Grasset, 1979.

BERNARD-HENRI LÉVY

L'IDÉOLOGIE FRANÇAISE

BERNARD GRASSET
PARIS

*A Justine
et Antonin,
contemporain.*

Pour Sylvie.

AVANT-PROPOS

J'habite un pays étrange, extraordinairement mal connu, ceint d'une haute muraille de brumes, de fables et de mirages. J'y suis, nous y sommes tous, comme d'irréels rôdeurs, d'improbables vagabonds, déambulant à l'aveugle dans une mémoire ruinée, semée d'obscurités et de mystérieuses plages de silence. Je parle pourtant, on y parle même à tous vents, mais dans une langue opaque, langue de bois, langue de pierre, langue de bouches closes et d'oublieuses têtes, qu'on dirait occupées à tisser d'épais voiles de bruit et de sonores illusions. Cette langue voilée, c'est celle de notre Culture. Cette mémoire en loques, c'est celle de notre Histoire. Et ce pays étrange, lointain, mal connu, dernier lieu d'exotisme, et tout cerné de brumes, c'est, en un mot, la France.

Car que savons-nous de la France ? Que nous a-t-on conté dans tous les hauts parages où s'ourdissent ses glorieuses chansons de geste ? Que m'en a-t-on dit, à moi, tard venu dans le siècle, au lendemain des carnages qui manquèrent l'emporter ? On m'a dit à peu près que, de ces carnages, de ces orages inouïs, elle sortit innocente et pure de toute tache. On m'a patiemment enseigné que nous fûmes, nous Français, conçus immaculés, et miraculeusement immunisés contre les grands

délires barbares qui ont ensanglanté l'époque. On nous
a offert ainsi, dans un climat de liesse et de babils
enchanteurs, une belle terre de cocagne qui n'aurait
encensé le monde que de torrents de « Bonheur », de
« Liberté », de « Droits de l'Homme ». Le fascisme ?
Berlin. Le stalinisme ? Moscou. La torture ? le
racisme ? Ailleurs, toujours ailleurs. Car ici, nous
disait-on, nous sommes tous fils de Lumière, issus
d'une Histoire fabuleuse, peuple de communards, de
dreyfusards, de maquisards, – nos hérauts avantageux
dans l'ordre de l'honneur.

Or il se trouve que, pour ma part, je suis las de vivre
en rêve, schizophrène joyeux, imbécile satisfait, dans
une France imaginaire où je ne me reconnais pas. Nous
sommes nombreux, je crois, à être fatigués de ces
fables, de ces troubles amnésies, et de cette bonne conscience béate où se complaisent les faussaires. Trop de
maquisards sont là, justement, entêtés à nous rappeler
le visage d'une autre France qui, avant de les célébrer,
a commencé par les proscrire et les mener au supplice.
Trop de « dissidents », rescapés des Goulags, arrivés
d'un pas gourd en cette terre des « droits de l'homme »
dont ils avaient ouï là-bas, au fond de leur hiver, la
radieuse mythologie, et qui y trouvèrent bien souvent
des portes closes, des regards embarrassés et d'infâmes
crachats, parfois, sur leur face maculée encore des cendres de la veille. Le spectacle est trop insolent surtout,
de ces autres hommes et femmes, « immigrés », comme
on dit, au séjour de « Liberté » et qui ne reçoivent
généralement, en signe de bienvenue, qu'outrage,
mépris, régulière humiliation, et une balle dans la
peau, parfois, en guise de passeport. Oui, il est temps
d'en finir. Il est urgent de faire taire la grinçante rengaine. Il est l'heure, enfin, de regarder la France en
face.

C'est à cette urgence qu'entendent répondre les pages

qui vont suivre. A cette généalogie de nos démons que j'ai voulu, ici, tenter de contribuer. Et cela, en posant, en ressassant, ces questions simples : n'y aurait-il pas, ici, au cœur même de la France, au fond de ce pays étrange, même si voilés de mutismes ou de légendes bavardes, un insistant secret, un obscur foyer de nuit, – dont nous serions les tributaires ? N'y aurait-il pas, au clos de nous-mêmes, à l'étouffée de nos mémoires, gravée aux tables de nos Lettres, quoique obstinément celée à nos regards, une très ancienne plaie, – purulente jusqu'aujourd'hui, en nos terres et nos têtes ? Mieux : de quelles ombres, sur quels gouffres, sur quels bûchers de mots et quels incendies d'Histoire, la douce France des profondeurs se bâtit-elle, – dont nous demeurons tous, bon gré mal gré, les fils et les acteurs ? Ces ombres, ces gouffres, je crains qu'ils n'aient des noms terribles, que l'on verra tout au long, et peu à peu, s'épeler. Et qui forceront à constater que la patrie des « droits de l'homme » est *aussi* la terre de deuil, l'inoubliable alambic, le ventre abominablement fécond où se sont enfantés quelques-uns des délires de l'Age où nous vivons.

Je ne dirais certes pas que j'ai pris plaisir à cette descente aux abîmes de l'idéologie française. J'ai eu peine, parfois, à réprimer une nausée face à ce que j'y découvrais et aux vapeurs qu'il m'y fallait respirer. Le voyage ne sera pas de tout repos, c'est sûr aussi, pour les pétainistes impénitents, les nostalgiques de la honte, ou ceux qui, déjà, s'empressent à leur suite. Mais je crois, justement, qu'il n'est point d'autre chemin si nous voulons, décidément et pour de bon, interrompre la procession. Je suis convaincu qu'il n'est pas d'autre façon de conjurer le retour des fantômes que d'en apprendre l'inventaire et d'en identifier les hantises. L'Histoire, toute l'humble histoire des hommes est là, qui nous enseigne qu'un peuple amnésique, ignorant de

ses oubliettes, est un peuple enchaîné, voué à leurs
relents. Et de fait, en cette heure où nous sommes et où
bourdonnent, de nouveau, tant de funestes présages,
notre peuple en est bien là, qui ne semble toujours pas
s'être vraiment résolu à arbitrer sans appel la querelle
de ses deux traditions, – la France des résistants ou
celle de la démission...

Autant dire que je ne me risquerais pas à écrire, si je
n'avais l'intention d'œuvrer ainsi, modestement, et
depuis ma place, à ce nécessaire arbitrage. Si je n'avais
l'espérance qu'un jour viendra, que je ne verrai peut-
être pas, mais que d'autres verront, à qui je dédie ce
livre, où mon pays sera autre chose que ce suaire où,
présentement, nous étouffons. Si je n'avais le sentiment, même, incertain et mal fondé encore, que le ciel
est plus haut déjà et que nous commençons de jouer le
dernier acte de la nuit... Mais pour l'instant, et en
attendant, la parole est à la mémoire, – et au « fascisme
aux couleurs de la France ».

PREMIÈRE PARTIE

LA FRANCE
AUX FRANÇAIS

Vichy donc. Ce « cauchemar sinistre et glacé » dont parlait un jour Roland Barthes. Ces heures de honte et de déshonneur où mon pays, jadis, crut devoir déchiffrer les lignes et le cours de son destin. Ces images ineffaçables de policiers, de fonctionnaires, d'hommes politiques français conduisant d'autres Français aux antichambres des chambres à gaz. Si j'ai choisi d'ouvrir ce livre par là, c'est que je crois, d'abord, que quelque chose d'essentiel s'est joué dans ces parages, – et que la France est un pays où, de mémoire d'homme encore, le fascisme, une fois, est passé.

Mais c'est aussi, et corrélativement, parce. que je crois que, de cette scène d'autrefois, nous demeurons, bon gré mal gré, les entêtés témoins. Que ce cauchemar glacé, c'est surtout un rêve éveillé dont nous ne sommes jamais réellement parvenus à nous dégourdir tout à fait. Que les fantômes sont toujours là, increvables morts vivants, ensablés dans nos consciences, qui, périodiquement, de loin en loin, reviennent nous tirer de nos torpeurs. Oublier Pétain ? Oui, oublier Pétain. Conjurer pour de bon l'éternel retour des revenants. Entrer décidément dans l'ère, si lente à triompher, de l'après-fascisme français. Mais à cela, une condition : que de ce fascisme, l'on se décide d'abord – et enfin – à regarder la vérité en face*.

---

* Les quelques pages qui suivent ne prétendent pas, bien sûr, suffire à si rude tâche. Elles prennent appui, du reste, sur un certain nombre de travaux qui, depuis quelques années déjà, et en des temps plus arides encore, ont largement ouvert la voie. Parmi eux, deux livres que je voudrais, d'entrée, saluer : *la France de Vichy* de Robert O. Paxton, et *les Pousse-au-jouir du maréchal Pétain* de Gérard Miller.

Étant donné l'abondance des citations et la masse, parfois, du matériau documentaire, j'ai pris le parti de distinguer les « références » et les « notes » proprement dites. On trouvera les premières renvoyées en fin de volume et appelées, dans le texte, par un chiffre. Et, maintenues en bas de page, marquées comme ici d'un astérisque, les quelques notes indispensables à l'immédiate intelligence de l'analyse.

1

MARÉCHAL LES VOILÀ !

Il était une fois une génération de vainqueurs qui étaient déjà des vaincus et qui, sortis presque hébétés de l'horreur de la Grande Guerre, marchaient les yeux ouverts à l'infamie d'une autre guerre. Une génération de faillis, de maudits, de réprouvés qui, tandis que le monde alentour commençait de s'embraser, voyaient s'éteindre dans leurs têtes l'éclat des hautes croyances qui, toujours, jusque-là, les avaient guidés dans le péril. Des hommes et des femmes, incroyablement désolés, qui vivaient un drame, un calvaire, dont on a peine, aujourd'hui encore, à imaginer les traces lors même que, si souvent, si naturellement, nous y remettons nos pas. Cette génération, c'est celle des années 30. C'est celle des écrivains, des philosophes que nous lisons. Elle a l'âge de nos pères, parfois aussi de nos frères. C'est la nôtre en un mot, notre contemporaine selon l'esprit et presque selon le temps. Et c'est son histoire que je voudrais, pour commencer, brièvement recomposer : l'histoire de ces tourments, de ces déchirements, de ce faisceau de crises, dont je ne suis pas sûr que nous soyons, à l'heure où j'écris ces lignes, réellement et définitivement sortis, — et qui fit que le fascisme, une fois déjà, put être pensé, follement désiré,

puis finalement accepté, au pays des droits de l'homme
et de la démocratie.

Car, crise pour crise, commençons par celle-là justement. Cette étrange déshérence où est tombé peu à peu
le vieil idéal démocratique. Ces foules toutes noires
qui, au soir du 6 février 1934, viennent hurler leur
mépris des « vendus », des « pourris », qui trônent au
Palais Bourbon. Cette réaction massive qui dresse une
part croissante du pays contre ces maîtres à l'âme d'esclaves qui prétendent gouverner la France. Cette nausée, ce dégoût, qui le prend à la gorge, le peuple des
petits, devant des parlementaires « ventrus », engoncés
dans leurs « faux cols », leurs « rosettes » et leurs
« chapeaux melons »[1]. Gauche ? Droite ? Allez savoir,
avec un Jacques Doriot, qui orchestre le mouvement et
qui manquait, quelques mois plus tôt, imposer ses thèses au parti de la classe ouvrière. Avec un Georges
Valois, ouvertement fasciste, qui, il n'y a pas si longtemps non plus, tendait la main aux communistes, frères d'armes dans la lutte contre la ploutocratie. Avec
un Maurice Thorez qui tend la sienne aux ligueurs et
autres Croix-de-Feu, camarades retrouvés au front de
la lutte commune[2]. Un Drieu La Rochelle lui-même s'y
perd, qui court éperdument de l'une à l'autre des mani-
festations qui se disputent, à l'hiver 1934, le contrôle
des pavés parisiens. D'autres, apôtres de la « Révolution nécessaire », en perdent proprement la tête, et se
situent, disent-ils, « à mi-chemin entre l'extrême gauche et l'extrême droite, par-derrière le président, tournant le dos à l'assemblée »[3]. Quant à la France profonde, on imagine sans mal le tournis qui la saisit lorsqu'elle voit circuler, de *Gringoire* à *l'Humanité,* les
mêmes imprécations haineuses contre les 200 familles,
les politiciens véreux, le régime parlementaire ; et lorsqu'elle voit les mêmes, bord à bord, dans les mêmes
termes parfois encore, s'acharner contre « l'homme à la

vaisselle d'or » *(Je suis partout)*, « l'intime des plus grands financiers cosmopolites » (André Marty)[4] – à savoir Blum, « le juif Blum », qui avait la disgrâce supplémentaire, aux yeux de cette France-là, d'être l'un des derniers et des plus admirables apôtres de la démocratie justement.

D'autant qu'au même moment, dans les hautes et nobles sphères où souffle l'esprit pur, les héritiers de Voltaire – je veux dire les intellectuels – attisent à qui mieux mieux la flamme. C'est la vieille droite, bien sûr, qui fustige avec ardeur le « stupre » et le « cloaque » de ce grand corps malade qu'est le tout-État démocrate[5] ; mais c'est la vieille gauche aussi bien, celle de Barbusse et de Rolland, qui chante les « cuisses dures d'une dictature qui chevauche les peuples et les libère des clôtures de la pseudo-démocratie »[6]. C'est les nouveaux chrétiens qui, à *Esprit*, saluent l'Action française qui « lutta courageusement contre la démocratie libérale et parlementaire » et dont la « critique » est, malgré ses « troubles origines », un « acquis définitif du personnalisme »[7] ; et c'est la jeune droite qui, avec Bardèche ou Drieu, s'engage à « marcher avec n'importe quel type qui foutra ce régime par terre »[8]. Ce sont les munichois style Thierry Maulnier qui, même nationalistes et germanophobes, pavoisent de voir la preuve, enfin administrée, de l'anémie libérale face à la virilité fasciste[9] ; mais ce sont des antimunichois comme Schlumberger qui, quoique progressistes et antifascistes, expliquent, eux aussi, la forfaiture par un excès de « liberté », ce « luxe » accablant, cet « onéreux » fardeau[10]. Il n'est pas jusqu'à Paul Morand enfin, prototype de l'esthète et de l'artiste désengagé, qui ne croie bon – plus tard, il est vrai – de brosser, à tout hasard[11], le portrait d'une Marianne « bouffie », « obèse », « adipeuse », tout encombrée par ses « tumeurs graisseuses, sa morale de saindoux » ; et jusqu'aux avant-

gardes littéraires – dont on aura plus d'une fois l'occasion, pourtant, d'admirer au cours de ce livre l'exemplaire lucidité* – qui n'omettent jamais d'introduire
dans leurs tracts, leurs « manifestes » la note antilibé-
rale de rigueur et de circonstance... Comme s'il y avait
là, en quelque sorte, un thème obligé et convenu. Une
manière de sésame, de mot de passe de l'Intelligence.
Un consensus, une convention, presque une union
sacrée : ce qui est sacré avant 40, au pays de 89, c'est de
s'unir contre ce qui constituait probablement alors –
comme, du reste, aujourd'hui – le meilleur et le seul
recours contre la barbarie menaçante.

Encore qu'il ne faille pas imaginer pour autant une
croisade, hargneuse et résolue. Rien, dans tout cela,
dans cet ample concert de voix, qui sente la concerta-
tion justement. Pas même, chez la plupart, de cet
acharnement à prêcher, voire à prouver, qu'on rencontre d'ordinaire chez les militants et les doctrinaires.
Non. Le plus extraordinaire dans cette affaire – et aussi
sans doute le plus grave – c'est que le ton y est à
l'allusion plutôt, à la référence tacite, discrète et machi-
nale. Que tout se passe comme si, dans toutes ces têtes
de clercs, la cause était entendue, le procès déjà plaidé,
le deuil depuis longtemps pleuré et consommé. Qu'il
n'y avait même plus là matière à débat réel, mais une
sorte de molle assurance, de truisme silencieux, d'évidence a priori, qu'il suffirait de rappeler de temps à
autre, distraitement, sans insister, presque par habitude. La démocratie, au fond, c'est un peu comme
Dantzig : une curiosité exotique déjà, qui ne vaut ni
que l'on meure ni que l'on se mobilise pour elle, –

* Je songe à des hommes comme Breton, Crevel, Artaud, grands écrivains
et incomparables voyants de leur temps. A d'autres comme Caillois, Leiris
ou surtout Bataille qui, funambules sur le fil tendu entre les abîmes totalitaires, s'opposèrent à toutes forces aux forces de régression. Une clé, peut-être,
pour entendre le siècle : les effets proprement politiques, c'est-à-dire littéralement antifascistes, d'une éthique de la littérature.

pauvre « mesure morte », impossible à « ressusciter »[12].
L'humanisme, les droits de l'homme ne valent pas
beaucoup mieux : de vains et creux archaïsmes, fossiles
irrémédiables, et définitivement disqualifiés, – leur
« objection porte à faux » face à la franche nouveauté
que représentent « l'hitlérisme », le « fascisme » ou le
« stalinisme »[13]. L'antilibéralisme, du coup, n'est même
pas une thèse ou un thème autour de quoi on pourrait
disputer : mais un acquis, un préjugé, le propre lieu
commun où l'époque tout entière, tête vide et yeux
bandés, choisit de s'échouer. Il sera en deçà de la
vérité, Pétain, lorsqu'il déclarera en 1940 que la démocratie était, avant sa venue, « condamnée depuis
longtemps »[14] : la tragédie de cette génération – et
peut-être pas seulement de celle-là – c'est qu'elle n'a
pas même eu à la condamner, puisqu'elle avait résolu
de l'oublier, de la refouler, – à la lettre, et tout bonne-
ment, de *ne plus y penser*.

Car à quoi pensait-elle donc, cette génération
d'avant le fascisme ? Je crois, en fait, qu'on ne comprend rien à tant d'abdication si on ne tente de la
réinscrire dans son décor spirituel. Et dans le cadre,
notamment, d'une tout autre tragédie, plus large, plus
profonde, qui, depuis quelque temps déjà, avait commencé d'ébranler, bien au-delà de l'idée démocratique,
les assises mêmes de la socialité et dont on perçoit
l'écho chez quelques-uns de ses écrivains... On se souvient par exemple de l'anathème lancé par les surréalistes contre cette « terre sèche et bonne pour tous les
incendies », peuplée de tant de « monstres » qui grondent doucement aux pieds de nos « tremblantes », de
nos vacillantes demeures humaines[15]. De l'effroi d'un

Antonin Artaud face à un monde défait, privé de
« sens » et de « mythes », rongé par la vermine et
comme dévitalisé, où les hommes ne s'assemblent plus,
dit-il, qu'au prix du plus trompeur, du plus ruineux des
malentendus[16]. L'imprécation de Céline, paladin de
l'ordure et chantre d'immondice, expert en cataclysmes
et en décomposition qui, de son long et raisonné
voyage en épouvante, rapportait l'image de cette horreur nue, de cette pure pâte à carnage, où les hommes,
sottement, tissent le fil de leurs harmonies sociales[17].
L'ultime, l'héroïque sursaut encore de Bataille et ses
amis fondant, à la veille de la guerre, un Collège de
sociologie qui s'assigne pour tâche d'œuvrer à la
« resocialisation » d'une modernité devenue hostile,
constatent-ils, à « toute société instituée », et roulant
lentement, du coup, à l'abîme qui commence de s'ouvrir sous ses pas[18]... Jamais la littérature n'était allée
aussi loin dans sa traque à la barbarie qui rôde, si
proche, aux parages des communautés. Jamais elle
n'avait dit si haut la formidable illusion, le monumental mensonge, sur quoi repose et s'édifie le contrat de
société. Car ce qu'ils disent, *ce qu'ils voient,* au fond,
tous ces voyants, c'est, au-delà cette fois du politique,
la vérité terrible, même si largement inaudible, de la
ruine, de la faillite du lien social en tant que tel. Et la
question qu'ils posent alors, têtue, obsédante, à
laquelle, ils le savent bien, aucune époque n'a jamais
pu supporter bien longtemps de ne point savoir répondre, est à peu près celle-ci : « pourquoi, comment, au
nom de qui et de quoi, sommes-nous ainsi institués, –
êtres de société, en société rassemblés, plutôt que bêtes
en grand nombre, à la barbarie reconduits ? »
     Ou même, pis encore, plus terrifiant s'il se peut, cette
autre question connexe, ressassée jusqu'à la nausée :
« Pourquoi et comment, au nom de qui et de quoi,
sommes-nous ainsi constitués, – êtres de langue et de

loi, sujets libres et souverains, et non purs brins du
monde, pauvres et simples bris de matière, rivés sans
recours ni merci au sort de toute matière ? » Car enfin,
écoutez-les maintenant, les petits frères de Lafcadio ou
d'Aurélien, tous ces troubles personnages, en quête
d'une incertaine et fuyante identité, qui hantent de leur
désarroi le roman de l'entre-deux-guerres. Voyez
comme ils flottent, inconscients et exsangues, vidés
d'intériorité et presque inhabités, tels de chétifs « feux
follets », filant indéfiniment à la surface d'eux-mêmes.
Entendez la rumeur qui monte, qui les prend à la
gorge, qui les assourdit de toutes parts et qui leur dit
l'inanité d'un moi liquide, épars, englouti « corps et
biens » en cette singulière « dérive » qui constitue
l'existence humaine. Le monde lui-même leur échappe,
fluide lui aussi, tel un mirage qui se dérobe et qu'ils
n'étreindraient plus que de loin en loin au « détour »
d'une scène d'horreur (Crevel), au contact de la crosse
d'un « revolver » (Drieu), au spectacle, plus simplement, de la mort. Cette mort elle-même, c'est peu de
dire qu'elle les hante puisqu'ils la vivent, qu'ils y habitent, qu'elle est devenue comme le pli ou le régime de
leur désir – ce désir devenu fou, « abominablement
libre », comme dit encore Crevel, sans nulle loi désormais pour le borner et le contraindre. Et il n'est pas
jusqu'à la langue enfin, leur propre langue de vifs, qui
ne défaille et ne bascule, ne semble soudain leur manquer, saisie à son tour par la mort : et cela, au moment
où, ailleurs, le travail de la Poésie la met au supplice
d'elle-même, – langue brisée, concassée, méthodiquement déconstruite, aux parages de l'aphasie...

Mon propos n'est pas, bien entendu, d'entrer dans le
détail ni le dédale de cette crise. Il y faudrait un inventaire plus serré des grands et des menus textes qui
jalonnent cet itinéraire[19]. Il faudrait les distinguer surtout et distinguer, dans cette clameur, la morne voix de

ceux qui, déjà, consentent à l'imminent désastre et celle, plus anxieuse, des autres, qui s'emploient à le conjurer. Il manque à ce bref tableau, aussi, l'évocation de ce traumatisme crucial que fut, pour toute cette génération, la boucherie de 14-18, véritable scène primitive où elle commença de faire le compte de tous les idéaux morts, gisant entre les morts, dans les charniers de Douaumont ou du Chemin des Dames... Mais une chose est sûre en tout cas qui, pour l'instant, m'importe. C'est que la crise, cette fois, prend une tournure inouïe et achève de se formuler. Qu'à ce degré de subversion, d'aucuns diraient de nihilisme, il ne s'agit plus d'un simple « mal du siècle », d'une « crise de société » ou d'une « faillite de l'idéal ». Qu'au-delà même du lien social de tout à l'heure, c'est le lien que chaque homme, pour être et se maintenir homme, tente de nouer avec soi-même, qui menace maintenant de craquer. Que c'est tout le sol qui tremble, qui s'affaisse, où les hommes prennent pied d'habitude pour forger, exhausser, maintenir leur identité, leur simple qualité d'homme. Mieux : que ce qui commence là de s'effondrer, à la croisée de la Loi et du Moi, de l'Ethique et de la Langue, c'est rien moins, peut-être, que quelques-uns des garants très anciens où, depuis la nuit des temps, s'assurait la survie de l'espèce comme telle.

Depuis la nuit des temps ou, en tout cas, depuis des millénaires. Car ces hautes croyances chues, ces garants immémoriaux si soudainement dévalués, ce ne sont rien d'autre, en fait, que quelques-unes des maîtresses inventions de la tradition judéo-chrétienne. Ces valeurs universelles en même temps qu'éminemment singulières, qui vouent l'homme à la transcendance en même temps qu'elles l'assignent à l'horizon réglé du Droit, ce ne sont rien, au fond, que les pièces essentielles du vieux dispositif monothéiste de résistance à la barbarie. En sorte qu'on n'entend rien à ce singulier jeu de mas-

sacre, rien surtout à l'inouï désarroi où il plonge ses
témoins, si l'on n'y voit la trace, en dernier ressort,
d'une tragédie religieuse, d'origine religieuse et dont le
dénouement, lui aussi, sera, on va le voir très bientôt,
de nature religieuse... Le Collège de sociologie l'avait
compris qui, à la racine de tant de « désespérance »,
décèle – et a le rare mérite de déceler – une inédite
débâcle du « sacré »[20]. Jules Monnerot de même, qui,
lançant dans la revue *Volontés* une vaste enquête sur
« les directeurs de conscience », sait interpréter la montée des totalitarismes comme la revanche des « vieilles
religions tribales » sur le « catholicisme » qui, jadis, les
avait liquidées[21]. Des hommes aussi différents qu'Arland et Benda vont dans le même sens encore, qui
diagnostiquent, l'un une *Fin de l'Éternel,* l'autre l'ultime soubresaut de la mort historique de Dieu laissant
dans les consciences comme une informe et monstrueuse béance[22]. Et quant aux autres – je veux dire à
l'essentiel de l'intelligentsia et des élites politiques du
moment – ils écoutent, ils opinent et, saisis de vertige
devant l'horreur de cette béance, ils vont n'avoir de
cesse que de la réduire, de la combler, d'en refermer la
plaie hideuse : à la lettre, de *compenser* les croyances
abolies par autant de mesures neuves, propres à baliser
un sol où, de nouveau, pouvoir fixer une identité
défaillante.

Et c'est là, alors, que commence vraiment l'aventure.
L'autre versant, pentu déjà vers le gouffre de ces étranges années. Leur envers d'ordre, de discipline, de
« résistance, dira Drieu, à la colique » qui menace de
tout emporter. Ce sursaut d'identité, cette érection du
corps et de l'âme, qui vont les raidir, lui et les autres,
contre tant de dissolution. Et cette singulière *réaction,*

religieuse donc de part en part, qui va scander comme
un long spasme la génération pré-pétainiste... Car
quelle hallucinante inversion de régime, soudain ! C'est
comme une tumultueuse machine à resacraliser les têtes
qui se remet maintenant en route et tourne, tourne,
vrombit à pleine puissance. Tout un pullulement de
nouvelles idoles, de fétiches sévères mais rassurants,
qui tentent de meubler la place vide des grands signifiants écroulés. Un déferlement de nouvelles valeurs,
valeurs sûres, valeurs refuges, dieux de fer et de bois,
de tourbe et de sang, par quoi l'on tente de suppléer au
défaut des valeurs faillies. Une sorte de contre-disposi-
tif qui va venir obturer, garrotter l'intolérable hémorra-
gie qui s'est déclenchée dans les cervelles et a commencé de les lézarder. Plus question d'universalité cette
fois, mais un repli frileux et crispé sur les identités les
plus pauvres, les plus immédiatement figurables. Pas de
singularité pour autant, mais de vastes mythes collectifs
qui diront la jouissance d'une humanité fixée à la vérité
du troupeau. Pas davantage de transcendance, mais de
sombres songes d'immanence, de retour au creux de la
matrice ou de fusion mystique au sein de la communauté. Moins encore de Raison enfin, ni de pari sur le
Droit, mais un culte de l'autre raison, la petite raison
païenne de la force, de l'instinct et de l'ordre organique
des choses. Bref, là où le cours ancien parlait de Loi et
de Langue, de Conscience et d'Éthique, le cours nouveau dira la gloire de la Terre et du Corps, de la Race
et de la Nation, – quatre mots, quatre noms, qui vont
proprement déferler dans les têtes d'avant-guerre.

Prenez l'idée de Nation. Le premier et le mieux
connu de ces signifiants de substitution. On cite toujours à son propos le cas des maurrassiens et de leur
rude mais déjà ancienne démence. Celui des ligues fac-
tieuses, plus spectaculaires assurément, mais plus mar-
ginales aussi qu'on ne le dit en général et dont le rôle, à

Vichy, sera, on le verra, à peu près nul. Celui de la droite conservatrice, parfois encore, mais pas très typique lui non plus, avec ses raideurs un peu séniles de boulangisme sur le retour. Mais ce qu'on cite moins en revanche, et qui est beaucoup plus significatif, c'est cette large frange de la gauche qui, lasse d'un marxisme *gauche* trop gorgé encore, à son goût, de valeurs universalistes, résolut, derrière Déat, par exemple, de suivre le peuple de France dans son « repli » fiévreux sur le « cadre national »[23]. Cette foule de « néo-socialistes », jeunes loups du modernisme, technocrates avant la lettre, les plus brillants espoirs, souvent, de la S.F.I.O. vieillissante, et qui, décidés à substituer aux fraternités abstraites d'antan d'obscures mais plus robustes parentés *nationalist* de chair et de sang, s'en vont jeter les bases, sous l'œil « épouvanté » de Blum[24], d'un authentique parti national et socialiste. Le Parti communiste encore, comme un seul homme cette fois, qui, ralliant dès 1935 l'essentiel des positions qui, à peine six mois plus tôt, avaient suffi à faire exclure Doriot, en appelle maintenant à son tour à la grande alliance du peuple de France, tout entier mobilisé contre les voleurs et les parasites, tout entier rassemblé dans la communauté nationale ressuscitée. Tant et tant de textes enfin, d'innombrables articles et discours où Vaillant-Couturier, mais d'autres aussi, j'y reviendrai, retrouvent les accents du chauvinisme le plus éculé, parfois même de la xénophobie la plus ignoble, pour chanter la gloire de Jeanne-la-paysanne, glorifier l'honneur et le parfum de nos terroirs, fustiger l'« anti-France » aussi et le cosmopolitisme dissolvant des intellectuels bourgeois[25]. Ce qu'on a oublié, autrement dit, c'est que c'est le pays tout entier, *whole of France* de la droite à la gauche, de la gauche à l'extrême gauche, de l'extrême gauche à l'extrême droite, qui, cinq *even before* ans avant Pétain, communiait dans le même cri rauque *Pétain!* et déjà meurtrier : « La France aux Français ! »

Car ce qu'on a oublié aussi – et avec plus d'acharnement peut-être encore – c'est le regain de faveur dont
jouit au même moment et aux lieux, de nouveau, les
plus inattendus la fixation raciale... C'est l'époque en
effet où *l'Humanité* harcèle régulièrement la « tribu
cosmopolite » Rothschild avec, ici ou là, la douteuse
caricature de rigueur[26]. Où Marty et bientôt Thorez
couvrent de boue le « chacal Blum », « ses contorsions
et ses sifflements de reptile, ses mains aux doigts longs
et crochus »[27]. Où vingt ans plus tôt déjà, le tout jeune
P.C.F. contribuait à la folle rumeur d'une énigmatique
maladie, que la presse et les médecins baptisaient pudiquement « maladie n° 9 », mais dont chacun – et lui
compris – savait, chuchotait, susurrait qu'elle était en
fait propagée par les juifs[28]. L'époque où, du côté des
plus dignes, des plus français de nos écrivains, on
retrouve les mots du satanisme, de la bestialité pour
décrire des juifs « simiesques » (Martin du Gard),
« disgraciés » (Pierre Benoit), pitoyables animaux de
cirque (Lacretelle), « spéculateurs » éternels du
« sang » christique (Jouhandeau). Gide lui-même est
formel qui, compétent en son domaine au moins,
affirme que « les qualités de la race juive » ne peuvent
que « fausser » et corrompre, « gravement, intolérable-
ment », l'identité et la « race » de la littérature française[29]. Drieu aussi, cela va de soi, dont les romans – et
pas seulement les essais, comme voudraient nous le
faire croire ses admirateurs d'aujourd'hui – sont infes-
tés de l'antisémitisme le plus vulgaire[30]. Et pendant ce
temps, ailleurs, d'autres vont plus loin encore et passent en quelque sorte à l'acte qui, tel Darquier de Pellepoix, suggèrent, *dès 1935,* à la ville de Paris une
manière de statut des juifs dont Vichy, cinq ans plus
tard, n'aura qu'à reprendre sinon les termes du moins
l'esprit[31] ; ou, tel Jean Giraudoux, commissaire à la
Propagande de Daladier, proposent la création d'un

« ministère de la Race » qui nettoierait la France de ces « hordes » d'étrangers, à la « constitution physique précaire et anormale » qui « encombrent ses hôpitaux » et viennent corrompre de l'intérieur son intégrité biologique[32].

D'où le thème de la Terre. La terre où il faut être né pour participer des valeurs de cette race. La terre où il faut prendre racine pour appartenir au grand corps de la Nation. La somptueuse, la magnifique, la grandiose *terra-mater,* déesse aux mille visages dont la littérature de l'époque, encore, va varier à l'infini les infinies nuances du culte... Il y a les terres grasses en effet, toutes bruissantes de voix et de murmures, dont les poilus, jadis, ensevelis dans les tranchées, avaient entendu – selon Adrien Bertrand, Henry Bordeaux et toute la littérature de guerre – l'« appel » qui leur intimait de tenir et leur donnait la force de vaincre[33]. Il y a les terres nocturnes, ruisselantes de morts et de sang, sortes de Wotan français aux couleurs de marais bretons où un Alphonse de Châteaubriant entend, lui, l'appel de la « poésie hitlérienne »[34]. Il y a les terres rieuses aussi, douces à fouler, exquises à humer, où un Giono campe, dans de paisibles décors rustiques, des théories d'hommes simples, presque somnambuliques, et reconduits à la plus pure, à la plus naturelle des identités[35]. Il y a des terres glorieuses même, rayonnantes et luxuriantes, où tout exhale une spiritualité orgiastique et mystique et où les jeunes titans gidiens « se dressent, nus et vaillants, font craquer leurs gaines et croissent droit, à l'appel du soleil et de la riche sève qui les nourrit »[36]. Et puis il y a les terres graves enfin, lentes et taciturnes, toutes gorgées de sagesse, de mémoire, d'éternité, celles de Drieu par exemple, où s'élèvent de grands arbres, des forêts de « hêtres » souverains qui toujours disent aux hommes leurs plus profondes vérités[37]. La terre, décidément, n'avait jamais

tant parlé qu'au long de ces années. Jamais on ne
l'avait si richement, si universellement drapée de songes. Être terre, se faire terre : voilà l'obsession, en
maintes langues déclinée, de cette génération, presque
unanime.

Et aussi – quatrième et dernière identité compensa-
toire – faire corps, se faire corps, chanter haut et fort la
gloire de Dieu le Corps. Relisez l'hymne de Drieu
encore à Doriot « le bon athlète », qui « étreint » le
« corps débilité » de « sa mère », la France, et « lui
insuffle la santé dont il est plein »[38] ; et lisez en regard,
dans *l'Humanité* dix ans plus tôt, le portrait du même
Doriot, ce « grand et fort garçon, à la figure mâle, aux
yeux francs », qui crève de santé déjà, d'« énergie », de
« volonté »[39]. Souvenez-vous du « sombre émerveillement » de Brasillach foudroyé à Nuremberg par la
grâce du jeune nazi, « fier de son corps vigoureux » et
« appuyé sur sa race »[40] ; et comparez l'émoi de Denis
de Rougemont devant ces « jeunesses bottées, nu-tête,
chemise ouverte, dont notre presse, dit-il, aime à railler
les uniformes »[41]. L'éblouissement de la presse de
droite encore, au moment des olympiades de 1936, face
à ces sportifs splendides, dont elle a vu rouler les mus-
cles au soleil de Berlin-la-Brune ; et le retour fasciné,
parallèlement, de cette délégation communiste venue
admirer sur les terrains de sport de Moscou-la-Rouge,
une « jeunesse heureuse de vivre », fière de « ses corps
robustes », qui « respire la santé » et « donne une
impression formidable de la force de son pays »[42]. Au
point que lorsque la fédération sportive du Front
Populaire clame qu'elle est prête « à travailler avec
tous ceux qui veulent véritablement sauver la jeunesse
de la dégénérescence physique »[43], on croit déjà entendre, comme en écho, un Pétain relever le défi et bou-
gonner, à son tour, que « la jeunesse moderne a besoin
de vivre avec la jeunesse, de prendre sa force au grand

air, dans une fraternité salubre »[44]. Au point, aussi, qu'un Montherlant peut à la fois dédier à Romain Rolland le chapitre des *Fontaines du Désir* où il chante les vertus de la « brute » qui couve sous l'« humanitaire » ; être salué par *l'Action française* quand il publie, à la gloire du corps et des vertus viriles, ses *Olympiques* et son *Angélus sur le stade ;* égrener d'un livre à l'autre le « chant funèbre » qu'il tire de cet « archet frotté de sang », ramassé sur d'obscurs champs de bataille où errent des « hommes de proie », nostalgiques du corps à corps avec l'Allemand, les taureaux et finalement eux-mêmes[45]. Car l'époque, là encore, est d'accord, au fond, sur l'essentiel. L'homme nouveau dont elle rêve ne sera ni de droite ni de gauche : il sera jeune. Il ne pensera ni vrai ni faux : il pensera droit. Il ne cultivera ni le bien ni le mal : mais la santé et la vie. Fantasme d'un peuple athlétique qui, enraciné en son corps autant qu'en sa terre, sa race et sa nation, est encore un lieu commun majeur de ces hommes d'avant 40, – même s'ils doivent constater que, pour l'heure, c'est à Moscou et à Berlin plus qu'à Paris qu'il a trouvé à s'incarner.

L'aventure, on le devine, approche là de son dénouement. Mais peut-être pas, pourtant, du dénouement qu'on croit... Car voici cette génération, maintenant, devant son choix le plus douloureux : que va-t-elle faire de ces valeurs nouvelles qui embrasent si fort ses cœurs et ne labourent, hélas, que des terres étrangères ? Quelle position adopter face à ces terres bénies où des peuples de géants montent à l'assaut d'un ciel dont elle a, si patiemment, dressé le chapiteau ? Va-t-elle, peut-elle s'y rallier simplement, sans remords ni réserve, et faire le grand saut, le pèlerinage décisif, le voyage sans retour cette fois au pays du rêve éveillé et de l'homme nouveau réalisé ? La tentation existe, c'est certain. Elle les tenaille même, tous ces hommes qui, tandis qu'ils causent et qu'ils songent, voient là-bas, tout près, au cœur même de la vieille Europe, d'autres hommes agir et bâtir. Les plus timorés y résistent mal qui, à la revue *Ordre nouveau* par exemple, saluent l'« authentique grandeur » du jeune chef Adolf Hitler et de sa « collectivité organique, riche de fraternité et d'amour[46] ». Emmanuel Mounier lui-même, le « chrétien », l'homme « de gauche », cède au grand vertige et reconnaît aux fascismes un « élément de santé », une « hauteur de ton », une « différence d'allure historique » qui « ne sont pas, dit-il, des énergies méprisables[47] ». Oui, il en convient lui-même, une « tentation fasciste » plane sur la douce terre de France[48]. Dans le hurlement des S.A. et la bestialité, déjà, des premières hordes de la mort, il se trouve un philosophe français – et non des moindres – pour déceler une « grandeur » et une « allure historique ». Il a à ses côtés, ce philosophe, des hommes qui, tout en dénigrant les aspects les plus choquants de la politique du Reich*, reprennent à leur compte d'autres thèmes de sa propagande et saluent Hitler, au moment de l'Anschluss, comme un « libérateur ». En juin 1940 encore, alors que l'horreur nazie n'est plus un secret pour quiconque, il peut, ce même Mounier toujours, donner en exemple à la France la « vitalité », l'« offensivité », l'« imagination » que l'hitlérisme a « insufflées à l'Allemagne »[49]. Aveuglement ? Défaut de lucidité ? Pour qualifier des positions

---

* Il faut préciser par exemple que, dès mai 1933, *Esprit* publie un dossier sur la question juive où l'antisémitisme hitlérien est condamné sans la moindre réserve. Mais on reste rêveur, tout de même, quand, quelques mois plus tard, en janvier 1934, Mounier écrit qu'« on ne combat pas une mystique avec une mystique de rang inférieur ». Cette « mystique », c'est le fascisme. Et cette « mystique de rang inférieur », c'est la démocratie.

de ce genre, il n'y a, je le crains, qu'un mot : fascination.

Et pourtant, malgré cela, curieusement, paradoxalement, cette sombre tentation demeure une tentation. Et
peu, très peu de ces hommes, infiniment moins qu'on
ne le croit généralement, accompliront le geste décisif.
Pourquoi ? Qu'est-ce qui les en retient ? D'où leur viennent-ils, ce scrupule, cette répugnance ultimes ? Écoutons-les donc jusqu'au bout. Suivons-le jusqu'à son
terme, le film de cette singulière pénitence. Voici Mounier justement dans le rôle du Philosophe qui ne tran-
sige pas avec le concept : hauteur de ton ou pas, dit-il,
« ce n'est pas dans de semblables caricatures que nous
irons, nous Français, interroger la mission de la
France »[50]. Ses amis d'*Ordre nouveau,* dans celui du
fin stratège, expert en analyse concrète des situations
concrètes : « chaque pays, chaque nation doit trouver
en soi, en soi seul, la force de son propre sauvetage »[51].
Maurras, vieux nationaliste têtu, jouant au paysan qui
ne s'en laisse pas conter : le nazisme, c'est bien connu,
est une création du complot juif, et c'est « seule », à
égale distance de Berlin et de Moscou, que, déjouant le
piège grossier, la France éternelle entreprendra son
héroïque redressement[52]. Drieu lui-même, drapé de
vertu outragée, et de farouche probité : « Nous, au
P.P.F., nous sommes à fond contre Moscou et s'il y
avait un parti de Berlin et de Rome nous serions aussi
à fond contre lui[53]. » Thierry Maulnier enfin, dans le
style plus vieille France qu'affectionne la jeune droite
d'alors : « Quelle que soit la considération, quelle que
soit – j'insiste – la toute particulière estime dans
laquelle il convient de tenir une attitude comme celle
de la jeunesse hitlérienne », nous avons, martèle-t-il,
nos « caractères propres », nos « mœurs », notre
« culture », à quoi « notre rénovation révolutionnaire
doit être appropriée »[54]... D'un bord à l'autre, autre-

ment dit, un sursaut, un accès, et comme une poussée
de dignité. Tout se passe comme si cette identité encore
précaire qu'on a si patiemment arrachée aux sables de
la décadence, on ne voulait pas l'abjurer maintenant
sur des autels voisins. Il est vrai, en ce sens, parfaitement et atrocement vrai, – et on en verra bientôt les
conséquences dernières – que cette génération pré-
pétainiste a résisté à la séduction. Mais qu'on se rassure, semble-t-elle nous dire, ce n'est ni souci de vertu,
ni excès de courage. Mais c'est que nous nourrissons,
simplement, une tout autre ambition pour notre pays
de vieille tradition : face aux totalitarismes étrangers
qui, avant que d'être totalitaires, sont fondamentalement étrangers, la France a une mission, qui est de
fabriquer français.
    Mais aussi, mais surtout, de *fabriquer fasciste,* vrai-
ment fasciste, authentiquement fasciste... Car au fond,
et tout bien pesé, songent ces hommes, que valent donc
ces expériences qui prétendent à l'exemplarité ? Est-elle
si fondée qu'on le dit leur hautaine aspiration à guider
l'Europe entière sur les degrés de la terre promise ?
Nos intellectuels sont là, heureusement, prêts à mener
l'enquête. Le premier choc passé, ils entreprennent
d'ausculter, avec le regard froid du spécialiste, ces
grands corps bouillonnants, tout parcourus de secous-
ses. Et ils en tirent un certain nombre de diagnostics
qui, pour l'heure, les ravissent même si, aujourd'hui, à
cinquante ans de distance, ils les accablent. Ainsi, dit
l'un, Hitler n'est pas le saint Michel qu'on attendait,
terrassant à jamais le Dragon libéral : il demeure
« démocrate », un nigaud de démocrate, le dernier
Européen peut-être à croire encore à cette vieille bau-
druche démocratique[55]. La nation mussolinienne,
ajoute le second, n'est pas celle dont nous rêvions,
concrète, organique, et « purificatrice » : c'est une
nation « étroite », « bourgeoise », asservie encore aux

vieux démons de la « fécondité de l'argent » par exemple, « abstraite » pour tout dire, médiocrement, ridicu-
lement « abstraite »[56]. Méritent-elles même, demande
un troisième, le beau nom de « totalitaires », ces expériences « trop simples » où l'on n'a pas compris que
« seule a le droit de se vouloir totalitaire la vérité qui
est totale, qui rend compte de tout l'homme »[57] ? Non,
décidément, répond-il, ces hommes sont des impos-
teurs. Les brevets de totalitarisme qu'ils décernent, c'est
à nous de les leur refuser. Ces arrogants parangons de
fascisme sont aussi et surtout des fascistes au rabais.
Ces révolutions triomphantes sont aussi et d'abord des
« révolutions avortées »[58]. En sorte que la conclusion
s'impose, radieuse comme un premier matin, qu'exprime-
ment assez bien les idéologues d'Ordre nouveau : « La
révolution qui se prépare et dont les mouvements russe,
italien et allemand ne sont que les prodromes impar-
faits », c'est à la France qu'il revient de la réaliser et
d'en relever le défi[59].

Car telle est bien, finalement, la folle chimère qui
hante ces têtes au terme de la route. Telle l'espérance
qu'elles nourrissent, de plus en plus hardiment, à
mesure que le temps passe. Telle, surtout, l'ardente, la
pressante apostrophe qu'elles adressent à ce vieux pays
de France, déchu et pantelant : saura-t-il enfin s'éveil-
ler et trouver en son fonds, dans « sa très ancienne
vocation »[60], la force de relever l'étendard que d'autres,
malhabiles, ont laissé choir avant lui ? tard, si tard
venu au théâtre des orages, aura-t-il l'esprit d'en tirer
avantage et d'éviter les écueils, d'esquiver tant d'orniè-
res où eux se sont fracassés et qu'ils lui signalent du
même coup ? « terre décisive », « terre d'élection »,
« terre de mission »[61] pour le grand œuvre du fascisme,
entend-il comme l'Histoire vient rôder à son chevet et
lui offre, dans un souffle, « la chance d'être peut-être le
dernier modèle de l'Occident »[62] ? Oui, dit Maulnier, à

ce « carrefour » où nous sommes et qui est « l'un des
plus importants de l'histoire du monde », il est temps
que la France songe, « avant que les jeux ne soient
faits », à jouer à son tour « sa partie »[63]. Oui, dit
Esprit, une jeunesse doit « se construire, neuve et hardie, qui sauve notre pays d'être le plus réactionnaire
d'Europe »[64]. Les temps sont proches, ils le sentent
bien. Les délais, un à un, expirent devant eux. Un
maréchal bientôt viendra qui parlera la douce langue
de la terre, de la nation, de la race et de la jeunesse
françaises retrouvées. Lui aussi, il prônera cet « ordre
nouveau » qui ne peut être l'« imitation servile d'expériences étrangères » mais que « chaque peuple doit
concevoir » à hauteur de son « climat », de son
« génie », de sa « nécessité »[65]. Et alors, ces hommes –
et des millions d'autres – répondront en chœur :
présent ! pour faire que la chimère devienne enfin
réalité....

LA RÉVOLUTION FRAÎCHE ET JOYEUSE

Car, de fait, la chimère a bel et bien fini par passer dans cette terre de « mission » et d'« élection ». La place que la petite troupe des éclaireurs lui avait si longuement, si amoureusement ménagée, elle est venue s'y arrondir au-delà même de leurs espérances. La France, notre France, ne s'est pas contentée de l'accueillir, d'y consentir, de s'y plier peut-être, mais elle en a célébré à pleins poumons, et pour une très large part, la Nouvelle tant attendue. Et c'est peu dire, alors, qu'elle a courbé l'échine. Peu dire qu'elle a manqué d'audace, de caractère ou de prescience. Peu, même, qu'elle a laissé venir, mollement et sans passion, le torrent de fange et d'ordure. Car le plus terrible, le plus insupportable, c'est que, de cette fange, elle a reniflé avec délices les relents les plus infects. C'est qu'à ce torrent, elle s'est livrée sans retenue, avec une allégresse obscène dont on a bien oublié, depuis, les accents d'enthousiasme. C'est qu'en un mot, une authentique révolution fasciste s'est tenue là qui, de 1940 à 1942, trente mois durant au moins, fut vécue dans une manière de joie, de liesse et de ferveur.

Qu'on m'entende bien. Je n'ignore pas, naturellement, le peuple commotionné, stupide de sa défaite, qui s'éveille en juin 1940 comme d'un foudroyant cauchemar. Ces foules de réfugiés, de pauvres guerriers de fortune, hagards et épouvantés, qui errent de par les routes en quête d'introuvables asiles. L'immense désarroi, cent et cent fois décrit, de ces millions d'hommes et de femmes, atrocement déshonorés quand, au terme de l'exode, ordre leur est donné de jeter bas les armes et de reprendre les charrues. Je n'oublie pas surtout – et d'autant moins, d'ailleurs, que j'en fus bercé très jeune, de récits autorisés – l'héroïsme de la poignée de proscrits qui refusèrent, eux, justement, de désarmer face à l'infamie et qui, dédaigneux de tout succès et du verdict de l'événement, prirent le chemin de l'exil puis, très vite, des maquis. Mais ils furent une poignée, précisément. Une infime minorité d'irréductibles. D'invraisemblables arrogants désavoués par leur pays*. Et ce que je veux dire simplement c'est qu'on s'est trop longtemps prévalu de leur exemple pour trafiquer l'histoire de ce pays. Que la farce macabre a assez duré qui, de la gloire sinon de la mémoire des uns, fait l'alibi, depuis quarante ans, de l'amnésie des autres. Qu'il est temps, en d'autres termes –, quarante ans après justement – d'accepter de voir cette période et cette France pétainisée sous leur vrai visage, qui n'a pas grand-chose à voir avec celui de la légende.

Car précisons encore. Que nous dit-elle au juste cette légende dorée du pétainisme ? Quels en sont les récits

---

* Faut-il rappeler le terrible isolement de ces résistants de la première heure ? Ces quelques milliers d'hommes et de femmes (Paxton dit : sept mille ; et à peine trente-cinq mille fin 1942) qui résolurent de franchir le pas et de rejoindre le général de Gaulle ? Le désaveu par le Parti (j'y reviendrai plus bas ; chapitre 4) des initiatives héroïques que prennent çà et là des anciens de la guerre d'Espagne comme Tillon, Hapiot, Debarge, Guingouin et quelques autres ? Le caractère extrêmement marginal des premiers groupes de résistance intérieure qui, du reste, ne commencent à inquiéter sérieusement Vichy et les Allemands qu'au début du printemps 1941 ? La solitude presque tragique du groupe « Sous la botte » où se retrouvent, dès octobre 1940, des gens aussi différents que Merleau-Ponty, Simone Debout, Dominique et Jean-Toussaint Desanti ? On trouvera sur tout cela de précieuses indications dans le beau livre d'Henri Noguères auquel je ne peux mieux faire que renvoyer : *Histoire de la Résistance en France*, Paris, 1967.

les plus courants et les plus couramment admis ? Il y a
la version crapuleuse d'abord, lancée par le Maréchal
lui-même dans sa note du 18 août 1945 aux juges de la
Haute Cour et que n'ont cessée de reprendre depuis ses
thuriféraires les plus nostalgiques : c'est la légende du
premier résistant de France, voué au rôle ingrat mais
précieux du « résistant dans la métropole » et offrant
comme un bouclier son propre corps à ceux qui, parallèlement, choisissaient l'insoumission armée[1]. Il y a la
version moyenne ensuite, à peine moins indigne, même
si d'allure plus raisonnable et derrière laquelle se
retranchent aujourd'hui encore les néo-vichyssois mous
et surtout plus sournois : c'est l'image d'un Maréchal
des douleurs, vieux chef de provision, recru d'âge et de
patience, qu'un pays à genoux aurait adjuré de panser
simplement ses plaies, de sauver les meubles de la
France et qui aurait attendu alors, modestement mais
dignement, dans le deuil et l'honneur, les jours meilleurs de la victoire. Il y a la version basse enfin, beaucoup plus proche de la réalité déjà, mais trop partielle
encore, je le crains, même si elle émane cette fois d'historiens plus avertis, voire franchement hostiles au
régime : c'est le portrait d'un prince de contrition,
maniaque de pénitence, sorte de rabat-joie grondeur ou
de père-fouettard sévère, venu prêcher l'ascèse, les vertus d'expiation et une sorte de vague resucée, sinistre
assurément, mais pas bien méchante au fond, des plus
archaïques traditions de l'ordre moral d'autrefois. Il est
clair que ces trois thèses – et je pense notamment à la
dernière – ne sont pas équivalentes. Mais il est clair
aussi qu'elles ont toutes trois pour effet de masquer la
nouveauté, l'extrême spécificité du phénomène. Que le
pétainisme, ce ne fut pas plus le retour de Mac-Mahon
que l'ombre de De Gaulle ou une plate gestion de la
défaite. Et si je préfère, moi, parler de liesse, de joie et
de ferveur, c'est pour essayer d'en cerner une tout autre

dimension, qui n'appartient qu'à lui, et dont on retrouve déjà l'écho pour peu qu'on prête l'oreille au ton, simplement *au ton*, de la littérature du Maréchal.

La défaite ? L'armistice à peine signé et à peine bue la honte d'une capitulation sans gloire, c'est « vers l'avenir », vers « l'ordre nouveau » qui commence, qu'il invite le pays, sans crainte ni vergogne, à tourner ses énergies[2]. La France meurtrie, blessée, à genoux ? Le 12 juillet déjà, la voilà métamorphosée, miraculeusement « rajeunie », qui a « foi » en son destin et offre à ses enfants la chance d'une « tâche immense » de renaissance[3]. Faut-il croire qu'il s'agisse là des ruines à relever, de ces humbles tâches de remise en route qu'impose une débâcle ? Allons donc ! C'est à longue échéance qu'il travaille, à des « mesures de longue portée » qu'il s'attelle, et il en donne fièrement pour exemple l'« épuration » d'administrations infectées, où « se sont glissés, dit-il, trop de Français de fraîche date[4] ». Il y faudra de l'« effort », de la « peine », de la « discipline » ? Oui certes, mais que de bonheur aussi, que de récompense au bout du compte, et quelle « satisfaction virile à apporter sa pierre à la grande œuvre de la rénovation française[5] » ! Des textes de ce genre on pourrait les multiplier à foison. On pourrait à l'infini écouter l'insupportable rengaine. Peu d'« Appels », peu de « Messages », qui n'aient ainsi leur petite note de fièvre et de jubilation*. Pétain, ou le Maréchal boute-en-train. Vichy, ou l'euphorie, la sommation

---

* Il y a aussi, c'est vrai, les rapports des préfets qui, à l'été 1941, font état de la « léthargie » de la population (cf. Paxton, *op. cit.*, p. 227). Également, dans la littérature même du Maréchal, des textes où, « à défaut de l'enthousiasme que les circonstances ne favorisent pas », il attend des Français « une adhésion sincère de l'esprit, une acceptation réfléchie du sacrifice » (*Actes et Écrits*, Flammarion, p. 572). Mais les textes de ce genre sont généralement tardifs. Et il reste que, pendant les dix-huit premiers mois au moins, et à quelques exceptions près, la tonalité d'ensemble semble bien être celle que je dis.

de gaieté. Ce n'est point à pleurer ni à gémir que l'on invite la France, – mais à bâtir et à jouir, à se réjouir et à reconstruire.

Voyez d'ailleurs comme il interpelle, comme il exhorte son bon peuple. Lorsqu'il s'adresse aux artisans par exemple, c'est pour leur enseigner l'« ardeur » et la nécessité, très vite, de « regagner le temps perdu »[6]. Aux ouvriers, ses « amis », c'est d'« amour » qu'il vient parler, de joie et d'« enthousiasme » devant les perspectives radieuses qui s'offrent désormais à eux[7]. Face à la jeunesse, cette vaillante jeunesse de France à qui il voue, il le confesse, une « affection particulière », il va plus loin encore et l'invite à l'« allégresse »[8]. S'il évoque les fonctionnaires c'est pour annoncer qu'ils seront « plus libres » désormais et qu'ils « agiront plus vite »[9]. Les vieux, que « les plus beaux espoirs » leur sont permis, maintenant que le pays s'est enfin, sous sa férule, remis à l'œuvre et au travail[10]. Les paysans, que, dans un monde où « tout est à refaire », ce sont eux les vrais « chefs » qui portent dans leurs bras le glorieux destin de la France[11]. « Espoir », « allégresse », « enthousiasme » et « ardeur » : ce ne sont pas là, on en conviendra, les mots d'un État de transition, ruminant silencieusement son infortune ; c'est le ton de l'impatience plutôt, de la révolution fraîche et joyeuse, de l'exhortation bruyante et passionnée. Pétain, qu'on se le dise, n'est pas un maréchal d'opérette : et c'est d'un pas gaillard qu'il trottine avec les siens, vers la sombre ligne brune, là-bas, à l'horizon.

Des mots ? De vaines et vides paroles ? La malheur, c'est qu'à Vichy, les mots ont le poids des choses. Qu'il n'est pas un seul pays de l'Europe occupée qui ait si vite et si profondément entrepris de se « régénérer »[12]. Et qu'il n'est peut-être pas d'autre période, dans l'histoire même de la France qui ait connu pareille débau-

che, pareille frénésie réformatrice. Cela va depuis la
rationalisation des transports parisiens qu'un Berthelot
s'était depuis longtemps résigné à ranger dans ses car-
tons, jusqu'à la retraite des vieux travailleurs que le
Front populaire, trois ans durant, avait échoué à décréter. Depuis la loi sur les sociétés anonymes qu'un
Xavier Vallat, avant 1940, réclamait à cor et à cri,
jusqu'au fameux statut des fonctionnaires, l'arlésienne
des assemblées et des gouvernements républicains.
Depuis l'innombrable législation sur la femme, les jeunes ou la famille, jusqu'à la folle ivresse de ceux qui, à
Jeune France ou aux « Compagnons », ressuscitent folklores et patois, littératures et théâtres populaires. Pour
les amateurs de France profonde, c'est le cadre ines-
péré d'un révolutionnaire retour aux archaïsmes
oubliés. Pour les technocrates et les modernistes,
l'heure tant attendue de faire entrer, comme dit Bichelonne, ministre de la Production industrielle, « le futur
dans le présent ». Pour le Maréchal lui-même, la fierté
d'avoir « en quelques semaines » accompli « des tâches
auxquelles les gouvernements de la IIIe République
n'avaient même pas osé s'attaquer[13] ». Pour nous enfin,
qui observons tout ce manège, cette pénible surprise :
sur les ruines de la France et de la terre des droits de
l'homme, à l'ombre des chars allemands et des camps
de concentration français, la naissance, à quatre-vingt-
quatre ans, d'un authentique *législateur*.

Le mot est-il trop fort ? Je crois qu'il faut l'entendre
en un sens plus fort encore. Que, dans la cervelle du
Maréchal, il prenait des proportions grandioses, déme-
surées. Et qu'ainsi s'entend par exemple cet étrange
article du 15 septembre 1940 où il décrit sa France
vendue à l'Allemagne comme une France « rendue à
elle-même » et « retombée » – je souligne – au niveau
de « *l'état de nature* »[14]... A qui connaît ses classiques,
l'expression ne peut manquer de rappeler en effet ce

qui fut, il y a bien longtemps, le concept cardinal des grandes théories politiques. Pour qui songe à l'état concret de la France ruinée de 1940, le lapsus est hardi, qui fait de cette ruine l'ersatz, l'équivalent de cette dispersion primitive où s'ancrent, d'habitude, les sociétés. Et il n'est pas nécessaire alors d'être particulièrement malin pour comprendre le sens profond de la divine surprise pétainiste : la découverte dans le réel, ici, tout près, à fleur de terre de France, de cette table rase supposée, de ce degré zéro imaginaire, de cet état de nature originel, sans quoi les philosophes d'autrefois établissaient qu'il n'est pas de contrat social pensable, mais qu'ils n'avaient jamais su, eux, les mal lotis, que projeter là-bas, très loin, dans les nuées de la fiction. Avec le pétainisme, autrement dit, la fiction devient réalité. La philosophie descend et s'incarne dans le terroir. Et s'il a des rivaux, notre maréchal législateur, c'est moins, en ce sens, Blum ou Tardieu, que Rousseau ou Pufendorf.

On peut rire. S'indigner. Trouver cela naïf. Ou franchement répugnant. Mais le fait est que c'est ainsi qu'a parlé pendant deux ans ce singulier délire. Qu'il était loin, en ce sens, d'un simple réformisme politique, d'un redressement moral, ou même d'une « renaissance spirituelle ». Que le mot même de révolution – dont le Maréchal, d'ailleurs, n'a jamais cessé de se méfier – est peut-être inadéquat à l'ampleur démente de son projet. Car ce projet, en fait, ne visait à rien moins qu'à refondre, à remodeler de fond en comble les racines et le dessin de la société française... C'est dit en propres termes dans le message aux constituants, du 8 juillet 1940, où il est question d'un « remembrement organique de la société française ». Plus clairement encore dans l'invitation qui suit à réfléchir et formuler « la définition d'un nouveau corps politique »[15]. Constamment, obsessionnellement, dans toute l'idéologie du

régime, acharnée à défaire et à refaire, à démêler et à
renouer, le fil des institutions, des rassemblements de
toutes sortes. Fascisme mou ? Dictature paternelle et
modérée ? Avec toutes les dictatures, avec tous les fascismes du siècle, Vichy partage ce rêve : accoucher ici
et maintenant, mais à hauteur d'éternité, d'un monde
nouveau, d'un homme nouveau et, pour tout dire, d'un
lien social de type nouveau.

Quelle autre explication d'ailleurs à la cascade de
ralliements qui, très tôt, viendront grossir les rangs du
Maréchal de recrues inattendues ? Je pense à un Gas-
ton Bergery, créateur en 1933 du « Front commun antifasciste », et qui invite maintenant à reconstruire la
France de haut en bas, « sur les ruines » de la république[16]. A un Frossard, ce vétéran du socialisme qui alla
jadis à Moscou et en revint avec les statuts du P.C.F.
avant de s'en retourner sagement dans le giron de la
« vieille maison », et qui inonde à présent le très pétainiste *Mot d'ordre*, à Marseille, de vibrants éditoriaux[17].
A un Spinasse, ex-ministre de Blum, plus fier que
jamais de son passé « de militant, de député, de ministre de 36 » et dont le journal, quatre ans plus tard,
proclame que « la révolution est impossible sans un
État autoritaire et populaire »[18]. A un Marcel Déat
même, ministre en 1936 lui aussi*, éditeur des œuvres
de Proudhon en 1933, et qui annonce maintenant que
« la France se couvrira s'il le faut de camps de concentration », que « les pelotons d'exécution y fonctionne-
ront en permanence », car « l'enfantement d'un nouveau régime se fait aux forceps et dans la douleur »[19].
A d'autres, tant d'autres encore qui, jusque dans les
rangs du Parti communiste – dont je me réserve de

---

* Deuxième ministère Sarraut, 24 janvier-4 juin 1936.

traiter plus loin les singulières ambiguïtés – n'hésitent pas une seule seconde à adhérer de toute leur âme à l'utopie qu'on leur propose. Palinodies ? Il faut les entendre, les uns et les autres, tandis qu'ils adhèrent, se draper dans la pose de leur héritage et de leur passé. Opportunisme ? Quand l'heure des comptes sonnera, ils n'auront aucun mal, tous ces hommes, à retourner leurs poches vides et à prouver qu'ils ont agi d'un bout à l'autre par « idéal ». Inertie alors ? lassitude ? C'est de la démocratie qu'elle était lasse, cette cohorte de néos, de planistes, de futuristes, d'hommes de gauche, qui piaffent d'impatience devant le grand champ de débris qu'il leur appartient de relever. Non, ce n'est pas le cœur serré que ces politiques-là ont continué le combat : c'est dans la ferme conviction, plutôt, que le fascisme français est une déviation du socialisme.

Plus net encore : le cas des syndicats et de l'allégeance d'une partie d'entre eux au pétainisme triomphant. S'est-on jamais demandé par quel mystère un Lagardelle, héritier de Georges Sorel et du syndicalisme révolutionnaire, a pu finir dans le fauteuil d'un ministre du Maréchal[20] ? Yvetot, l'un des plus dignes survivants des luttes ouvrières du début du siècle, dans la peau d'une victime des bombes anglaises, enterré avec les honneurs et la fanfare de la Wehrmacht ? Charles Dhooges, l'anarchiste, l'insoumis, l'habitué des tribunaux et des prisons de l'avant-guerre, dans le rôle d'un propagandiste du S.T.O. qualifié d'« œuvre de justice sociale »[21] ? Dumoulin, l'ami de Monatte, l'adversaire de l'union sacrée en 14, le vétéran incontesté de l'anarcho-syndicalisme à ses débuts, dans celui d'un flic, d'un délateur signalant à la Gestapo la « position raciale » des « juifs Guigui et Buisson »[22] ? Là non plus, pas de rupture : tous ces hommes ne manquent jamais, à la fin du mois de mai, d'aller se recueillir au mur des Fédérés où ils célèbrent en silence la mémoire

de la Commune. Peu ou pas de corruption : face à un
vieux soldat qui renonce à sa retraite *(sic)* pour leur
faire don de sa personne, les travailleurs de France ont
à cœur, disent-ils, de renvoyer d'eux-mêmes l'image la
plus probe et la plus digne de l'illustre exemple[23].
Encore moins d'adhésion subie, attentiste, passive,
comme on l'a dit : cette collaboration où ils s'engagent,
ils tiennent au contraire à rappeler que ce sont eux,
après tout, les syndicalistes, qui l'ont inventée et bapti-
sée avec les articles de René Belin, publiés à l'hiver
1938, et intitulés justement *Propos sur la collaboration*[24].

Que les « Propos » en question concernassent la collaboration de classe ne change rien à l'affaire : il suffira de quelques visites guidées au paradis du socialisme – je veux dire en Allemagne – pour qu'un
Dumoulin, un Duvernet, un Robert Ley y découvrent
le charme discret d'un « beau rêve d'autrefois que nous
verrions vivre, bien réel, chez les voisins »[25]. Que Laval
ait eu la diabolique idée de faire signer la dissolution
de la C.G.T. par un de ses éminents secrétaires, devenu
opportunément entre-temps son ministre du Travail –
René Belin encore – ne change pas grand-chose non
plus : le régime, contrairement à ce qu'on croit généralement, confirme « loyalement » nombre de conquêtes
de 36 et c'est tout aussi « loyalement »[26], du coup, que
Dumoulin et ses amis tentent l'expérience de la Charte.
Car écoutons-les, ces représentants du prolétariat français ! Ils n'ont pas le moins du monde conscience de
plier devant un État fort, policier, despotique : c'est un
État faible plutôt, pathétiquement déchiré, en butte aux
complots incessants des trusts et de la finance qui, pen-
sent-ils, requiert le concours, la généreuse assistance
des larges masses populaires. Ce ne sont même pas des
démagogues, des dictateurs paternalistes, qui les reçoivent si simplement et leur parlent « en amis », presque

« en camarades » : dans le discours pétainiste, notent
les bonzes syndicaux, il y a un ton qui ne trompe pas,
qui est celui d'un authentique respect, d'une très réelle
visée de l'égalité des classes et qu'il ne tient qu'à eux,
songent-ils encore, de rectifier, de conforter, d'enrichir
de leur expérience et de leurs glorieuses élites ouvrières[27]. « Nous allons faire de belles choses », s'excla-
ment ces métallos aimablement reçus à Vichy[28]. « Un
monde est révolu, un monde nouveau est né », ajoute
l'hebdomadaire *Au travail.* Tout est là, même si, depuis
quarante ans, on s'obstine à le méconnaître : le renfort
d'un très précieux fascisme ouvrier aux grands desseins
mobilisateurs du national-socialisme français.

On connaît mieux, en revanche, le renfort que, très
tôt aussi, apportèrent un certain nombre d'intellectuels.
Faut-il rappeler par exemple l'ode vibrante de Paul
Claudel à la gloire du Maréchal ? Celle de Valéry, en
1944, qui, trouvant à peine ses mots pour dire « le
sentiment de vénération et de reconnaissance » qui
l'étreint, conclut, à bout de souffle, que ce n'est pas un
poème mais un « marbre qu'il faudrait tailler[29] » ? La
joie infâme des Brasillach, des Céline, des Drieu qui,
même s'ils ne goûtent guère, on le verra, le style de
Vichy, n'en saluent pas moins, avec lui, l'effondrement
sans retour de la démocratie ? Les joies plus troubles et
masochistes qu'avoueront tels ou tels autres à se plier
aux douces rigueurs de la censure, aux délices incon-
nues du crayon bleu, pourvoyeur de pensée ferme, propre et virile[30] ? L'émoi de Gide encore, à peine remis
pourtant de son « retour de l'U.R.S.S. », quand, dans
un soupir d'aise, il évoque l'exquise violence d'« une
dictature qui, seule, je le crains, nous sauvera de la
décomposition »[31] ? Cette histoire-ci, hélas, il n'est plus
nécessaire de la conter. Elle figure en toutes lettres dans
les œuvres complètes de nos écrivains. Mais il y a une
chose, tout de même, qui vaut d'être soulignée : colla-

bos mous ou enragés, pétainistes d'une heure ou de quatre ans, ils ont tous ceci de commun d'avoir joui, dans l'abjection, de l'ordre nouveau qu'elle instaurait. Et quand un Emmanuel Mounier déclare que « la France s'est suffisamment confessée, mes amis », qu'il n'est plus temps de s'attarder « dans une mauvaise conscience morbide » et qu'il n'est plus question surtout de « s'écarter de l'aventure vivante que vient maintenant inaugurer » le régime du Maréchal[32], – il est bien au cœur du délire. Infiniment loin de la pénitence et des mea-culpa moroses. A mille lieues de l'image convenue d'un pays découragé. Et tout près, au contraire, de l'exaltation devant cette grande révolution culturelle et populaire que lui propose l'époque et dont il lui appartient, pense-t-il, de relever le défi...

Car, au fond, pourquoi se gêner ? Pourquoi ne pas négocier par exemple, comme font les communistes pour *l'Humanité,* la reparution de la revue *Esprit* ? Qu'ont-ils à faire la fine bouche les amis restés à Paris, à Lyon ou, pis, dans les stalags, et qui l'adjurent de prendre garde[33] ? Mounier, lui, n'est pas de ceux qui se renient et oublient leurs positions passées. Le temps n'est pas loin où il appelait de ses vœux, on s'en souvient, une jeunesse qui « sauverait notre pays d'être le plus réactionnaire d'Europe ». Il se souvient parfaitement de ces textes lyriques d'avant 40 où il interrogeait anxieusement « la mission de la France » et lui proposait déjà des formules de salut. Il s'en souvient si bien qu'évoquant maintenant les formules que le régime nouveau lance « en gage d'espérance à la jeunesse de France », il tient à rappeler, à toutes fins utiles, que c'est « nous », après tout, qui « les approfondissons et les répandons depuis des années »[34]. Dans cette vaste quoique confuse révolution où s'engage apparemment le pays et qui fait renaître de leurs cendres le « sens de la nation », la « fonction du chef », l'idée « commu-

nautaire », il ne peut s'empêcher d'admettre que
« quelques formules de vie ressortent où nous recon-
naissons les traits dominants de notre héritage »[35].
Mieux, dans un article où la mélancolie le dispute à
l'emphase, il s'étonne que « ce laboratoire que nous
montions hier pour nos vingt ans », on puisse hésiter
un seul moment, à présent, à « en offrir les installa-
tions à tous les jeunes de France »[36]...

Face à des textes de ce genre, la question n'est pas de
savoir, comme on se le demande généralement, si oui
ou non Mounier a dû ruser avec la censure. Il a quelque chose d'indécent, le décompte que font les hagio-
graphes de la part qu'il faut y attribuer à la sincérité du
penseur et de celle qui relève, au contraire, de son
obligée compromission. Il importe peu, même, que
nombre de traditionalistes, à Vichy, aient vu d'un mauvais œil, et parfois tenté de réduire, ce jeune catholique
de gauche qui les prenait si brillamment – trop brillamment peut-être – au mot. L'important n'est même pas
de condamner, de jeter la pierre à un homme dont je
veux bien admettre qu'il ait « souffert » de toutes les
obscures et épuisantes batailles qu'il dut livrer à des
ministres analphabètes et point tout à fait gagnés
encore au charme du personnalisme. Car il va de soi
que Vichy n'est pas d'un bloc. Que le fascisme français,
lui aussi, a ses jeunes-turcs et ses hussards. Mounier fut
de ceux-là, exactement comme ces socialistes, ces syndicalistes, ces hommes de tous bords dont on a vu
quelques exemples. Et le fait est que, convaincu
qu'avec la défaite de 40 une « histoire nouvelle » s'ouvrait – celle-là même dont il implorait jadis le rendez-
vous –, il prit son bâton de pèlerin philosophique et
s'en alla dire la bonne parole à l'ardente et fière élite,
aux « volontés nettes et saines », des Chantiers de jeunesse, des Compagnons de France et de l'École des
cadres d'Uriage[37].

Ah ! Uriage... S'il fallait un seul exemple de cette
euphorie réformatrice qui enfiévra les élites françaises
en ces temps de confusion, c'est bien à celui-là que je
me référerais le plus volontiers. La légende veut que ce
fût un jeune officier démobilisé, Pierre Dunoyer de
Segonzac, frustré par la débâcle et par l'oisiveté forcée,
la tête farcie de chimères et de souvenirs de chevalerie,
qui découvrit près de Grenoble un vieux château du
XIIIᵉ siècle, tout bourdonnant encore des traces de la
famille du grand Bayard et qui, d'emblée, lui parut
propre à abriter « l'expérience de formation des chefs »
dont il rêvait pour la France nouvelle. Les textes ajou-
tent que c'est là, effectivement, dans le site enchanteur
de cette thébaïde, dans le cloître pacifié de ce monas-
tère laïc, que, bénis par Ybarnégaray et quelques
autres, défilèrent pendant presque trois ans, pour des
stages de trois semaines et parfois de six mois, les
cadres des Chantiers, puis du secrétariat à la Jeunesse,
puis encore des grands corps – Affaires étrangères,
Conseil d'État, Cour des Comptes, Inspection des
finances – de l'appareil d'État vichyste. Une sorte de
Saint-Cyr civil si l'on veut ou d'E.N.A. avant la lettre.
Une machine à fabriquer des « chefs », à la mesure du
monde de demain. Une pépinière d'hommes nouveaux
en tout cas, pour le monde nouveau en gestation.
Uriage n'est pas cette fantaisie pittoresque, folklorique
et marginale que d'aucuns voudraient aujourd'hui y
voir : d'abord parce que nombre d'hommes y transitè-
rent et s'y formèrent qui pèseront d'un poids décisif,
après 1945, dans les institutions politiques et culturelles
de la France libérée ; ensuite et surtout parce que, parfaitement intégrée, pour l'heure, au dispositif étatique
vichyssois, elle en partage, mieux : elle en diffuse et elle
en élabore les valeurs les plus fondamentales.
    L'esprit qui y règne est en effet volontiers martial,
spartiate, presque militaire, avec ce rien de fraternité

virile et de camaraderie de feux de camps qui fait des
hommes au cheveu ras, « à l'âme fière et au regard
droit »[38]. Les stages de formation prennent soin de
combiner les pures nourritures de l'esprit avec de rudes
exercices physiques, l'étude doctrinale la plus intense et
le retour au travail manuel, l'initiation à un « art simple et vigoureux »[39] et le réapprentissage des valeurs
éternelles de la terre. Des professeurs sont là, jeunes et
dynamiques eux aussi, qui s'appellent Hubert Beuve-
Méry par exemple, Jean Lacroix, Jean-Marcel Jeanne-
ney, Robert Mossé, André François-Poncet ou P.H.
Chombart de Lauwe et qui, entre deux cours sur
Proudhon – « socialiste français » –, Maurras –
« nationaliste français » –, Péguy – « socialiste,
patriote et chrétien » – ne dédaignent pas d'expliquer
la distinction et la fine hiérarchie entre les « communautés de sang, de travail et de lieu » qui font les peuples sains. D'autres encore, ou les mêmes, qui, épousant l'essentiel des thèmes développés par le courant
personnaliste des années 30, reprenant les anathèmes
classiques contre l'Argent, l'Intellectuel, ou l'Individualisme libéral, en viennent tout naturellement à van-
ter les mérites de la « Charte du travail », de l'« Éduca-
tion générale » ou du « Service du travail obligatoire »
où ils continueront de voir, en 1945 encore, la préfigu-
ration d'« une institution essentielle de l'avenir »[40].
Tout cela, il faut le dire, mené tambour battant, avec
salut aux couleurs matin et soir, pas cadencé dans la
journée, et « Maréchal, nous voilà » aux heures creu-
ses. Le Maréchal lui-même n'en attendait sans doute
pas tant qui, terré en son terroir, à la tête d'une France
coupée en deux, se voit crédité, sans le moindre
humour, d'avoir, telle Jeanne d'Arc, su rendre
« vivante » une nation « qui s'ignorait ou s'était disper-
sée »[41]. Il est vrai, dirait Beuve-Méry, qu'on n'a guère
le choix, puisqu'il s'agit, en quelques semaines, de faire

de fonctionnaires décadents de l'ancien régime des
« hommes rudes, robustes de corps... [et] libérés de l'excès d'artifices qu'entretiennent et développent les civilisations vieillissantes »[42]. Bref, Uriage c'est un « style »
et ce style, qui se voulait rien moins – c'est le titre du
livre qui tirera, plus tard, les leçons de l'expérience[43] –
que *le Style du XXᵉ siècle,* n'était autre pour l'instant
que le style du pétainisme achevé.

Ce n'est pas, bien entendu, qu'on y fût plus pro-alle-
mand qu'ailleurs : farouchement nationaliste au
contraire, c'est « la France seule » que, comme Maurras, Pierre Dunoyer de Segonzac entendait relever de
ses ruines. Ce n'est pas non plus qu'on y eût la moindre sympathie nazie : un Beuve-Méry, par exemple,
antimunichois avant la guerre, ne cesse par la suite, et
dès le premier jour, de dénoncer la collaboration avec
Hitler et de diffuser des textes violemment hostiles aux
perspectives de la « Nouvelle Europe ». Ce n'est pas
davantage que ce pétainisme fût particulièrement
enragé : Uriage n'appelait pas au meurtre, on y tolérait
même les juifs et on se refusa, en 1941, d'accueillir une
conférence de Doriot[44]. On ne peut même pas dire que
ces hommes aient failli, au bout du compte, à leur idéal
de vaillance : le plus étrange en effet, c'est qu'à la Noël
1942, au terme d'une ultime veillée nocturne au ciel du
massif de Belledonne, l'École passe tout entière, avec
armes et bagages, dans les rangs de la Résistance et
s'en va dans le Vercors peaufiner son « style du XXᵉ siècle »*. Noël 1942 : c'est là le point et la date décisifs.
C'est toute la clef, surtout, du paradoxe. Car c'est le
lendemain, comme on sait, de l'entrée des Allemands
en zone libre. C'est l'heure où Vichy n'est plus dans
Vichy mais prend ses ordres à la Maison brune. C'est le
rêve fracassé de la révolution fraîche et joyeuse, natio-

---

* Mounier, par exemple, termina la guerre médaillé de la Résistance.

nale et populaire. Et ce qui se passe alors c'est bien sûr, et en un sens, que la fidélité de ces hommes au Maréchal n'est pas assez aveugle pour s'accommoder longtemps de l'infidélité de leur héros aux grands desseins communs. Mais c'est aussi, mais c'est surtout, la preuve vivante, définitivement administrée en quelque sorte, que cette fidélité qu'on lui vouait, on ne la vouait qu'à lui ; que la foi qu'on mettait en sa « révolution », elle lui était exclusivement adressée et la visait en son *autonomie ;* que, de ces trente mois de joie, de liesse et de ferveur, il n'est rien qui eût été étranger à la spécificité, à la « francité » de son discours ; bref qu'Uriage, jusque dans la rupture, exprime bien, et à la lettre, la quintessence du pétainisme.

Par quintessence j'entends sa forme pure et sans mélange : un discours *proprement* pétainiste, sans le moindre soupçon de « collaborationisme ». J'entends aussi sa forme exemplaire, observable *in vitro :* Uriage est mieux qu'une thébaïde ou une cathédrale du vichysme, il en est le laboratoire. J'entends encore sa forme élégante, cultivée, convenable, à la limite de l'acceptable : il faudra faire le compte un jour de tous les hésitants qui succombèrent à un délire si joliment tourné, si profondément rassurant. J'entends enfin la version qui aurait pu durer, enjamber les années terribles, survivre à la collaboration et doter notre pays de ce lien social nouveau qu'elle avait de bout en bout pensé. Et je me demande alors si ce n'est pas de là que vient que l'on parle si peu, de nos jours, de cette singulière école des chefs – et des autres, qu'on a vues. Si elle n'est pas ici la raison du prodigieux refoulement qui frappe, quarante ans après encore, l'innocente euphorie où baigna ainsi une si large fraction de nos élites. Oui, écoutez-le ce silence gêné qui se fait quand on se risque à rappeler comme elle était belle et gaie, pleine de lustre et de promesses, notre révolution nationale au

temps de sa plus grande gloire : c'est – on commence
de le comprendre – qu'il y eut là, pendant trente mois,
en notre terre de France, enracinée dans nos terroirs
français, parlant la plus pure et la plus classique langue
de France, une incontestable et authentique *révolution
française*.

3

UNE RÉVOLUTION FRANÇAISE

Une « révolution française » cela veut dire, tout simplement, le contraire d'une révolution allemande. Un événement qui, pour se penser et trouver son plein régime, n'eut besoin ni de pressions, ni d'influences, ni de modèles étrangers. Une page de notre histoire qui, aussi sombre soit-elle, peut presque entièrement s'expliquer en termes d'Histoire de France et non, comme on fait généralement, en termes franco-allemands. Bref, littéralement cette fois, et en donnant à l'expression toute sa charge de honte, un « fascisme aux couleurs de la France » qui n'a pas grand-chose à voir avec l'idée d'« occupation » ni même peut-être avec celle, si rassurante finalement, de « collaboration ».

Là encore, qu'on entende bien. Je n'ignore pas – est-il besoin de le préciser ? – la révolution de fait que signifiait, pour l'Europe tout entière, l'écrasante victoire de l'hitlérisme. Je sais ce qu'elle impliquait, cette victoire, pour une France humiliée et qui ne cessa de vivre sous la menace d'une humiliation plus formidable encore. Je serais le dernier à oublier ce qu'eût signifié pour tous les Français – et pour quelques-uns d'entre eux en particulier – le triomphe sans partage ni recours de l'inouïe barbarie nazie. Mais je crois *en même temps* qu'il faut se décider à en finir avec la fable accréditée par ces pétainistes qui, à l'heure de sauver leur tête, voulurent se présenter comme de purs exécutants, dérisoires et impotents pantins aux ordres d'un empire qui aurait abusé de leur volonté sinon de leur bonne foi. Je crois le temps venu, tout autant, d'en finir avec la comptine chantée par les antipétainistes qui, à l'heure de sauver la France, tinrent à l'informer que tout cela n'était qu'un mauvais rêve, une parenthèse à jamais refermée, un accident historique tout au plus, et que rien ne fût advenu sans ces maudites doctrines étrangères, « importées dans le pays sur les tanks des envahisseurs »[1]. Et si je crois le temps venu d'en finir avec ces légendes, c'est que je les crois fallacieuses d'une part, et pernicieuses de l'autre ; que ce n'est pas ainsi que les choses se sont passées et que c'est ainsi, en revanche, qu'elles pourraient, de fait, avoir à repasser ; que l'Allemagne, si l'on préfère, eut moins de responsabilités qu'on ne croit dans l'abjection française, et que le thème de « la faute à l'Allemagne », à l'inverse, est le meilleur relais qui soit de l'abjection continuée ; bref, qu'il n'y a qu'un moyen sûr de conjurer le retour des fantômes : c'est de faire sortir enfin les cadavres des placards de nos mémoires, et d'accepter, une fois n'est pas coutume, d'*oublier Adolf Hilter*.

Que fait d'ailleurs Hitler lui-même au lendemain de sa victoire ? Il se trouve, précisément, qu'il s'empresse d'oublier la France. Il oublie de la faire figurer par exemple dans la plupart des plans qu'il élabore, ou qu'il fait élaborer, de la future Europe nazie. Il omet de la doter d'un de ces gauleiters à la botte qui, partout ailleurs, gouverneront au nom du IIIe Reich. Négligeant d'y exporter ses troupes et ses lois, il se contente d'y ponctionner le blé dont l'Allemagne a besoin pour

soutenir son effort de guerre. Loin de songer à l'intégrer, comme on l'imagine souvent, dans la zone des
races purifiées, il y expédie, en octobre 1940, ses excé-
dents de juifs allemands. France grenier à blé. France
dépotoir à juifs. A part une poignée de francophiles
comme l'ambassadeur à Paris, Otto Abetz, l'Allemagne
hitlérienne se moque éperdument, et se moquera longtemps du reste[2]. A quelques exceptions près, et jusqu'en
novembre 1942, c'est à des Français qu'elle abandonne
le soin de s'organiser comme ils l'entendent et de prendre, comme dit Pétain lui-même, « leurs responsabilités
devant l'histoire »[3]. Et c'est à cela que la France doit la
chance – qui, très vite, deviendra son déshonneur –
d'être le seul pays de l'Europe vaincue à garder un État
souverain*. De là que vient son privilège – on ne le
répétera jamais assez – d'être la seule à conserver un
gouvernement légal, légiférant en son nom propre. A
cela que le Maréchal doit d'être le seul chef d'État
d'alors à pouvoir affirmer pompeusement que « la
France n'a qu'un gouvernement, celui que je dirige
avec les collaborateurs de mon choix »[4]. Et ainsi s'explique enfin que le vieux slogan « la France aux Français », qu'on eût pu croire hors de saison en ces temps
d'« occupation », ait pu continuer, comme si de rien
n'était, comme s'il ne s'était rien passé, ses ravages de
l'avant-guerre : c'est que la France, de fait, est bel et
bien aux Français ; que, comme s'en flattent ses dirigeants, elle est administrée par des Français ; que ses
occupants, si l'on préfère, ont l'« élégance », la « négli-

---

* Ce ne fut en effet le cas ni de la Belgique, où l'administration allemande gérait directement le pays. Ni de la Norvège où le roi Haakon dut
s'exiler à Londres et où demeura le tristement célèbre Quisling. Ni du Danemark, dont le monarque fut privé de tout pouvoir, et le parlement neutra-
lisé. Ni des Pays-Bas ou du Luxembourg, totalement occupés et sous la
botte. La France de Vichy, elle, préféra être à la botte ; comme le montre
Paxton (*op. cit.*, p. 59) la collaboration fut une invention française ; et c'est
Hitler qui, en dernier ressort, la refusa.

gence », ou peut-être l'« *habileté* » de l'occuper de l'extérieur...

De là aussi – et c'est bien entendu essentiel – qu'aucune pression allemande n'explique ni ne justifie les
lois les plus scélérates qu'à peine venu aux affaires
décrète le Maréchal[5]. C'est souverainement par exemple qu'il décide le 7 août d'enfermer en camps de
concentration tous les étrangers mâles, de dix-huit à
quarante-cinq ans, inutiles à l'économie nationale.
Sans la moindre sollicitation que, dès le 22 juillet,
Raphaël Alibert, garde des Sceaux, décide de réviser
toutes les naturalisations issues de la loi de 1927. En
toute liberté, dans une hâte étrange, que rien ni personne n'exige, qu'on abroge, le 27 août, la loi antiraciste de 1939 pénalisant les outrances antisémites
dans la presse. Et c'est au nom de la France enfin,
alors qu'aucune demande allemande ne s'est encore
manifestée, que, dès le 3 octobre, quelques mois à
peine après son sacre, Pétain édicte le statut des juifs
qui suffira bientôt à envoyer des milliers de Français
vers les fours crématoires d'Auschwitz. Oui, la France
c'est aussi ce pays-là. Le pays d'un État français dont
l'un des premiers gestes est d'épurer sa race. Un pays
de vieille tradition humaniste où de très humanistes
fonctionnaires s'empressent, de leur propre chef, de
ficher et d'enfermer des hommes, des femmes et des
enfants juifs. Un pays sans gauleiter, je l'ai dit, mais où
un maréchal de France fait mieux et plus vite que les
gauleiters : devançant les exigences allemandes, com-
blant comme par avance les désirs de la machine allemande, Pétain fait la politique de Pétain et demeure,
autrement dit, seul comptable de son ignominie.

Dira-t-on qu'en agissant ainsi il faisait l'économie,
précisément, de la brutalité d'un gauleiter ? Qu'en
s'empressant de la sorte, il se salissait certes les mains
mais évitait, du coup, « le pire » ? On l'a dit, effective-

ment[6]. Mais c'est une ignominie de plus. Qui ne tient pas, elle non plus, à la moindre analyse des faits... Il n'évite pas le pire, en effet, ce statut promulgué par Vichy et qui, définissant le juif par un critère racial (« Est regardé comme juif, pour l'application de la présente loi, toute personne issue de trois grands-parents de *race* juive »), va au-delà des textes allemands applicables en zone occupée et qui se fondaient, eux, sur la confession religieuse. Elle n'évite pas le pire, cette innombrable législation antisémite, constamment, pieusement, presque amoureusement remise sur le métier et qui apparaît plus sévère, au bout du compte, que celle de tels satellites du Reich, comme la Hongrie ou la Slovaquie, où ne sont tenues pour juives que les personnes explicitement inscrites à une communauté religieuse[7]. Il n'évite pas le pire, non plus, le très français Pierre Laval quand, préparant avec l'Allemand Dannecker la rafle de juillet 1942, il propose spontanément, à la stupéfaction de son interlocuteur, avant même, là encore, que la moindre sollicitation se soit exprimée en ce sens, « d'y comprendre également les enfants âgés de moins de seize ans », attendu que « la question des enfants juifs restant en zone occupée ne l'intéresse pas »[8]. Il n'évite toujours pas le pire, Louis Darquier de Pellepoix, dont l'Allemand Knochen, pourtant orfèvre en la matière, note que « dès son arrivée » au commissariat général aux Affaires juives, il fit, lui aussi, « de l'excès de zèle, allant au-devant de nos désirs et pratiquant à l'occasion la surenchère »[9]. Les juifs, d'ailleurs, ne s'y trompent pas qui, aux heures les plus sombres de la sombre chasse à l'homme, sans recours désormais contre la meute *française* à leurs trousses, ne trouveront parfois le salut qu'en allant se jeter dans les bras de la police mussolinienne : et on vit alors à Valence, à Annecy, à Chambéry ce singulier spectacle de préfets de police fascistes donnant des leçons de

droits de l'homme à une police française qui prétendait, n'est-ce pas, nous éviter le pire...

Le spectacle, du reste, n'avait probablement rien
pour surprendre les contemporains. Car c'était l'époque – cela aussi, on le sait mal – où la France, elle,
préférait donner des leçons de fascisme. Il faut se rappeler Xavier Vallat, antisémite grand teint, haut perché
sur ses ergots, lançant à ce sauvage, à cet ignorant de
Dannecker : « Je suis un plus vieil antisémite que vous,
je pourrais être votre père à cet égard[10]. » Il faut les
réentendre, lui et les autres, se targuer de leurs traditions, aligner leurs quartiers de noblesse et, de la chrétienté à Drumont, de la monarchie à Gobineau, dépen-
ser tant d'énergie, rédiger tant de forts ouvrages, pour
prouver qu'ils ont, eux, la haine du juif dans le sang. Il
n'est pas jusqu'au Maréchal lui-même qui, invitant la
France à méditer sur « les principes qui ont assuré la
victoire de ses adversaires », a « la surprise d'y reconnaître un peu partout son propre bien, sa plus pure et
sa plus authentique tradition ». Et qui, tout ébloui de
sa découverte, conclut sur cette note solennelle :
« l'idée national-socialiste » fait partie de ces « vérités » que nous « pouvons reprendre sans les emprunter
à personne », sans « nous renoncer en aucune manière,
mais au contraire en nous retrouvant nous-mêmes »,
puisqu'elles sont rien moins que « partie de notre héritage classique »[11]. On ne saurait être plus clair. Réclamer plus clairement retour de l'adresse à l'envoyeur.
Engager plus fermement l'étrange et monstrueuse
requête en paternité. Le pétainisme, de l'avis même de
son fondateur, est un produit de pays ; et le national-
socialisme, symétriquement, un produit d'exportation.

Quel aveu ! Quelle singulière prétention ! Là encore,
je ne crois pas qu'il y en ait un autre exemple dans
toute l'Europe défaite. Pas d'autre nation que la France
à réclamer si tranquillement ses titres à l'infamie. Pas

d'autre cas surtout où l'on ait mis en branle, d'un bout à l'autre du pays, une telle machine à remonter les généalogies de l'horreur. Voici Péguy par exemple, poète et patriote français, qui ne fut jamais tant honoré que depuis que son propre fils en fait, dans un vibrant essai, un fasciste avant la lettre. Sorel, Fourier, Babeuf et quelques autres, maîtres retrouvés du socialisme français, que l'on exhume, que l'on commente, et dont on fait parfois les princes du pétainisme ouvrier[12]. Jaurès lui-même, oui le grand Jaurès, « pacifiste » avant toute chose, artisan avant 14 du rapprochement franco-allemand et dont on fait, ici ou là, – sous prétexte que, dit-on, il fut « assassiné comme boche » – le précurseur des miliciens tombés sous les balles des résistants[13]. Ici, c'est une *Anthologie de la Nouvelle Europe* où Alfred Fabre-Luce, sans rire, enrôle Pascal et Michelet[14]. Là, Gustave Thibon qui retrouve en Proudhon l'ancêtre du corporatisme et de la France artisanale dont il rêve[15]. Là encore, Marcel Déat qui, brossant le tableau comparé des révolutions « française et allemande », conclut que Hitler est l'héritier, le fils spirituel de 1789[16]. J'en passe et des meilleures. C'est toute la culture française qui, peu ou prou, défile. Ce sont les plus chères traditions françaises qui, une à une, témoignent de notre ancienneté dans l'abjection. C'est comme un immense et glorieux baptême noir où le délire moderne recevrait l'onction du *Sang français*[17].

Peu importent, bien entendu, les détails de ce baptême. Il est clair que, souvent, ces généalogies sont fantaisistes. Il va de soi que, dans le cas de Jaurès par exemple, elles sont franchement imbéciles. J'aurai l'occasion, du reste, et très bientôt, d'aller en examiner de plus près les titres et les traces. Mais ce qui m'importe, pour le moment, c'est l'intention, la volonté qu'elles manifestent. La froide et franche innocence avec laquelle, en ce temps-là, on proclamait l'authenticité du discours fasciste français. Le refus cinglant que, comme d'avance, on opposait à la thèse des doctrines étrangères « importées sur les tanks de l'envahisseur ». Non, martèlent à Paris les rédacteurs de *Je suis partout,* « nous ne sommes pas des convertis ». Non, ajoute Déat, la politique que nous suivons n'est pas « dictée par les circonstances ». Oui, ajoute le Maréchal, les idées que je défends « viennent du vieux fonds français »[18]. Façon de dire que la France ne se contente pas d'une révolution de circonstance : elle en proclame très haut, plutôt, la profonde, l'incontestable, la française légitimité. A l'inverse exactement de ses dénégations de l'après-guerre, ce n'est pas dans la « passivité » qu'elle cherche ses excuses : mais dans sa participation active et consciente qu'elle voit sa part de gloire. Au diable les timorés qui verraient dans tout cela une simple collaboration, à la remorque de l'Allemagne : car qui parle d'Allemagne quand on tient tant à faire savoir que « la révolution nationale », venue « sept ans après la révolution allemande, dix-huit ans après la révolution italienne », se fait « dans un esprit tout à fait différent de ces deux révolutions historiques »[19]. Entendons-les donc enfin ces fascistes fiers de l'être : non contents de la « zone libre » que leur a concédée la clémente Allemagne, c'est leur petit lopin de boue qu'ils réclament à présent et qu'ils arrachent laborieusement aux limbes du passé.

Mais gare ! l'arracher ne suffit pas, si l'on ne s'emploie, aussitôt, à le mettre en exploitation. Ça ne vaut rien, un lopin, notre maréchal-paysan le sait bien, si on ne s'applique à le travailler et à le faire fructifier. Il n'est pas soldat pour rien, surtout, le héros de Verdun qui, jadis, dans les tranchées, à la tête de ses poilus, apprit ce que tenir, ce qu'occuper une position veut dire. Et c'est tout le sens, le seul sens, de ce qu'on a appelé, ici ou là, sa « résistance à l'hitlérisme ». S'oppose-t-il in extremis, par exemple, au projet de parti unique qu'il avait commandé à Déat ? Ce n'est pas, malheureusement, qu'il croie aux vertus du pluralisme, – mais c'est la forme-parti comme telle, unique ou pas unique, qu'il a finalement décidé, lui, de proscrire de ses jardins à la française[20]. Renâcle-t-il à l'étatisation à outrance que tels de ses fidèles voudraient copier sur l'Allemagne[21] ? Ce serait un emprunt justement, une pâle imitation dont il ne veut à aucun prix et la trahison, surtout, de ces vérités premières qu'il entend sourdre, lui, la Grande Oreille, de la France profonde et de ses provinces. Le vocabulaire même de Vichy ? Cette langue qui, comparée à l'autre, paraît molle et rassurante, presque inoffensive ? C'est qu'un révolutionnaire conséquent ne joue pas avec les mots, qu'il y a un génie des langues, des lieux et des terroirs et que, hors de ce génie, un fascisme ne peut réussir. Autonomie là encore, et responsabilité. Fascisme de tenure et de petite propriété. Arrière les cumulards et autres marchands de biens idéologiques. S'il résiste, c'est, au fond, comme quand il collabore. Quand il boude et traîne les pieds, c'est comme quand, tout à l'heure, il hâtait l'allure et pressait le pas. Un pas derrière, un pas devant, qu'importe : l'essentiel est d'aller son train, de défendre sa plate-bande, de cultiver souverainement son petit jardin de boue, – de faire, en lieux et temps voulus, les semis de barbarie.

Mais l'essentiel, c'est aussi, une fois les semis faits, de ne point laisser à d'autres le soin de moissonner. Souvenons-nous à cet égard de l'affaire des biens juifs de la zone nord. Des ordonnances allemandes prévoyant et organisant leur aryanisation. De l'immonde trafic qui s'ensuit, de la valse aux spoliations et du

risque, surtout, qui seul préoccupe Vichy, de voir des
Allemands faire main basse par ce canal sur des biens
de droit français... Eh bien, cette fois encore, le Maréchal s'en va-t-en guerre. Oh ! qu'on se rassure, il se
gardera bien de protester contre le principe même de la
plunder spoliation. Il n'aura pas un geste, à peine un mot, pour
les hommes et les femmes juifs ainsi dépossédés. Il ne
sera pas, lui, Français de vieille souche, du genre,
comme tel autre, au Danemark, à arborer l'étoile jaune.
Non, sa manière à lui de résister, ce sera de créer un
commissariat – le fameux commissariat aux Affaires
juives – dont la mission sera explicitement de rétablir
la souveraineté française sur les biens de la zone
nord[22]. Ce sera de promulguer une loi – la loi du 22
juillet 1941 – dont le texte s'engage en propres termes à
« supprimer toute influence israélite dans l'économie
nationale »[23]. Ce sera d'étendre à la zone libre, de
généraliser à la France entière, mais sous le seing français, les ordonnances qui ne valaient jusque-là que
dans la zone occupée... Les juifs, autrement dit, peuvent crever : l'important est qu'ils crèvent sous les lois
et la botte françaises. L'antisémitisme peut défigurer la
France : ce qui compte c'est que la France soit partie
prenante à l'aventure. L'infamie peut à jamais marquer
la patrie : la seule chose à quoi l'on tienne c'est que le
patrimoine français, lui, soit sauf. Une fois de plus,
c'est un Allemand, le Dr Blanke, directeur des Affaires
juives à l'état-major allemand, qui aura le fin mot de
l'histoire : les « réticences » françaises devant les
menées du Reich « s'expliquent moins par le désir de
ménager les juifs que par celui de gagner du temps
jusqu'à ce que l'influence purement française soit assu-
rée »[24].

Le mot est accablant. Il est surtout essentiel. Et pourrait presque fournir la clé de la mécanique de ces
années. Il réduit à néant d'abord l'image d'un Vichy

débonnaire opposant à la fureur hitlérienne la force de
son inertie : cette inertie, cette résistance, sont le nom
d'une autre fureur, adverse mais spécifique, qui charge
la France d'alors bien plus qu'elle ne la disculpe. Il
donne sa vraie mesure ensuite à l'idée convenue et de si
bon augure pour l'avenir, d'une grande sagesse de la
France où n'auraient jamais vraiment pris les racines
de l'hitlérisme : si ces racines, effectivement, n'ont
jamais réussi à prendre, c'est que nous en avions d'autres, autochtones, infiniment plus profondes, qui nous   native
en dispensaient, et dont rien ne permet de penser qu'elles aient disparu avec lui. Il souligne enfin le malentendu sur lequel s'est soldée finalement cette pitoyable
odyssée, lorsque les tribunaux de la Libération parlè-
rent – ce fut la formule consacrée – d'« intelligence
avec l'ennemi » : c'est d'intelligence avec soi-même
qu'il eût fallu plutôt parler, d'une copulation de la
France avec ses traditions les mieux enfouies, – « la
revanche de Dreyfus », murmure un Maurras rageur,
quand tombe le verdict qui le condamne à jamais[25]. Et
on comprend alors en quel sens j'annonçais, en commençant, que c'est le mot même de « collaboration »,
si constamment accolé à ces années, dont il faut accepter de penser qu'il ne suffit pas à les expliquer : pour
collaborer il faut être deux et la France – je rappelle le
mot de Maurras, encore – se voulut névrotiquement,
opiniâtrement *« seule »* dans cette plongée dans l'indignité[26].

Rien de plus significatif, à cet égard, que le sort
qu'elle réserva justement aux « collabos » proprement
dits. A cette poignée d'hitlériens purs et durs qui se
rallièrent, eux, sans fard, à la victoire allemande. A ces
soldats perdus dont on sait mal que, d'emblée, et pour
cette raison précisément, ils furent presque tous ostraci-
sés par les élites vichyssoises. Car Vichy, contrairement
à la légende, ce n'est ni Drieu, ni Brasillach, ni

Rebatet : ces plumitifs enragés qui arpentent, bave aux lèvres, les grands-places du Paris occupé, on ne les entend à peu près pas sur les tribunes, dans les journaux de la zone libre, qui les censurent méthodiquement. Ce n'est pas non plus Filliol, Deloncle ou Coston : ces activistes sans scrupules, cagoulards et ligueurs impénitents qui vont partout hurlant, de l'hôtel Meurice à la rue Lauriston, leur foi en l'Europe allemande, c'est comme un cordon sanitaire que les pétainistes tracent autour d'eux et qui les tient durablement à l'écart de tous les leviers de décision. Ce n'est même pas Doriot, « le grand Jacques », symbole pourtant, dans toutes les mémoires, de cette période de notre histoire : il aura beau, là encore, multiplier les pressions, s'acharner indéfiniment dans la brigue et l'intrigue, il n'obtiendra jamais l'ombre du début d'un maroquin, et ne prendra jamais pied dans les allées du pouvoir véritable[27]. Car tel est l'ultime paradoxe de cette époque : ces collabos, ces fanatiques, qui avaient si fort et si longtemps attendu leur heure, ce sont eux les premiers qui, à peine l'heure échue, se voient exclus de la fête et des fruits de la victoire. L'ultime illusion dont il faut apprendre à se déprendre : ces personnages hauts en couleur, dont le nom et la silhouette ont fini par s'identifier à la sombre histoire du pétainisme, y eurent si peu leur part qu'ils ne cessèrent, au contraire, de la vitupérer[28]. La dernière vérité, du coup, dont il faut se décider à admettre l'évidence : tout ce train de décrets, tout ce lot d'opprobre qu'on a vu, c'est sans eux, c'est contre eux, sans le secours de ces monstres et de ces criminels absolus, que la France a pu s'y décider. D'un mot : la seule expérience réussie d'un authentique fascisme français n'eut à peu près rien à voir avec ceux que l'on désigne d'habitude comme les seuls prototypes réussis d'une authentique contamination nazie en France.

C'est dire symétriquement – et c'est, pour nous, ici et maintenant, peut-être l'essentiel – qu'elle n'eut à voir, cette expérience réussie de fascisme français, qu'avec des hommes comme vous et moi, aimables, convenables, *modérés*. Des fonctionnaires par exemple, honnêtes et laborieux, blanchis sous le harnais du service républicain et qui passèrent sans coup férir à celui de l'État français. Des politiciens bien de chez nous, de gauche comme de droite, des jeunes comme des vieux, pas plus ignobles apparemment que d'autres, et qui se jetèrent corps et âme dans l'œuvre d'ignominie. Des publicistes distingués, lettrés, raffinés, qu'on retrouvera parfois, comme Massis, dans les maisons d'édition de l'après-guerre, ou qui, comme ce René Gillouin, « l'ami du Maréchal », avaient pu publier avant guerre un joli recueil d'*Esquisses littéraires et morales* en hommage à Cocteau et Barrès, Morand et Ernest Renan[29]. Des philosophes encore, comme Gustave Thibon, théoricien besogneux et légèrement bovin, chantre de nos terroirs et du gros bon sens français, qui n'avait probablement jamais lu, le malheureux, la moindre ligne de Hegel, de Nietzsche, ni même de Rosenberg. Des personnalistes même, ces gentils chrétiens de gauche, si sympathiques avec leurs rêves de « communauté » retrouvée, si enthousiastes de leur « homme concret » et de leur « révolution spirituelle », et dont l'influence ne fut pas mince dans toute cette affaire[30]. Des maurrassiens, bien sûr, nationalistes plus durs, mais si fatigués déjà, depuis longtemps rentrés dans le rang du conformisme français et qui ne transigèrent jamais, c'est vrai, avec leur haine de l'Allemagne et souvent de l'hitlérisme[31]. Sans oublier le Maréchal lui-même qui, avant d'être l'homme de Montoire et des camps de concentration, fut ce ministre de la Guerre acclamé en 1934 par la Chambre des députés tout entière. Puis cet ambassadeur à Madrid salué en 1939 par Léon Blum comme « le plus noble, le plus humain de nos chefs militaires ». Par le Parti communiste comme « le plus glorieux soldat de France ». Bref, le seul homme politique de l'histoire de la République à faire, *dès avant 40,* l'unanimité de la France sur son nom[32].

Oui, c'est cet homme-là, ce sont tous ces hommes-là qui, pour la première fois dans notre histoire moderne, perpétrèrent le crime absolu de légaliser le racisme et la xénophobie. C'est dans leurs rangs, dans leurs seuls rangs que se pensa et se planifia la solution finale à la française. Ce sont ces cervelles banales, toutes irriguées de culture et d'humanisme classiques, toutes pétries de bienséance et de conformisme patriotes, qui accouchèrent, quatre ans durant, de la version française, si profondément française, de l'abjection du siècle. Rien de comparable dans tout cela à cette curée de factieux, d'activistes, d'hommes neufs dont on se plaît à imaginer qu'ils auraient pris d'assaut un État au bord de la vacance : ce sont tous des hommes anciens, des notables d'ancien régime, depuis longtemps déjà présents, pour la plupart, dans les rouages du tout-État français, – et qui n'auront à se donner la peine que de prendre d'assaut leur propre bureau. Rien qui ressemble non plus à je ne sais quelle rétractation d'hommes qui, soudain pris de folie, eussent renoncé à ce qu'ils étaient pour endosser d'autres défroques et s'en aller à l'aveugle sur des sentiers nouveaux : c'est naturellement, spontanément, presque sans y songer, sans rien renier d'essentiel à leurs croyances les plus intimes, qu'ils ont pris le parti qui les menait au précipice. Les monstres étaient là, autrement dit, familiers aux yeux et aux oreilles, aux aguets d'eux-mêmes et de la France, formidable lettre volée au code très ancien, – qui, d'un coup, fut déchiffrée dans l'éblouissement de la circonstance.

Le Maréchal, à ce compte, ne croyait pas si bien dire dans l'exhortation faite à son peuple de « rattraper le temps perdu » : à les observer les uns et les autres, tous à leur place et dans leur rôle, manège grinçant d'ombres de chair, d'un coup advenues à elles-mêmes, on songe irrésistiblement à une gigantesque et macabre parodie de « temps retrouvé ». Il est juste, lui aussi, le mot de « révolution par en haut » qui sert, chez les experts, à désigner la spécificité du phénomène : mais à condition d'y entendre ce singulier sur-place de révolutionnaires déjà là, toujours déjà à leurs postes, assassins parmi nous et barbares au sourire, à qui il aura suffi d'un mince, d'un imperceptible glissement de l'âme pour faire basculer sur son axe la roue du cours de France. Je n'avais pas tort non plus de parler de révolution dans la joie, la liesse et la ferveur, mais il faut ajouter maintenant : révolution dans la paix, dans l'ordre, dans la sérénité, où les discours les plus atroces viennent seuls, spontanément, sans bouger ni presque les solliciter, comme une source très familière, à quoi il suffirait, simplement, de prêter un peu mieux l'oreille. Il y a dans tout cela, c'est sûr, quelque chose de terrifiant quant à la « nature humaine » et au bourreau qui, en chacun de nous, sommeille benoîtement. Mais il y a là surtout quelque chose de terrible quant au pays où nous vivons et où nous savons désormais que le fascisme peut frayer ses voies sans bombes et sans terreur, comme un pli très ancien dont on retrouverait la marque. Et à l'écoute de ces discours alors, qui sonnent si juste, qui sentent si bon la France réelle et profonde, on ne peut que se poser la question qui justifie tout ce livre : ces voix qui, de nouveau, et depuis quarante ans, semblent s'être tues, se sont-elles tues à jamais, – ou dorment-elles toujours, fidèles à elles-mêmes, de cette torpeur alerte, d'où, une fois déjà, elles ont été tirées ?

Ce qui est sûr, en tout cas, c'est que, cette question,

nul ou presque ne songea à la poser quand, un beau matin de 1944, s'ouvrit une page nouvelle de l'histoire de notre pays. Que, dans l'euphorie de la victoire militaire, nul ou presque ne songea à se demander comment, pourquoi, en vertu de quelles perversions ou peut-être de quelles traditions, tant d'horreur avait pu, tant d'années, nous advenir. Qu'un peu comme ces chirurgiens qui, saisis d'effroi devant l'irréversible avancement d'un mal généralisé, préfèrent refermer sans un mot la béante cicatrice, les hommes de la France libre, confrontés à la profondeur, à la *trivialité* de la calamité, semblent avoir pris le parti de suturer à la diable cette grande plaie purulente au flanc du corps de France. La France était libérée, et c'était bien. Les armées nazies en déroute, et c'était assez. Mussolini pendu comme un porc à son croc de boucher, et ce n'était que justice. Moyennant quoi la France put persévérer comme devant dans son amnésique somnolence. S'émerveiller d'un épisode clos, à si peu de frais finalement. Se satisfaire d'un dénouement dérisoire à une tragédie sans précédent. Et être le seul pays d'Europe, de nouveau, à faire délibérément l'économie de ce procès de défascisation qui, partout ailleurs, vaille que vaille, plus ou moins profondément, avec plus ou moins de succès c'est évident, fut à tout le moins entrepris.

Il y eut bien çà et là quelques procès expéditifs. La Haute Cour mobilisée contre les figures les plus spectaculaires du régime aboli. Les meurtriers les plus notoires exécutés sans pitié, avec une rigueur exemplaire. Mais c'étaient les plus notoires justement. Les collabos au sens strict, de loin les moins exemplaires. Des hommes dont on vient de voir que, aussi monstrueux fussent-ils, ils concoururent marginalement à ce qui s'était passé. Des peines capitales qui, aussi justifiées fussent-elles, équivalaient surtout, pour la France des salo-

pards, à une remise de peine, à une inespérée peine
minimale. « L'épuration, déclara un jeune philosophe
d'alors, est une purification. » C'est « la cérémonie
réparatrice nécessaire à une société qui se sent souil-
lée ». Cela équivaut à « une véritable opération chirur-
gicale » dont l'objectif est de rétablir « la santé du
corps social »³³. Il savait de quoi il parlait, ce jeune
philosophe péremptoire, qui n'était autre qu'un des
anciens d'Uriage. Un de ces hommes qui avaient, on
s'en souvient, transporté jusque dans l'autre France,
celle du courage et du martyre, leur petite infamie por-
tative. Un témoin parmi beaucoup d'autres de cette
étrange communion d'idées qui fit que, début 1942
encore, il se trouvait même certains journaux de la
Résistance pour porter en manchette une citation du
Maréchal³⁴. Et c'est ainsi que s'accrédita une bizarre
logique qu'on ne saurait mieux baptiser que logique du
bouc émissaire et qui sert, tant d'années après, à sceller
les yeux et les oreilles des hommes et des femmes de
France.

C'est ainsi surtout qu'on put alors assister à un extraordinaire spectacle, exactement symétrique de celui
auquel on avait assisté en 1940. Les mêmes hommes de
nouveau, tous à leurs places et dans leurs rôles, assassins parmi nous toujours, barbares plus souriants que
jamais, réoccupant les mêmes bureaux et reprenant dis-
crètement le chemin du devoir. Les mêmes fonctionnaires – l'analyse comparée des annuaires des grands
corps de l'État de 1939 à la Libération en témoigne³⁵ –
recommençant de gérer, de décréter, d'administrer,
comme si rien ne s'était passé, et avec, enterré quelque
part au fond de leur mémoire, le spectre des résistants,
des juifs, des métèques qu'ils venaient à peine de sacrifier à leur délire. Ceux-là mêmes qui, quelques années
ou quelques mois plus tôt, avaient froidement signé les
actes qui expédiaient quelques dizaines de milliers de

leurs compatriotes à la mort et parfois aux chambres à gaz et qui, non moins froidement, avec le même imperturbable sang-froid, apposent leur paraphe aux décrets du régime nouveau qui condamne les excès de l'ancien. Quatorze dignitaires de Vichy qui, en 1958, reviennent siéger au Parlement. Cinq ans plus tôt déjà, un des 569 qui avaient jadis voté les pleins pouvoirs entrant en grande pompe, et dans l'indifférence générale, au palais de l'Élysée. Aujourd'hui encore, tant de complices des miliciens qui continuent de rôder, très logiquement, et sans que personne ou presque ne trouve à y redire, dans tels appareils de la France giscardienne... La France est ce pays – il ne faut jamais l'oublier – où le propre procureur général qui fut chargé de juger les crimes de Pétain et de Laval ne fut autre que celui qui, cinq ans plus tôt, contribuait sous leur autorité à la révision des naturalisations issues de la loi de 1927 ; et dont je ne puis qu'inviter, pour finir, à relire l'ouvrage qu'il crut bon de publier alors et dont le titre, à soi seul, est déjà tout un programme, tout son programme, tout le programme de la France depuis un demi-siècle bientôt : *Quatre années à rayer de notre histoire*[36].

4

PÉTAINISME ROUGE

L'opération, je le répète, devait réussir au-delà des plus folles espérances. Ces quatre années, elles ont été mieux que rayées puisqu'elles sont proprement refoulées de notre histoire et de nos têtes. Mieux même que refoulées, c'est comme un grand charivari de mots, de vaines et dupes gloses, qui ont fini par les recouvrir et en brouiller peu à peu la piste. Et j'en veux pour preuve ultime l'aspect le plus mal connu, le plus controversé, le plus « délicat » paraît-il, de cette période : le rôle qu'y joua, de juin 1940 au moins au 22 juin 1941, le Parti communiste français.

Il y a d'abord, bien sûr, son attitude à l'égard de l'Allemagne. Toute une série de faits qui témoignent à eux seuls d'une singulière conception de la patrie, de la liberté, du « socialisme ». Et qui, même s'ils appartiennent plutôt, eux, à l'histoire de l'Occupation proprement dite, n'en méritent pas moins, me semble-t-il, d'être brièvement rappelés. C'est l'incroyable démarche, par exemple, de Tréand, Catelas et l'avocat Foissin qui, fin juin, s'en vont, bénis par Duclos, faire antichambre à la Propaganda Staffel pour réclamer le visa nazi pour la reparution de *l'Humanité*[1]. La non moins incroyable lettre qu'ils adressent le soir même à leurs respectables interlocuteurs et où ils s'engagent,

dans le cas où le précieux visa leur serait octroyé à
« dénoncer les agissements des agents de l'impérialisme
britannique qui veulent entraîner les colonies françaises dans la guerre »[2]. Ce tract meurtrier, distribué dans
les rues de Paris en mai 1941, où on désigne à la Gestapo, et pour de bon cette fois, avec noms et localisa-
tions géographiques à l'appui, l'existence dans l'Ariège
d'une « organisation qui fournit les papiers et l'argent
nécessaires à ceux qui veulent aller rejoindre les troupes anglaises » et « combattre » à leurs côtés[3]. Les
appels, parallèlement, à la fraternisation des « travailleurs français » et des « soldats allemands » qu'il est si
« réconfortant », dit-on, « en ces temps de malheur »,
de voir « s'entretenir amicalement », prolétaires de
tous pays unis, par-dessus la tête des « bourgeois aussi
stupides que malfaisants », au coin de « la rue » ou au
zinc du « bistrot du coin »[4]. Des appels comme celui-ci,
la collection de *l'Humanité* clandestine en est pleine.
Des ouvriers en bleu de chauffe devisant avec des S.S.
bottés, il s'en trouva, hélas, pour répondre à de si pres-
santes invites. Et si les mots ont un sens et qu'on veut
bien donner aux choses leurs noms, il faut bien convenir que le Parti qui prenait le risque d'appels de ce
genre n'était ni plus ni moins qu'*un parti de collabos*.

Pas n'importe quels collabos d'ailleurs. Mais des collabos heureux. Des collabos raisonneurs. Des collabos
dialecticiens. Car il n'est peut-être pas inutile de se
souvenir non plus que, dès le 16 mai 1940, *l'Humanité,*
en bon adepte déjà de la théorie du blanc bonnet et du
bonnet blanc, renvoyait dos à dos Hitler et la démocratie comme deux « gangsters » qu'il faut « mettre tous
les deux hors d'état de nuire ». Il est piquant – et tragique – de voir avec quelle agilité théorique les mêmes
journaux qui, pendant la drôle de guerre – c'est-à-dire
quand il s'agissait de se battre contre le nazisme –,
appelaient au sabotage de la production, appellent

brusquement maintenant – c'est-à-dire quand il s'agit
de nourrir les S.S. stationnés à Paris – à « mettre hors
d'état de nuire » les « saboteurs de la reprise du travail »[5]. Pas inintéressant non plus de noter qu'un peu
plus tard, bien avant qu'un Georges Marchais ne soit
entré, avec la discrétion que l'on sait, dans la cohorte
des héros du Chagrin et de la Pitié, le Comité central
voyait déjà dans les premières déportations des travailleurs français « un élément d'internationalisation de la
lutte ouvrière » dont le prolétariat aurait grand tort de
bouder l'heureuse et féconde discipline[6]. Que ce S.T.O.
serve surtout à fabriquer les Messerschmitt qui mitrail-
leront bientôt les Alliés, ils n'en ont cure apparemment.
Qu'en invitant la France à « se remettre au travail », ils
ne fassent que reprendre mot pour mot l'exhortation de
Goering, cela ne les gêne pas non plus. Quand d'autres
au même moment prennent le chemin inverse et entrent
en rébellion, ils n'y voient que des traîtres, complices
des traîtres, vendus à la « City »[7]. Car tout semble indiquer qu'ils ont clairement pris leur parti alors : œuvrer
à leur façon, à leur place, avec leurs moyens, à la
construction de la Nouvelle Europe – qui sera l'Europe
des camps, staliniens et hitlériens confondus...
    Il est vrai aussi, bien sûr, qu'il y a à la même date un
homme, Charles Tillon, qui, membre du secrétariat
depuis la fin de 1940, exprime une analyse diamétrale-
ment opposée et lance, dès le 18 juin, un appel à
l'insurrection : mais Tillon c'est Tillon et il est loin – il
n'allait pas tarder à le comprendre – d'exprimer à lui
seul la « ligne juste » de l'appareil. Une poignée d'insoumis çà et là, presque tous, comme lui, anciens de
l'Espagne et des Brigades, qui, tels Havez, Lecœur,
Guingouin, Debarge, ou Hapiot, contribuent dès la
première heure à sauver l'honneur de la France : mais
ces initiatives sont trop isolées et trop évidemment dés-
avouées, surtout, par Thorez et Duclos pour qu'on

puisse raisonnablement soutenir qu'elles sauvaient du
même geste l'honneur de leur parti[8]. Il y a un grand
intellectuel, Georges Politzer qui, dans un beau texte de
février 1941 où il salue « les héros innombrables de la
lutte antifasciste », instruit enfin le procès des thèses
raciales du Reich[9] : mais « antifasciste » est devenu un
mot tabou dans la langue de bois version 1941 ; le Parti
se moque éperdument des thèses raciales du Reich ; et
l'embarrassante brochure ne sera jamais reprise, com-
mentée, ni même citée dans aucun de ses organes cen-
traux. Et quant à Gabriel Péri enfin qui eut, entre
autres mérites, celui de réintroduire presque de force le
terme même de « nazi » dans le lexique d'un appareil
qui l'y avait, depuis dix-huit mois, rigoureusement
effacé, il est tout de même un peu fort de voir son
exemple aujourd'hui brandi comme une preuve de la
vaillance stalinienne : les circonstances pour le moins
obscures de son arrestation autorisent en effet à voir en
lui, autant que le premier martyr communiste de la
cause antinazie, la première victime antinazie de la trahison communiste*.
    Ces quelques faits, assez bien connus au demeurant,
et depuis longtemps établis par les historiens, je tenais
donc, pour commencer, à les rappeler rapidement. A la
mémoire de ceux d'abord, humbles héros dont parlait
Politzer, qui périrent les mains nues tandis que leurs
propres chefs travaillaient à les désarmer. Pour la
mémoire des autres, vivant encore, et se souvenant
mieux que moi, qui les ai simplement écoutés, de cette

---

* Un certain nombre de témoins et d'historiens communistes dissidents
ont en effet accusé le P.C.F. d'avoir lui-même livré Péri à la police (cf. par
exemple, Pierre Teruel Manéa, *De Lénine au panzer-communisme*, Paris,
1971). Duclos s'en défend fermement dans ses *Mémoires*. On trouvera, sur
cette affaire, et sur la vraisemblance de ces accusations, d'utiles précisions
dans : Stéphane Courtois, *le P.C.F. dans la guerre*, Ramsay, 1980, p. 201.

époque où leur parti, avant d'être celui des fusillés, était du côté des fusilleurs. A l'intention de tous les Français aussi bien, qui, comme moi, doivent savoir comment un appareil ralliant, jusqu'à nouvel ordre, le suffrage d'un sur cinq d'entre eux, a pu – et pourrait donc de nouveau, dans des circonstances peut-être plus « favorables » encore – réagir à une défaite militaire et morale du type de celle de 1940. A l'adresse de ceux, surtout, qui, parmi eux, s'obstinent à vouloir penser qu'un parti prêt à maquiller sa mémoire, à trafiquer et travestir son histoire, à reconstruire méthodiquement des pans entiers de son passé, à entretenir malignement d'obscures polémiques autour de textes et de documents hélas irréfutables, – que ce parti donc aurait, comme par miracle, révisé ses égarements et définitivement tourné le dos à sa tradition d'abdication. Bonne chance à ces ingénus. Meilleurs vœux de Leonid Brejnev, comme disait Marchais, en 1980, depuis la place Rouge. Quant à moi, ce sombre décor étant posé, je préfère poursuivre, – et venir à l'essentiel.

Car l'essentiel, paradoxalement, je crois qu'il n'est pas là. Pas dans ces polémiques stériles en tout cas, où trop souvent nous entraînent les chroniqueurs stipendiés. Pas dans ces discussions interminables où d'aucuns croient bon de s'enliser, sur l'authenticité de tel appel ou la date réelle de tel ou tel tract de l'époque. D'abord parce qu'à ce petit jeu la raison du truqueur, comme on sait, est généralement la meilleure. Ensuite parce que tel est, malheureusement, le piège inhérent à tout débat de ce genre qu'il accrédite toujours, finalement, l'une et l'autre des thèses en présence. Enfin, et surtout, parce qu'il y a une autre question, beaucoup plus simple, infiniment moins érudite, à laquelle n'im-

porte qui, pour peu qu'il consente à lire, est en mesure
de répondre et qui n'est curieusement, elle, à peu près
jamais posée : celle de savoir, non pas ce qu'ils firent
ou ne firent pas, mais ce qu'ils disaient alors, les cadres
du Parti. Comment ils le disaient plutôt, dans quelle
langue ils le parlaient et les mots qui leur venaient,
naïvement, sur les lèvres et sous la plume ; leur voix si
l'on préfère, le pur son de leur voix, si étrange quand
on y songe, si étrangement familier quand on l'écoute,
et cette impression de déjà vu, de déjà entendu qui, si
souvent, vous saisit au détour d'un article de l'époque
ou d'une révolutionnaire imprécation. C'est à cette
écoute simplement que je me suis essayé. A partir de
trois textes témoins, que j'ai choisis à dessein classiques
et incontestables. Et d'où ressort ceci, qui me paraît
plus lourd de sens encore que les offres de collaboration factuelles et ponctuelles du Parti à l'Allemagne :
un drôle de petit murmure qui piaule sous le gronde-
ment militant et qui n'est autre, en fait, que l'exacte, la
fidèle, l'aveuglante réplique, à nouveau, de la rengaine
pétainiste.

Prenez l'article de Thorez, rédigé depuis l'exil, et que
publie en septembre 1940 la revue *The Communist
International*[10]. Il s'ouvre – c'est son titre – sur l'évocation des « vrais traîtres » dont la politique, avant
guerre, a mené le pays dans l'état de détresse où il est
maintenant tombé. On y trouve l'intention, nullement
scandaleuse en soi, d'analyser enfin « les causes réelles
et profondes » de la débâcle de juin. Il nous annonce
même plus loin – qui n'y applaudirait ? – une critique
du vichysme en tant que tel, régime de « régression » et
de « réaction » qui marque le « retour » aux « plus
sombres périodes » de la longue histoire de France. Et
puis pourtant, très vite, il faut bien déchanter. Dès les
premières lignes, l'analyse dérape, se désaxe et prend
un tout autre tour. C'est le procès de la « décadence »

du régime par exemple, et de cette IIIe République
« sénile » dont il dissimule mal sa joie de la voir
« ensevelir » sous ses « ruines » tous les « vieux partis » démocratiques. Au lieu de la réflexion critique
qu'on pouvait escompter, de vagues et véhéments anathèmes contre « les 200 familles » et « leurs divers
agents », ce monstre du Loch Ness dont j'ai dit le rôle
ambigu, déjà, dans le discours politique des années 30.
En guise de théorie une formidable trappe à phynances
où passent pêle-mêle les dignitaires du régime d'hier et
de celui du jour, dont le principal, et presque le seul
crime, devient d'être des « escrocs », des « ploutocrates », des « millionnaires », des agents de l'« Amérique
des milliardaires », des « voleurs des petits épargnants », des « larbins de l'oligarchie financière ».
Mandel, Daladier, Blum lui-même qui partagent le sort
commun, traîtres parmi les traîtres, plus « voraces » et
« rapaces » que jamais, et dont l'imminent procès, face
à la Haute Cour de Riom, est évoqué sur le ton de la
plus franche jubilation, comme une victoire des larges
masses populaires... Le Front populaire donc et la
démocratie, l'obsession de l'argent et de la ploutocratie, le procès de la décadence et celui de l'Amérique : le
moins que l'on puisse dire est que ce n'est pas tout à
fait là la voix du stalinien classique ; que ce n'est pas
celle de l'agent rouge œuvrant à la victoire d'une internationale de fer ; qu'elle n'a que de lointains rapports
avec la froide, la rigoureuse idéologie marxiste où
notre homme s'essaye piteusement çà et là ; et il suffit,
je crois, d'une brève, d'une très cursive lecture pour y
discerner, dans le désordre, quelques-uns des échos et
motifs du discours de l'extrême droite traditionnelle.
  Mais il y a mieux. Entrons plus avant dans le détail
du texte. Et essayons surtout de rassembler quelques
souvenirs. Il s'ouvre sur l'image douloureuse de cette
« période tragique » que « traverse le peuple de

France » : or il se trouve que c'était déjà, quelques
jours plus tôt, la première phrase de la lettre du Maréchal au président Roosevelt, qui évoquait, elle aussi,
cette France des douleurs qui traverse aujourd'hui
« l'heure la plus tragique de sa longue histoire »[11]. Il
poursuit par le tableau de ces « millions de malheureux » réfugiés qui, retrouvant leurs « campagnes
dévastées » et « leurs usines vides », se laissent aller à
« une tristesse » qui « frise le désespoir » : la lettre du
Maréchal poursuivait, de même, par la description de
ces « millions de réfugiés » qui, retrouvant « leur terre
abandonnée » et leurs « usines » pour la plupart
« détruites », font entendre leur « triste voix » au bord
de « désespérer »[12]. Nous, communistes, « avons profondément confiance » pourtant, ajoute noblement
Thorez, dans « l'avenir de notre peuple », dans « l'avenir de la France », mais d'une « France nouvelle »,
prenant « en main son propre destin » : nous pétainistes, déclare l'autre, appelons à la « confiance », à la
« foi » dans « l'avenir » de la France, mais d'une
« France rajeunie », également « seule en face de son
destin »[13]. Ma tâche, dit le premier, sera de combattre
« pour exiger que soient condamnés les hommes, tous
les hommes responsables du désastre » : la mienne,
dira le second, dans sa note de juin 1945 à la commission d'instruction de la Haute Cour, fut de « frapper »,
cinq ans durant, de Riom aux camps de concentration,
les hommes, tous les hommes, « responsables de la
défaite »[14]. Le leader communiste objecte-t-il que le
procès auquel il songe serait « un procès public,
entouré d'une large publicité » et qui, au lieu de
« cacher la vérité » à la France, répondrait à son droit,
à son exigence de connaissance ? Objection acceptée,
rétorque le chef de l'État français qui estime, lui aussi,
que le pays « s'est senti trahi », qu'il a donc « droit à la
vérité », et que « la sentence » qui accablera les accusés

devra être « rendue en pleine lumière »[15]. Et il n'est pas
jusqu'au mot fameux enfin – où se résume, dans toutes
les mémoires, l'enflure du ton vichyssois – par lequel le
Maréchal se disait « décidé » à « rester au milieu de
vous », pour « tenter d'atténuer vos souffrances »[16],
qu'on ne retrouve, à peine démarqué, en conclusion de
la diatribe du secrétaire général en exil : le Parti, clai-
ronne-t-il à son tour, est là, « comme toujours et dans
toutes les circonstances », qui reste « aux côtés du peuple français dans ces jours [...] d'immenses souffrances »...

Coïncidences ? Rencontres insignifiantes ? De surface peut-être ? Prenons un deuxième texte alors. Un
texte militant cette fois et à l'usage direct des travailleurs français. Un texte exemplaire surtout car le Parti,
depuis quarante ans, s'évertue à en faire la preuve de
son engagement, très tôt, dans les rangs de la Résistance. Je veux parler du célèbre « Appel du 10 juillet »[17] dont les spécialistes ne manquent jamais, une
fois l'an, de discuter la date, l'auteur ou l'authenticité,
– et que je propose, moi, simplement, beaucoup plus
modestement, mais peut-être plus efficacement aussi,
de prendre tel qu'il est, mot à mot, au premier degré,
pour en épeler de nouveau la lettre et l'argument. On y
retrouve en effet, mieux même que dans le texte de
Thorez, l'image du Parti venant « alléger le fardeau de
misère qui pèse sur notre pays » : mais les mêmes termes, surtout, que ceux du maréchal entrant en collaboration afin d'« alléger le poids des souffrances de notre
pays »[18]. L'obsession, plus que jamais, des « responsables des malheurs de la France » : mais les mêmes
mots, littéralement cette fois, que ceux de Pétain quand
il évoquera plus tard les mêmes « responsables du malheur de la France »[19]. Un sursaut de positivité avec
l'espoir d'un gouvernement qui devrait être celui « de
la renaissance nationale, composé d'hommes honnêtes

et courageux » : et une furieuse ressemblance, on en
conviendra, avec le dessein d'une « révolution nationale » à laquelle le « gouvernement » travaillera « hon-
nêtement, courageusement »[20]. Une exhortation à « rester tous unis », grande cohorte de bâtisseurs qui seront,
dès demain, « les artisans » de cette « renaissance » : et
c'est très exactement le ton des adresses aux fidèles de
Vichy, sommés, « tous ensemble », « d'un même
effort », d'être, dès à présent, « les meilleurs artisans
du redressement de la patrie »[21]. Il ne peut plus s'agir,
à ce point, d'une simple et banale coïncidence. Ce n'est
même plus affaire de mots, mais de thématique et de
politique. Le fait essentiel, massif, est là : un document
qui devrait, selon les thèses officielles, nous convaincre
d'un appel à la résistance, ne fait rien que véhiculer les
meilleurs couplets de « Maréchal, nous voilà ».

Entendons-nous. Il appelle bien, d'une certaine
manière, ce texte, à la résistance et à la « liberté » :
mais c'est d'une étrange résistance qu'il s'agit puisqu'elle vise au premier chef l'horrible « impérialisme »
britannique et que c'est cet impérialisme qui, à l'heure
de la barbarie triomphante, constitue pour les rédacteurs de l'appel le péril le plus redoutable. Il est exact
également qu'on y souhaite que « la France soit aux
Français » : mais le slogan, contre toute attente, vise
moins les troupes allemandes qui campent sur une moitié de son territoire que l'ennemi de l'intérieur, l'anti-
France, les mauvais Français qui l'investissent, eux,
tout entière, et ont « conduit » le pays à la « catastrophe ». Vrai encore qu'on peut y lire une ardente espérance en son prompt « relèvement » : mais c'est moins
dans la lutte, par les armes, par l'insurrection, que se
fera ce relèvement, puisqu'il est dit en toutes lettres
qu'il passera par le « travail », le noble travail rédemp-
teur et le retour de « tous les Français honnêtes » à
leurs usines et à leurs champs. Et c'est ainsi qu'à

l'heure du « retour à la terre » vichyssois, le parti de la classe ouvrière peut se vouloir lui aussi, et en toute innocence, un parti de paysans qui doivent de toute urgence « être ramenés à la terre d'où la guerre les a chassés ». Qu'à l'heure de la France propre, épurée de ses juifs, métèques, et autres bellicistes, il peut et veut se présenter comme un « parti de propreté » dont tout l'effort est de lutter contre « les combinaisons malpropres de la guerre ». Que deux mois avant le message radiodiffusé du 9 octobre 1940 où le Maréchal se flatte des « comités d'entraide nationale » qui « ont été déjà constitués »[22], c'est lui, le parti de Maurice Thorez, qui donne le ton et invite, le premier, à la constitution de « comités de solidarité et d'entraide », susceptibles de « créer d'un bout à l'autre du pays un esprit de solidarité fraternelle ». En clair, cela s'appelle le pétainisme, sans Pétain. Tout le pétainisme, rien que le pétainisme même si accommodé de rhétorique gauchiste. Et tout cela sonne si juste, de nouveau, qu'il paraît bien difficile de dire qui, du gauche ou du droit, du rouge ou du brun, a réellement donné le ton à l'autre.

Difficile, mais pas impossible. Car c'est à quoi le Parti, justement, va s'employer. Et j'en veux pour preuve un troisième texte qui, même s'il persiste pour l'essentiel dans la veine des deux premiers, a l'intérêt supplémentaire de jouer en quelque sorte franc jeu et à visage découvert : c'est la lettre, la supplique, l'aimable et gracieuse requête où François Billoux, député communiste déchu au moment du pacte germano-soviétique, sollicite du Maréchal l'autorisation de venir témoigner à charge contre les accusés de Riom[23]. Car enfin, on croit rêver. Voilà un membre du bureau politique qui, en décembre 1940, alors qu'ont été décrétées les lois les plus infâmes du régime, s'adresse respectueusement à son chef sur le ton du bon apôtre chapitrant un despote éclairé. L'un des plus prestigieux diri-

geants du mouvement ouvrier de l'époque qui, à
l'heure des plus sordides, des plus indignes règlements
de compte, demande qu'on le tire de sa geôle, qu'on le
traîne devant les prétoires, pour qu'il puisse se joindre
à la meute, hurler avec les loups, et accabler lui aussi
ses camarades de détention socialistes et radicaux. Un
futur ministre du général de Gaulle qui, en 1944, parti-
cipera au premier gouvernement de la nouvelle France
mais qui, pour l'instant, ne sait rien de plus urgent que
de refuser ce qu'il appelle l'« énorme duperie des responsabilités » de Hitler et de réclamer de venir plaider,
lui, tête haute sous l'œil des juges fascistes, la thèse de
la responsabilité de Léon Blum. Plus de ces attaques
rituelles contre le régime qui subsistaient dans l'appel
du 10 juillet : c'est la politique de la main tendue maintenant, et une offre de loyaux services aux services de
propagande pétainistes. Plus de verbeux anathèmes
comme dans l'article de Thorez : le P.C. est passé à
l'acte, il s'est fait flic et délateur, et ne souhaite que de
prendre part à la curée aux démocrates. Il ne se
contente même plus de désigner « les vrais traîtres » à
la colère du peuple : c'est aux magistrats qu'il les désigne maintenant, brûlant de leur livrer les informations
dont il dispose et de siéger – c'est le point essentiel – *au
premier rang* des inquisiteurs maréchalistes.

Car qu'on ne s'y trompe pas. La place que revendi-
que Billoux n'est pas celle du délateur anonyme. Le
privilège qu'il réclame ainsi, ce n'est pas de venir jeter
sa pierre avec d'autres, comme les autres, dans une
vague lapidation collective. La position à laquelle il
estime avoir droit n'est même plus vraiment celle du
témoin, mais presque celle du procureur. Et le plus
extraordinaire, dans cette lettre, c'est qu'elle est tout
entière construite pour convaincre – le Maréchal
d'abord, mais la postérité après lui – que Riom est
l'affaire du Parti avant que de quiconque, et que le

discours qui s'y tiendra, nul n'est plus qualifié que lui
pour savoir et pouvoir le tenir... Vous passez, semble-
t-il dire en effet, pour l'homme de l'armistice, qui a su
ramener la tranquillité sur la terre de France ravagée :
or, il se trouve malheureusement que je l'étais avant
vous, moi qui, avec mes camarades, plaidais déjà pour
la paix, tandis que vous et vos pareils prépariez encore
la tuerie. « La guerre était une folie », dit avec raison
Suarez dans un article élogieux concernant le régime :
nous le disions depuis longtemps, depuis des mois et
des mois, et il ne fait que reprendre ainsi, sur nos lèvres
provisoirement closes, les mots mêmes qui nous ont
valu cette inique détention. La haine même, fameuse,
des « mensonges qui vous ont fait tant de mal » est une
bien louable haine assurément, dont il est plaisant de
retrouver à Vichy de si sincères accents : mais que ne
voit-on pas qu'il y a là, également, un manifeste pla-
giat ? que cette chasse au mensonge c'est, depuis septembre 1939 au moins, le centre du combat du P.C.F. ?
qu'ils furent, les communistes, hérauts dans le désert,
seuls ou presque à avoir « eu le courage de dire la
vérité au pays ». Oui, « Monsieur le Maréchal »,
conclut en substance ce singulier suppliant : « si vous
voulez en finir avec les mensonges », il vous faut
reconnaître vos maîtres, pionniers émérites mais ignorés, qui n'eurent que le tort d'avoir raison trop tôt, – et
à qui il est temps, maintenant, de rendre enfin justice...

Ainsi parle donc François Billoux, l'honorable et
révérend Billoux, dans son apostrophe au maréchal
fasciste. Ainsi parle à travers sa bouche le bureau politique tout entier qu'il représente si dignement, là, à son
écritoire, au fond de sa cellule. La voilà, la belle intransigeance d'un parti qui, depuis le premier jour, aurait

choisi le camp de l'intransigeance. Car ce morceau d'anthologie, hélas, n'est pas une pièce isolée. Je l'ai choisi parmi d'autres, qui vont dans le même sens et qu'on pourrait identiquement commenter. Tous ces thèmes se retrouvent, dès juin, dans cet « Appel au peuple de Paris » par exemple, dont les rédacteurs proposaient déjà de « mettre en accusation tous ceux qui ont poussé la France à la guerre et ont trompé le peuple de France »[24]. Ils se retrouvent également, en un style plus délirant peut-être encore, dans les textes où, dès juillet, l'on s'indigne de cet inqualifiable « scandale » qui veut que des « fauteurs de guerre », des boute-feu comme Doriot aient « le droit de faire paraître des journaux » alors que les bons et braves communistes, eux, sont condamnés à se taire et à se cacher[25]. La vérité c'est qu'à ce degré de délire, il ne suffit même plus de dire que les communistes partagent avec Vichy une langue ou une thématique : cette thématique ils la lui disputent, ils lui en contestent l'autorité, ils prétendent en assumer seuls le discours et l'héritage. La justice qu'ils réclament n'est plus seulement celle des tribunaux et va bien au-delà d'une grâce ou d'une amnistie : c'est celle de l'Histoire désormais, dont ils attendent qu'elle estampille une bonne fois leur préséance dans l'infamie. Et le spectacle auquel on assiste là, dans l'Appel du 10 juillet et ailleurs, n'est pas celui, convenu, d'un appareil déchiré, hésitant, titubant encore entre deux lignes : mais celui d'un parti qui réclame, en toute conscience et parfaitement au fait de ce qu'il fait, d'être tenu pour *le premier parti pétainiste de France*.

Cela ne veut pas dire bien sûr qu'il rejoigne purement et simplement les rangs des fidèles du Maréchal. Cela ne signifie pas non plus qu'il applaudisse le moins du monde aux divers aspects de sa politique. Il est probable même qu'il n'eut pas, le nouveau régime, d'adversaires plus virulents que ces « révolutionnai-

res » qui manquent rarement l'occasion de dénoncer
« les loups assoiffés de sang »[26] dont la présence aux
commandes de l'État les frustre de leur moisson politique. Car tout le problème est là. Dans une compétition
acharnée pour l'appropriation et le contrôle de la salo-
perie ambiante. Dans une sorte de bras de fer idéologique qui se joue sur le sol, sur le lieu commun d'un
discours dont chacune des deux parties aspire au
monopole. Dans une formidable, une répugnante riva-
lité mimétique, dont l'objectif est – côté P.C. au moins
– de disqualifier les pitres qui tiennent provisoirement
le haut du pavé politique. Que reproche Thorez à
Laval ? d'être un « avocat véreux ». A Lémery ? un
« politicien pourri ». A Ybarnégaray ? un « belliciste à
outrance », complice de Blum par-dessus le marché. A
Weygand ? un « bâtard royal » qui s'abrite derrière
« un nom d'emprunt ». A toute la « clique » vichyssoise enfin ? d'être des « démagogues », des « politiciens », le contraire d'« hommes neufs et propres »,
bref des révolutionnaires au rabais qui ne peuvent prétendre à la nouveauté qu'en vertu d'une inqualifiable et
scandaleuse escroquerie[27]. C'est à peu de chose près,
comme on sait, ce que leur reprochent, au même
moment, les collaborateurs parisiens. Le style n'est pas
très différent de celui de *Je suis partout* ou des articles
de Drieu, Rebatet, Céline. Dire du P.C.F. que, pendant
ces douze mois, il se voulut le premier parti pétainiste
de France, c'est dire que les autres, les pétainistes proprement dits, ne sont rien à ses yeux que des truqueurs
et des faussaires : au sens strict, des *usurpateurs* qui
accaparent un discours qu'il est convaincu, je le répète,
d'être seul en droit et en mesure d'assumer.

Il en est si fort convaincu d'ailleurs qu'il n'a hâte que
de le prouver. Qu'il multiplie les gestes concrets, tangi-
bles, à la hauteur de cette grandiose ambition. Et que
tout se passe comme s'il s'engageait alors dans une

folle course-poursuite destinée à confondre, jusque sur
le terrain, le gang des usurpateurs... C'est ainsi qu'il
gère par exemple son ministatut des juifs qui n'a rien à
envier à l'autre, fors le pouvoir et un État pour
l'appliquer : et il est temps de se souvenir que le Parti
d'alors assimilait ses juifs à des « étrangers », les constituait en un « groupe de langue » et les organisait sur
une base qu'il est difficile de baptiser autrement que
raciale[28]. C'est ainsi également qu'il tente de mettre en
place, dès les premiers jours de l'armistice, un véritable
réseau corporatiste parallèle qui fait pièce comme par
avance à celui, plus lent à venir, de la charte du
travail : c'est la myriade de comités « populaires », de
« défense », d'« action », de « revendication » ou
même, enfin, de « corporation », qui encadrent la
population sur des bases catégorielles qui sont peu ou
prou celles de Vichy[29]. Ainsi encore qu'il convient de
lire l'étrange ligne que développe Benoît Frachon à
l'hiver 1940 et au printemps 1941, à la veille donc des
premières déportations, à l'heure où la résistance intérieure commence elle aussi de s'organiser, au moment
où, en tout cas, on eût pu attendre des ouvriers communistes une solidarité avec, par exemple, les victimes
du racisme français : épousant, devançant, débordant
presque le style de Vichy, cette ligne préfère se cantonner à une stricte action syndicale, à de prudentes et
modestes augmentations de salaires ou à l'élaboration
de « cahiers de revendications » destinés au pouvoir
assassin[30]. Et c'est la clé enfin de l'obstination des élus
communistes à demeurer à leur poste, à ne quitter à
aucun prix leurs mairies, à s'accrocher vaille que vaille,
l'arme au pied mais à pied d'œuvre déjà, à la terre
ferme de leurs municipalités : c'est très exactement l'attitude et le raisonnement de Pétain quand il déclare le
13 juin qu'il est impossible à un gouvernement
d'« abandonner le territoire » sans prendre le risque de

« déserter »[31], – mais à cette réserve près que le P.C. entend bien, une fois de plus, prendre son rival de vitesse et le supplanter le jour venu sur la ligne d'arrivée.

On comprend mieux à partir de là en quel sens je disais que la question clé n'est pas, pour lui non plus, celle de ses rapports et de son allégeance à l'Allemagne. Ce n'est pas que je trouve négligeables les péripéties que j'ai rappelées de la demande de reparution de *l'Humanité.* Ce n'est pas qu'il faille tenir pour rien que des hommes qui, aujourd'hui, prétendent tirer à eux toute la mémoire de la Résistance, aient inauguré leur carrière en pactisant avec la Gestapo et les S.S. Mais je pense simplement que ceci se déduit de cela. Que ce qui est premier c'est cet aveu terrible d'Arthur Dalidet, par exemple, confiant à Mounette Dutilleul, comme le premier venu des arrivistes de Vichy : « Maintenant, c'est nous qui allons nous charger du pays. »[32] Que ce qui commande à tout le reste c'est ce zèle, cette surenchère dans le fascisme mou, et cette volonté de dire, de *faire mieux* que les meilleurs artisans du projet pétainiste. Et que la collaboration avec Hitler, replacée dans ce contexte, n'était rien finalement que le moule, le point de passage obligé auquel, comme les autres, comme tous les autres, il a accepté de se plier pour parvenir aux fins communes. Il peut bien continuer, à ce compte, d'ergoter jusqu'au siècle prochain sur tel ou tel point d'histoire concernant ses rapports avec la Kommandantur. Il n'est plus très intéressant de savoir si, oui ou non, comme s'emploient à le démontrer certains, il joua dans ces relations une manière de double jeu. Qu'il se soit incontestablement, héroïquement engagé ensuite, à l'été 1941, dans la voie de l'insurrection ne change pas non plus grand-chose à l'affaire. Car ce qui ressort, je pense, de cette analyse, c'est cette première leçon qui est, en toute hypothèse, incontestable : nous avons un Parti communiste qui, sous la botte assurément mais pour son propre compte, à l'heure allemande mais aux couleurs de la France, a rêvé, douze mois durant, d'une version thorézienne de la révolution nationale.

Ce qui en ressort aussi – et qui, ici et maintenant, est peut-être plus décisif encore – c'est qu'on peut se demander, face à tant d'entrain dans l'abjection, si l'on n'a pas parfois fait la part un peu trop belle à ce qu'on appelle le « stalinisme ». La pression soviétique était là, c'est entendu, qui permet d'expliquer bon nombre de ces aberrations et dont il n'est pas question de nier la pesée ni l'insistance. Thorez était à Moscou, c'est sûr aussi, déserteur puis félon à la cause d'un peuple dont il était prêt, semble-t-il, à faire un peuple d'otages immolé au service de l'U.R.S.S. Le pacte germano-soviétique, ce n'était pas rien non plus, qui scellait aussi les cervelles et fit parfois des martyrs s'en allant mourir tel Nizan, fou de désespoir, à Dunkerque criblée de bombes. Mais justement : s'il suffisait, ce pacte, à faire des martyrs, je ne crois pas qu'il suffisait à soi seul à faire des canailles. Qu'il ait eu assez de force, ce stalinisme, pour contraindre des milliers d'hommes à sa discipline, c'est certain : mais je ne suis pas sûr pour autant qu'il en ait eu assez pour produire des pétainistes gaillards. Que tant de militants se soient résignés aux ordres de Moscou, dents serrées et nuque raide, la gorge atrocement nouée et pleurant à petit bruit, c'est certain encore : mais de là à l'obscène ralliement idéologique dont j'ai tenté de dire l'allure, il y a un autre pas, un pas immense et démesuré, que les bottes de sept lieues du grand Staline étaient bien incapables à soi seules de faire franchir. La pression soviétique, en d'autres termes, contraignait à l'indulgence à l'endroit de l'occupant. Sans doute même à des formes larvées et passives de collaboration. Mais la collaboration active en revanche, l'écoute fervente et passionnée du modèle français de fascisme, la démente prétention à tenir mieux que ses auteurs son littéral discours, – tout cela s'inscrit à l'évidence dans une tout autre logique, obéit à une tout autre pression, relève d'une tout autre tradition, qui n'ont peut-être pas plus à voir avec Moscou que Vichy lui-même n'avait, on s'en souvient, à voir avec Berlin.

Car le fait est qu'il est tout de même bizarre, le visage de notre P.C., tel qu'il émerge finalement de ce bref parcours. Déchaussé, comme décapé par la brutalité de l'événement, il n'est plus que l'ombre de lui-même, presque méconnaissable, et bien éloigné en tout cas de l'image qu'on s'en fait d'habitude. Le marxisme ? peu ou pas de références marxistes, mais un improbable brouet de mots et de fantasmes où il faudrait beaucoup de bonne volonté pour retrouver la trace du *Capital*. Le léninisme ? Montoire n'est pas Brest-Litovsk ni l'occupation des mairies de la banlieue rouge la prise du palais d'Hiver, et il faut toute la piété des historiens sympathisants pour lire dans tous les textes que nous avons cités l'écho, même affadi, du défaitisme révolutionnaire d'octobre 1917. Le politique ? ce « politique d'abord » qu'on associe toujours, automatiquement, à la définition d'un P.C. digne de ce nom ? cela même s'est évanoui, dissipé, évaporé, comme une mince et frêle croûte qu'auraient emportée, dès les premiers jours, cet ouvriérisme, ce corporatisme ouvrier, ces tentations capitulardes, ce pétaino-communisme, en un mot, qui traversent les textes de Frachon et de Thorez et qui semblent bien leur être revenus, tels d'obscurs et tenaces relents, depuis des sources plus anciennes, longtemps contenues sans doute, mais soudainement épandues. Et la dernière question qui se pose alors c'est, de nouveau, comme tout à l'heure, comme pour le vichysme de stricte obédience, celle de savoir s'il n'y aurait pas, au cœur même de la pensée française, soigneusement dissimulé aux regards, mais toujours enclin à refleurir, un vieux fonds de purulence qui lui appartiendrait en propre. Et dont il est temps maintenant, après ces quelques rappels d'Histoire, devant l'évidence d'un fascisme qui, une fois au moins, a su *passer*, d'aller repérer les signes et défouir les authentiques racines.

DEUXIÈME PARTIE

L'IDÉOLOGIE FRANÇAISE

Car ces signes, il n'est pas très difficile finalement d'en retrouver l'empreinte. Pas nécessaire d'aller bien loin ni de creuser bien profond pour en déchiffrer le présage et en éclaircir l'énigme. Ils sont là, en effet, limpides et familiers, comme une nappe sombre, toute constellée de mots, qui crèvent les yeux, craquent sous les pas, de ceux qui veulent voir et qui consentent à entendre. C'est comme une banquise plutôt, un hideux bloc de textes qui flotterait, monumental, à la surface de notre culture et ne cesserait d'y dériver depuis un siècle maintenant.

En clair, et pour schématiser, il y a au cœur même de notre Histoire, advenue dans les parages de cet autre traumatisme que fut l'affaire Dreyfus, marquée au sceau de quelques-uns de nos plus grands, de nos plus talentueux penseurs, une source vénéneuse dont l'écume vient jusqu'aujourd'hui et que je suggère de baptiser l'« idéologie française ». A entendre à la fois, et au-delà désormais du pétainisme en tant que tel, comme les origines françaises du fascisme ; les raisons de la cécité française aux idéologies étrangères et notamment allemande ; les germes d'un stalinisme français dont on verra l'extrême spécificité ; et les racines, pour commencer, de ces traditions racistes dont la France, hélas, fut un laboratoire privilégié.

1

UNE CERTAINE IDÉE DE LA RACE

Donc, le racisme. Cette marée de fiente dont on vient de voir comment, en 1940, elle manqua submerger nos terres de mesure et d'humanisme. Ce vent de haine glacée qui, une fois déjà, au moment de l'affaire Dreyfus, avait failli – fait unique dans toute l'Europe – les plonger dans une véritable et sanglante guerre civile. Cet antisémitisme larvé, discret, et puis parfois, tout d'un coup, sauvagement meurtrier, qui n'a jamais vraiment cessé – nous commençons de le savoir – de hanter les têtes françaises. Cette xénophobie ordinaire qui fait que, dans le Paris de 1980 encore, dans l'ombre de ces ministres qui distinguent leurs sujets selon qu'ils ont ou non « une bonne tête »[1], un homme, une femme, un enfant sont proprement en danger de mort dès lors qu'ils ont le teint légèrement différent du nôtre... Si j'ai choisi de commencer par là, c'est que nous ne pouvons plus continuer de tenir tout cela, toute cette régulière abomination, pour des accidents de parcours ou des péripéties de notre histoire. C'est qu'elle n'est plus supportable, cette bonne conscience béate qui, chaque fois, nous assure qu'il y a maldonne, que l'horreur n'a pas de place chez nous, dans la patrie des Lumières, des droits de l'homme ou de l'émancipation des juifs. C'est que la plaisanterie a assez duré d'un virus étranger, d'une greffe superficielle qui, parfois, bien sûr, nous contamineraient mais auxquels notre génie, en ses profondeurs, résisterait de toute son âme. Je crois, moi, que c'est l'inverse ; que c'est le contraire qu'oblige à constater l'histoire réelle ; qu'il n'y aura pas un Juif, pas un Noir, pas un Arabe, réellement libres dans ce pays tant que nous nous refuserons à reconnaître l'évidence : et, pour commencer, la place éminente qu'occupe la culture française – avec d'autres certes, mais bien souvent en avant-garde – dans la formation, l'élaboration, les déplacements du concept moderne de race.

Je dis bien l'élaboration, car on aurait tort d'imaginer ce concept comme une sorte de fatalité, de constante de la nature humaine, présentes de toute éternité, quoique peut-être en sommeil, dans l'ordre des consciences et des discours occidentaux. Les hommes – c'est une banalité de le dire, mais il est important de le rappeler – n'ont pas toujours ni partout pensé racialement et c'est à une date récente, en des lieux très précis, qu'est née cette singulière façon de percevoir l'altérité, de déchiffrer les différences. Le mot lui-même, d'ailleurs, apparaît tard, très tard, dans la seconde moitié du XVIIIe siècle à peine, avec le sens que nous lui connaissons et lui prêtons aujourd'hui. Les grands voyageurs de l'âge classique par exemple pouvaient, tels Marco Polo, Pigaffeta, Cabral, Colomb ou même Bougainville, croiser des « nègres », observer des « tartares », étudier les mœurs des « sauvages » et rendre compte de leurs enquêtes sans songer, des pages durant, à mentionner ou à valoriser leurs caractéristiques physiques[2]. L'idée eût parue saugrenue à Rousseau encore ou à Sade, de situer ailleurs que dans la socialité, dans les inégalités sociales, dans les différences de « condition », l'origine de ce qui distingue, sépare ou oppose les individus divers qui peuplent la planète. L'Église elle-même, du temps de sa puissance, et quels que fussent les crimes dont elle se rendait coupable par ailleurs, ne songea jamais vraiment à nier que, comme le disait Augustin, « tous les hommes, quelle que soit leur couleur, leur stature, leurs proportions ou tout autre caractère naturel sont sortis d'un même protoplasme »[3]. Bref, il a dû se passer quelque chose, il a dû se produire un séisme, il s'est opéré une révolution, ou une série de révolutions peut-être, qui, à la charnière de la modernité, ont peu à peu mené l'Europe lettrée à ce constat inouï qu'exprime en 1890 un Ernest Renan : « l'inégalité des races est constatée »[4]. Et c'est ce séisme, cette révolution, cette chaîne d'ébranlements – qui demeurent aujourd'hui, encore, et que nous le voulions ou non, à l'horizon de notre culture – dont je me propose de rappeler d'abord, et à très grands traits, les étapes.

La première étape, le premier ébranlement, ce fut, à n'en pas douter, celui de la mort de Dieu justement. Le lent déclin, plus exactement, de la vieille croyance judéo-chrétienne, inscrite dans les Évangiles autant que dans la Bible, en un engendrement unique, d'un seul geste consommé, de toutes les sortes d'hommes, sauvages comme civilisés, tous enfants d'un même Adam, « afin que nul ne puisse dire ton père est supérieur au mien »[5]. L'effritement de ce monogénisme intraitable, exalté tout autant par les théologiens catholiques que par les rabbins, et qui cimentait une anthropologie où la notion même de « race », de différences « raciales », en son acception moderne, n'avait par définition pas de place. Cette idée neuve, du coup, et aux conséquences incalculables, d'une genèse plurielle, d'une création à plusieurs temps, sans père ni tronc communs, où

d'innombrables humanités, comme autant d'espèces
hybrides et substantiellement différentes, auraient éclos
dans le désordre, la dispersion des origines et de très
lointains cousinages... Or il se trouve que cette première
idée, déjà, n'est pas aussi neuve pour tout le monde.
On la trouve en Angleterre, c'est vrai, mais très marginalement, dans l'entourage de Raleigh et Marlowe, les
« esprits forts » de l'ère élisabéthaine. On en décèle des
signes précurseurs en Italie, mais marginaux eux aussi,
avec Giordano Bruno par exemple, qui contestait que
des êtres aussi étranges que les Amérindiens, les Pygmées ou les Noirs puissent être issus de la même souche[6]. L'Allemagne n'y est pas étrangère non plus – voir
Paracelse[7]– mais la relecture de l'Ancien Testament
induite par la Réforme, l'absence de traditions coloonia-
les peut-être aussi et d'expérience directe du « terrain »,
en retarderont longtemps la pleine et complète expansion. Et c'est en France, par contre, qu'elle a indénia-
blement, et dès le XVIIᵉ siècle, les titres les plus solides,
avec cette « académie putéane » par exemple, où se
regroupent, autour des frères Dupuy, les « libertins
érudits » Nodé, Gassendi, La Mothe Le Vayer[8]. En
France qu'un peu plus tard, elle devient le corrélat de
la vaste entreprise de ces apprentis sorciers qui, au long
du XVIIIᵉ, occupés qu'ils sont à dissiper les ombres de
l'obscurantisme d'antan, éteignent du même geste les
lumières des vieilles thèses monogénistes. En France
qu'elle dispose du plus prestigieux de ses pères fondateurs, en la personne de Voltaire, le premier doctrinaire
européen d'un polygénisme conséquent, qui, tout à son
souci de déconsidérer les Écritures, croit nécessaire de
démontrer que les Blancs sont « supérieurs à ces nègres
comme les nègres le sont aux singes et comme les singes le sont aux huîtres »[9]. En un mot : c'est très tôt,
plus tôt que dans toutes les autres terres de tradition et
de confession chrétiennes, que commence chez nous de

se lézarder la haute digue de Foi qui, depuis des millénaires, contenait l'éventuelle crue.

Très tôt aussi, par conséquent – dès les premières
décennies du siècle suivant – que commence d'y triompher une autre révolution, scientifique celle-là, qui naît
de la première et vient meubler le vide qu'elle a creusé
dans les consciences. C'est à Paris en effet que, dès la
fin des années 20, apparaît cette « Société ethnologique » où une poignée de savants se mettent brusquement en tête d'observer, de classer, de ranger cette
poussière de dissemblances que l'œil chrétien voyait,
bien sûr, à la surface des corps et des visages, mais
qu'il ne savait rapporter encore qu'à un obscur, dérisoire et incompréhensible caprice de la main du Créateur. A Paris aussi qu'à l'initiative de Broca, Quatrefa-
ges, Geoffroy Saint-Hilaire, naît une « société
d'anthropologie » – la première du genre en Europe [10]
– où d'autres savants s'occupent à recenser des crânes,
à mesurer leurs « dentelures », à comparer leurs « indi-
ces céphaliques » et à ordonner sur cette échelle des
types humains spécifiques, dont tout indique, selon
eux, la substantielle étrangeté. A Paris encore, qu'un
darwinisme paradoxalement boudé à Londres où l'on
demeure trop attaché aux antiques leçons bibliques,
peu goûté en Allemagne également où son « histori-
cisme » heurte trop rudement la volonté de croire à la
pérennité mystique de l'antique peuple germain, va
connaître sa plus rapide, sa plus fulgurante carrière et
accréditer partout l'idée d'une origine physique, purement physique, des espèces et des hommes. Car peu
importe que ce darwinisme s'oppose, en bien des
points, à l'ethno-anthropologie naissante. L'essentiel
est qu'il contribue lui aussi à la preuve que nous sommes d'abord, nous, les hommes, des animaux et des
corps. A cette vaste clameur, inaudible jusque-là, qui
fait de la biologie la reine nouvelle des disciplines. A ce

culte de la Vie en tant que telle, qui devient le nouveau Dieu d'une époque en mal de sacré. Et au fait que la France, alors, est peut-être l'un des lieux où l'on a le plus activement travaillé à dresser ce second pilotis du dispositif racial : l'inscription dans la chair, et dans la chair seulement, de cet essaim de différences qui existaient certes de tous temps mais qui n'étaient à l'âge classique ni fondamentales ni donc définitives, ni inscrites dans l'ordre de la matière ni donc irrémédiables, – et qui, rapatriées maintenant au cœur d'une hypothétique « nature », découpent le genre humain en autant de variétés organiquement, physiologiquement, et donc *irréversiblement* séparées[11].

Mais aussi l'un de ceux où l'on a le plus fait – troisième étape, troisième révolution – pour découper le genre humain en autant de variétés psychologiquement, culturellement, et donc intégralement séparées. Car Paris est également la patrie de ce Jules Soury, dont Lucien Herr et Anatole France ne dédaignaient pas de venir écouter les cours à l'École pratique des hautes études[12], et qui montrait comment déduire, de la couleur d'une peau ou de la forme d'une mâchoire, l'ensemble des caractéristiques psychologiques d'un individu donné. Celle d'un Georges Vacher de Lapouge, collectionneur de crânes lui aussi, tenu par son époque pour l'un des plus brillants représentants de la nouvelle « science craniologique » (!), et qui, avec quelques années d'avance sur ses homologues allemands, prétendait expliquer[13] les tours et les détours de l'histoire universelle à partir de la différence entre les « brachycéphales bruns » et les « dolichocéphales blonds »*. Celle de Gustave Le Bon, lié à Sorel et sou-

---

* On appréciera l'influence de cet étrange savant si l'on se souvient qu'un Paul Valéry, par exemple, fut son disciple. Et qu'en 1891 il aidait son maître à mesurer six cents crânes humains déterrés dans un vieux cimetière de la région de Montpellier.

vent proche de Bergson, théoricien de la « psychologie des foules » et de « l'âme raciale des peuples », dont les livres, encombrés de tous les poncifs de l'antisémitisme le plus assassin, demeurent parmi les plus grands succès de la littérature scientifique de son siècle et du nôtre[14]... Tous ces hommes ont ceci de commun que, non contents de prêter l'oreille aux leçons de la biologie, ils décident de les étendre au champ de l'immatériel. Qu'ils font du corps, maintenant, la signature de l'âme et des marques visibles de l'un l'indice des impalpables mouvements de l'autre. Qu'ils fraient la voie à un Ribot, du coup, qui pourra divaguer tranquillement, dans un classique traité d'*Hérédité psychologique,* sur les « vices » que la « race bohémienne » possède « à titre de culte héréditaire ». Qu'ils rendent possible un Charcot surtout, qui n'aura aucune peine, sur cette base, pensant lui aussi la psychologie naissante comme si elle était de la physiologie, à isoler cette « névropathie » singulière à quoi les juifs sont « racialement prédisposés »[15]. Tout est dit. L'essentiel est joué. La France, dans cette partie, a abattu sa maîtresse carte. Et si on compare cet antisémitisme justement à celui qui, au même moment, sévit en Allemagne, on a quelque peine, parfois, à décider lequel est « en avance » sur l'autre : ce sont les Langbenh, les von Egidy, les de Lagarde qui, persistant à disjoindre les deux ordres, s'en tiennent bien souvent à un antijudaïsme culturel qui consent à admettre les juifs assimilés dans le sein du « volk » ressuscité*, – et ce sont souvent nos

---

* Il n'est pas question de nier, bien sûr, le caractère meurtrier de l'antisémitisme allemand de la fin du siècle. Mais je dis simplement que, si un de Lagarde parle d'une lutte à mort entre « germains » et « juifs », il continue de penser cette lutte comme l'affrontement de deux « spiritualités » dont l'une est depuis longtemps fossilisée et l'autre récemment revivifiée. Que les arguments proprement raciaux n'apparaissent chez Langbenh que dans une édition tardive (1900) de son *Rembrandt éducateur* dont l'argument central demeure celui d'une renaissance « culturelle », « religieuse », voire « artisti-

savants, nos hommes de lettres qui, abolissant la mince frontière de la chair et de l'esprit, les opposent irréductiblement à l'éternelle « race aryenne ».

La race aryenne ? Le mythe, ce n'est pas douteux, est cette fois d'origine étrangère. C'est bel et bien en Allemagne qu'il apparaît pour la première fois, dans les parages d'un romantisme – les frères Schlegel – qui s'en va chercher loin, sur les hauts plateaux de l'Inde, le berceau de la civilisation européenne. En Allemagne encore qu'il accède à la dignité scientifique par le détournement, presque au même moment, des premiers résultats de la linguistique, de la philologie, des études orientales qui fleurissent dans les universités. Mais il n'est pas douteux non plus, pourtant, qu'à cette floraison Paris ne demeure pas longtemps étranger, où s'ouvre, dès 1816, la première chaire européenne de sanscrit. Que nous avons nous aussi des savants qui, comme Burnouf, Fauriel ou le Suisse Pictet, transmettent et diffusent, chacun à sa façon, les conclusions d'une philologie qui démontre l'origine indo-européenne des langues contemporaines. Et qu'en France aussi, les sciences de l'homme naissantes vivent sous la tyrannie de cette linguistique pilote dont un Broca peut constater, en 1862, qu'elle a « sur nous » ce « grand avantage » qu'elle peut « se passer de nous tandis que nous ne pouvons, nous, nous passer » d'elle[16]... Non pas, bien sûr, que cette linguistique soit, comme telle, génératrice de racisme. Mais le thème est lancé d'une origine aryenne des langues qu'il suffira – et qu'il suffit aujourd'hui encore : voir la « nouvelle droite » – de

que » de l'Allemagne éternelle. Que Moritz von Egidy persiste à penser que les juifs qui auront conservé la marque de leur « spiritualité » de jadis pourront, moyennant certaines conditions, et nonobstant leur « sang », se fondre dans le « Volk » advenu à sa vérité. On consultera à ce propos le livre de G.L. Mossé (cité en fin de volume). Et celui de Fritz Stern : *The Politics of Cultural Despair*, Berkeley and Los Angeles, 1961.

déplacer insensiblement pour inventer celui d'une origine aryenne des peuples. Le terme est là, présent sur toutes les lèvres et terriblement fascinant qui vaut aux années 60 une kyrielle de « bibles aryennes » signées Louis Jacolliot ou, surtout, Michelet[17]. L'idée circule à une vitesse foudroyante, dont Renan va se faire le vulgarisateur infatigable, souhaitant par exemple que, sur les décombres de « l'épouvantable simplicité de l'esprit sémitique » qui « rétrécit le cerveau humain » et « le ferme à toute idée délicate », s'impose une race indo-européenne appelée à devenir « maîtresse de la planète » et à présider aux « destinées de l'humanité »[18]. La révolution est passée – la quatrième de notre série – qui permet à un Hippolyte Taine, dans cette vénérable *Histoire de la littérature anglaise* qu'on étudie encore, un siècle après, dans les écoles, de soutenir qu'« il y a naturellement des variétés d'hommes comme des variétés de taureaux et de chevaux », et que tout sépare notamment « les races aryennes » éprises « du beau et du sublime », et les « races sémitiques » éternellement « fanatiques » et « bornées »[19]. Taine et Renan : il ne s'agit plus de savants ni d'hommes de laboratoire mais de l'idéologue quasi officiel de la IIIe République et de l'un des maîtres incontestés de la critique européenne ; et ce sont des hommes de ce genre qui, un siècle avant le IIIe Reich, placent déjà le duel entre sémites et aryens non seulement au cœur des sociétés, – mais au foyer de l'histoire générale des sociétés en général.

La nuance est capitale, prenons-y garde, qui dénote la cinquième mutation dont le concept avait besoin pour s'affirmer. Car cette idée d'une histoire générale des sociétés dont la guerre des races serait le moteur est elle aussi une idée neuve. Elle était impensable aux yeux d'un Augustin, d'un Bossuet, qui n'imaginaient guère que le projet eût un sens de doter l'Histoire d'un moteur immanent qui échappât aux règles transcendantes de la divine providence. Elle ne devient possible, en Allemagne, qu'avec Karl Marx qui, pour la première fois, s'essaie à une sociologie générale des structures, des successions et des rapports entre les formations sociales. Elle n'a son répondant en France qu'avec Auguste Comte qui, lui aussi, s'efforce à décrire le procès de l'humanité comme un enchaînement réglé de principes et de raisons immanents. Comte n'était pas raciste. Ni Marx, du moins fondamentalement. Mais ils ont un contemporain qui l'est, lui, en revanche, et qui, dans cette perspective, reprend la généralité de leur dessein. Un théoricien français dont l'ambition est identique à la leur, même si, au lieu de la « positivité » de l'un et de la « dialectique » de l'autre, il met, lui, la race au poste de commandement. Je veux parler d'Arthur de Gobineau et de cet *Essai sur l'inégalité des races humaines* dont il est de bon ton, ici ou là, d'admirer le brillant, l'élégance ou la modération alors qu'on tient là le premier, le plus global, le plus achevé peut-être, des bréviaires de la haine dont l'Europe se soit jamais dotée. Il est vrai qu'il n'est pas, contrairement à la plupart des autres, polygéniste et qu'il continue de penser, vaille que vaille, dans l'horizon du christianisme : mais les thèmes sont là pourtant, les images, les obsessions, et bien des chaînes idéologiques, qu'on retrouvera plus tard dans *Mein Kampf*[20]. Il fut mal reçu en France, c'est vrai aussi, comme le déplore d'ailleurs Renan dans une lettre de 1856 où il salue dans l'*Essai* « un livre des plus remarquables, plein de vigueur et d'originalité d'esprit »[21] : mais il sera accueilli à bras ouverts, en revanche, dans l'Allemagne des années 90 où Ludwig Scheemann, pionnier du nazisme, le diffuse auprès des instituteurs des cercles pangermanistes, des membres des cercles Richard Wagner et dans les casernes prussiennes d'avant 14[22]. Et s'il est vrai enfin qu'il contribua peu à populariser dans les masses françaises les grands thèmes de l'infamie, s'il ne pouvait que heurter nos racistes de base par son noir pessimisme quant au destin des races supérieures, il fut soigneusement annoté en revanche par des hommes aussi différents que Taine et Renan encore, Maurras et Sorel, Bernanos et Drumont qui, tous, y voyaient la bible du racisme moderne, – et se chargeront, eux, d'en assurer la divulgation.

Car c'est alors que Drumont vint. Le polémiste enragé et le compilateur médiocre qu'un Alphonse Daudet qualifiait pourtant de « révélateur de la race » et le critique Jules Lemaitre de « plus grand historien du XIXᵉ siècle »[23]. L'antisémite radical, à qui Bernanos consacrera une bonne part de sa *Grande Peur des bien-pensants ;* dont il dit, dans les *Grands Cimetières sous la lune* qu'« il n'y a pas une ligne de ce livre qu'il ne pourrait signer de sa main, de sa noble main, si du moins je méritais cet honneur »[24] ; et qu'il ne cessera jamais, jusques et y compris à l'époque de la guerre d'Espagne ou de la résistance à l'hitlérisme*, de saluer comme son maître[25]. L'auteur de *la France juive* surtout qui, avec son bon millier de pages et son volumineux index tenu comme un fichier de police, connut cent quatorze éditions dans la seule année de sa parution (1886) ; le plus grand succès de librairie du siècle avec la *Vie de Jésus* de Renan ; sans parler des innombrables réimpressions de la version « abrégée » pour antisémites pressés[26]. Car l'important, en l'occurrence,

---

* Sait-on que, jusque dans *Français si vous saviez*, en contrepoint de son hommage aux combattants du ghetto de Varsovie, Bernanos continue de saluer son « vieux maître Drumont » (Gallimard, 1961, p. 322) ? Qu'en janvier 1944, alors qu'il a pris les distances que l'on sait avec Vichy, il continue de reprendre à son compte la thèse maurrassienne – et ignoble – de la collusion judéo-nazie ? Qu'il en vient à reprocher alors à Hitler d'avoir « déshonoré à jamais » le très doux, très noble, très responsable « mot »... d'« antisémitisme » (*le Chemin de la croix des âmes*, Gallimard, 1948, p. 417) ? Bernanos ou la quintessence même de l'*antisémitisme à la française*.

n'est pas ce que dit le livre. Sur le fond de l'« analyse », il n'apporte pas grand-chose de neuf par rapport aux étapes antérieures. Mais il leur donne un ton,
un tour nouveaux, qui vont les lester d'une dernière
dimension et assurer, dans les masses, leur foudroyant
succès. Mieux qu'un principe d'explication de l'Histoire, il fait du racisme, à présent, une entière vision du
monde, une grille de lecture de toutes choses, une catégorie de la pensée et presque de l'être. Ce n'est même
plus le juif comme tel qu'il vise mais, comme il le dit
lui-même dès les premières lignes de l'ouvrage, tout ce
qui « en vient », tout ce qui « y revient »[27], c'est-à-dire
une « juiverie » cosmique et quasiment métaphysique.
Cette juiverie, elle sert à désigner le patron, le capital,
le bourgeois, l'argent, le parlement, le protestant, les
armes mêmes qui ont tiré à Fourmies, et jusqu'à la
main que la cervelle malade de Léon Daudet devine
derrière les inondations parisiennes de 1910[28]. Et la
race, à ce point, n'est plus un concept mais un crédo.
Le racisme, plus une doctrine mais une mystique.
L'antisémitisme, plus un thème mais un mythe. *Le*
mythe qui travaille l'ensemble de l'idéologie française.
Le mythe par excellence, au sens quasi sorélien du
terme, où elle baigne tout entière, tel le navire en sa
charpente. La quasi-religion où la moitié de la France,
au moment de l'affaire Dreyfus, dans les bandes de
Jules Guérin ou les faisceaux du marquis de Morès,
derrière les parlementaires antisémites et les lecteurs de
l'Antijuif ou de *l'Anti-Youtre,* va pouvoir communier.

　　Car ce qui est sûr c'est qu'au terme de cette ultime
étape, le grand œuvre est consommé et le concept tout
armé, qui n'a plus qu'à se propager et circuler dans la
société. Il n'a pas grand-chose à voir, on le constate,
avec je ne sais quel délire importé, contracté à l'extérieur, comme une de ces maladies honteuses qui, dans
les bonnes familles, s'attrapent toujours au-dehors et

dans les mauvais lieux. Il ne nous est pas tombé du ciel
– ni d'Allemagne – mais d'un discours réglé, rigoureusement déduit à partir de non moins rigoureuses prémisses, qui en font tout autre chose que ce dérisoire
supplément, ce très local abcès que nos autruches pro-
fessionnelles veulent aujourd'hui encore y voir. Ce
n'est même pas dans des cervelles fêlées, chez des Hitler français, chez des brutes sanguinaires, qu'il a trouvé
à se former, mais chez de dignes savants, des hommes
aussi respectables que Taine, Renan ou Bernanos.
Strictement rien à voir, du coup, avec je ne sais quelle
pellicule conceptuelle, qu'il suffirait de gratter un peu à
la surface de notre culture pour en écailler le chiffre
sanglant, puisqu'il semble faire masse au contraire avec
cette culture, la hanter, l'obséder, la travailler du
dedans, en un affreux corps à corps dont nous portons
encore les stigmates. Et c'est la raison pour laquelle je
crois qu'il faut poursuivre le voyage. Aller observer
d'un peu plus près ce corps à corps furieux. Estimer
plus attentivement ce travail et les enfantements auxquels il procède. Repérer les effets, dans le discours, de
ce tronc commun racial. Les plis qu'il y provoque. Les
chaînes signifiantes où il s'intègre. Celles, aussi bien,
qu'il y induit. En un mot, et c'est la seconde partie du
programme : après la formation du concept, le jeu de
ses déplacements... J'ai choisi, pour cela, d'aller interroger l'œuvre de deux autres écrivains. A peu près
contemporains de Taine ou de Renan. Au moins aussi
considérables. Mais plus modernes peut-être encore.
Maurice Barrès et Charles Péguy.

Oui, Maurice Barrès d'abord. Ce singulier catholique
qui, prétendant purger le christianisme de son ignoble
« ferment judaïque », réduisait le message des Évangi-

les à de vagues instructions païennes à usage des hommes de glèbe de sa Lorraine mythique[29]. Cet écrivain,
largement informé des travaux des vraies et fausses
sciences de son temps, qui estimait que le lieu le plus
propre à juger Dreyfus l'« hébroïde » était moins un
tribunal militaire qu'une « chaire d'ethnologie comparée »[30]. Ce maître à vivre et à penser où tant de générations se sont, depuis cinquante ans, frottées, mais dont
il n'est pas inutile de rappeler qu'il était lui-même le
disciple de Soury et de Le Bon, convaincu avec eux que
la culpabilité du capitaine était inscrite dans ses gènes,
dans sa race, dans la forme de son crâne[31]. Cette étoile
de première grandeur au panthéon d'un Aragon qui,
tout à sa légitime admiration de l'écrivain, oubliait probablement qu'il admirait *aussi* l'un des plus actifs pro-
pagandistes de la mythologie aryenne et de son principe d'explication de l'histoire[32]. L'homme en qui Malraux lui-même saluait « le sens épique de la continuité
française », mais qui confondait explicitement, lui, son
combat pour la continuité de la France avec la lutte
éternelle – et combien plus épique encore ! – contre les
races sémitiques. Ce prince de la jeunesse enfin,
auréolé dans la légende de l'esthète, qui fut surtout, on
le sait moins, prince d'abjection, dédiant à Edouard
Drumont tel de ses livres et ne se lassant pas, dans tels
autres, de dire la louange et les éminents mérites de
l'auteur de *la France juive*[33]. Bref, l'homme qui, mieux
que nul autre, a su rassembler comme en gerbe les cinq
ou six fils épars de la pensée raciale ; qui, dans l'ordre
des principes, n'y ajoute assurément, et lui non plus,
rien d'essentiel ; mais qui a le singulier talent, beaucoup plus essentiel pour ce qui nous occupe, de savoir
les nouer en un projet, un dessein, une vision politique
d'ensemble.

Car il y a *aussi* un Barrès politique, moins connu
sans doute, mais qui n'en a pas moins pesé que l'écri-

L'idéologie française   111

vain sur la modernité. C'est le boulangiste déçu par
exemple, qui, méditant dans l'*Appel au Soldat* sur la
défaite du mouvement auquel il avait tant cru, en voit
la principale raison dans la sotte répugnance du général à jouer franchement et sans vergogne la carte antisémite[34]. C'est le hussard lorrain qui, par trois fois,
partit à la conquête du siège de député de Nancy aux
cris de « A bas les juifs » et ouvrait couramment ses
réunions électorales par de tonitruants procès de la
« Haute Banque sémite » ou des « hauts ministres et
fonctionnaires issus de la Synagogue »[35]. C'est le fin
stratège surtout, se flattant d'avoir mis au point une
mirobolante « formule antijuive en politique » qui,
confondant sous l'injurieux vocable les « escrocs » et
« rapaces » de tous poils, permettait selon lui de réunir
en faisceau le « menu peuple » las des exactions du
« peuple gras »[36]... La question, face à des textes et des
prises de position de ce genre, n'est pas de savoir si
Barrès le dandy croyait vraiment aux insanités qu'il
proférait. Elle n'est même pas de savoir si, comme plai-
dent les barrésiens, il s'est absurdement fourvoyé en
des traverses où il n'avait que faire. Car ce qui en
ressort, c'est, au contraire, le portrait d'un politicien
génial qui avait compris avant tout le monde le formidable usage qui se peut faire des thèmes antisémites.
Celui d'un amateur de haute volée qui s'avise, un
demi-siècle avant Goebbels, de cette loi mystérieuse qui
veut qu'exclure l'Autre ce n'est pas diviser la communauté mais la souder plutôt, et l'intégrer comme jamais.
Celui du premier homme politique moderne, autrement
dit, qui ait songé à faire de la haine raciale en tant que
telle un slogan, une arme, une quasi *technique du coup
d'État*[37].
    Mieux – et plus intéressant encore – le premier à
avoir su attirer autour de ce pôle tout un champ de
valeurs, de magnétismes politiques qui vont en assurer

l'efficacité pour de nombreuses décennies et irriguer le siècle qui vient de quelques thèmes promis à une certaine fortune... Car cette race, chez Barrès, c'est aussi et d'abord la « Vie », la source de toute vie, le temple de la vraie vie : et c'est ce vitalisme effréné qui, hantant l'ensemble de son œuvre, en fait l'ancêtre, par exemple, d'un Pierre Drieu La Rochelle[38]. Elle est symbole d'« Énergie », de force jaillissante, de vigueur à l'état brut : et cet autre thème central qui, seul, permet de conjoindre les deux grandes trilogies, du *Culte du moi* d'une part, et du *Roman de l'énergie nationale* de l'autre, sera central également chez un Bardèche ou un Brasillach[39]. Elle est synonyme d'« Instinct » encore, il dit parfois d'« inconscient », toujours en tout cas de « sagesse » : mais une obscure et muette sagesse des tréfonds, un tenace et têtu savoir des souterrains à la surface desquels flotte, asthénique, l'Intelligence, et qui font du barrésisme, cette fois, l'inventeur de cet anti-intellectualisme politique dont on sait les prestiges, de Pétain jusqu'à nos jours. Elle se dit enfin, cette race, du « Peuple », des masses en leur pureté, de cette « sainte canaille »[40] hébétée mais combien presciente qu'il a vue, sous Déroulède et Boulanger, se jeter à corps perdu dans l'action et dont il est le premier à dire ce que tant de factieux en diront après lui : qu'en son ardent ahurissement, beaucoup plus que dans la pensée chancelante des élites, gît le secret de la politique et de la seule révolution qui vaille[41]... La politique des masses, l'anti-intellectualisme militant, le culte de la force et la religion vitaliste : l'essentiel est là déjà, qui permet au candidat malheureux de 1898 de se réclamer à la lettre d'un « socialisme nationaliste », – et d'être sûrement alors, et sans le moindre jeu de mots, *le premier authentique national-socialiste européen.*

D'autant que ce champ magnétique est un champ à double entrée et qu'il peut, tout aussi bien, se lire en sens inverse. Parce qu'elles sont l'âme de la race, ces masses sont la réserve, le siège de la « vérité » : et Barrès le raciste peut quasiment proclamer, avec un siècle d'avance à nouveau, que « les masses ont toujours raison » ou que « l'œil des simples voit juste »[42]. Parce que l'« instinct » est désormais la mesure de toutes choses et l'« intelligence » rien qu'un leurre à la surface du brasier racial, cette « vérité » elle-même perd le site de transcendance que lui conférait la tradition[43] : et l'idée naît sur cette base, même si c'est dans les rangs de nos « staliniens » qu'elle connaîtra bientôt sa plus éclatante carrière, d'une vérité « relative », « utile », « contingente », qui se dit en plusieurs sens selon le parti que l'on prend et le camp où l'on choisit de se ranger. Son culte de l'« énergie », ensuite, se retourne aisément lui aussi en une fascination-répulsion de la Force, dont il tâche de conjurer les maléfices en même temps qu'il en bénit les flux : et les « léninistes » français n'auront qu'un geste à faire pour lui emprunter leur dialectique d'un mouvement puisé aux soutes, qui demeure décérébré tant qu'un parti ne le canalise et qui se fossilise, à l'inverse, dès lors que ce parti prétend le confisquer[44]. Et quant au vitalisme diffus enfin, qui, depuis *Sous l'œil des barbares* jusqu'aux discours éraillés des dernières années, irrigue toute son œuvre, il fonctionne tout autant comme une exhortation faite au clerc de déserter les cloîtres où il se confine d'habitude : et c'est à Barrès, en ce sens, à Barrès l'antisémite et au fou furieux du boulangisme, à Barrès le nationaliste et le socialiste français, que revient peut-être la paternité de la notion, qui fera florès comme on sait, de « l'engagement de l'intellectuel »[45]... Décidément, cela fait beaucoup. Beaucoup pour un seul homme et pour cet homme-là précisément. Beaucoup de fantômes ignorés dont il faudra bien un jour faire sérieusement l'inventaire. Elle a bien

travaillé la race, la vieille taupe raciale, qui pourrait
bien être à l'origine, en un mot, de ce qu'on appelle çà
et là, mais sans toujours bien mesurer la pertinence de
l'expression, et sans toujours s'aviser surtout de ses
authentiques racines françaises, *le fascisme rouge.*

Même chose, même type de travail, mais plus
fécond, plus prodigue encore, chez Péguy, cet autre
pilier majeur de l'idéologie française naissante. Je sais,
bien entendu, que, sur des points essentiels de l'époque, il prit des positions adverses. Je n'ignore pas, par
exemple, qu'il fut dreyfusard et d'un dreyfusisme quasi
mystique qui, jusqu'à la dernière heure, tint ferme sur
les principes. Je n'oublie pas non plus, et nul n'a le
droit d'oublier, qu'il fut de ces catholiques, point si
nombreux alors, qui ne transigèrent jamais avec l'antisémitisme. Je me souviens même de mon émotion,
presque de ma gratitude, quand je lus pour la première
fois le beau portrait de Bernard Lazare dans *Notre
jeunesse* et l'hommage qui s'ensuivait à l'Élection d'Israël[46]. Et pourtant ! Oui, pourtant, je me souviens aussi
de ma gêne quand, dès les premières lignes du livre, je
découvris l'étrange projet, où s'insérait l'hommage
d'une étude d'« histologie ethnique » censée retrouver
le « tissu », le « drap », la « pleine trame » où « poussait la race française du temps qu'il y avait une
race »[47]. Je me rappelle mon trouble, un peu plus loin,
face à la définition de ce « socialisme racial » ancré
dans la « réalité de la race », issu d'une saine et primitive « race ouvrière » et que le « monde bourgeois »,
lisais-je, aurait coupé de ses racines, « abtronqué » de
son sol, « contaminé » d'une intolérable « seconde
race »[48]. Je ne pus réprimer surtout un violent sentiment de dégoût quand, aux dernières pages du livre, au

terme de la confesssion du dreyfusard, j'appris que « la vraie, la réelle division de l'affaire Dreyfus » tint dans l'affrontement de deux « mystiques », aussi respectables l'une que l'autre, et qui n'avaient différé qu'en ceci que la première visait « le salut temporel de la race » et la seconde, au contraire, son « salut éternel »[49]. Et je me demandais comment il se pouvait qu'un homme à bien des égards estimable, qu'un apôtre des valeurs de justice, qu'un défenseur « des humbles et des petits », pût partager avec son époque sa plus ignoble langue, – d'une histoire réduite, encore et toujours, à la sempiternelle guerre des races.

Je ne commençai de le comprendre que plus tard. Quand je m'avisai qu'en cette affaire les mots sont plus têtus peut-être que les faits. Et quand, m'enfonçant plus avant dans l'œuvre, j'appris à recenser, de ce mot-ci, les occurrences et les chaînes signifiantes. J'y découvris d'abord une « Race » entendue au sens de « souche » : cette terre, cette insondable fosse commune où, tel l'arbre qui plonge en son limon, telles « les bêtes et les plantes » qui « se réjouissent au soleil », pousse un peuple de boue, embourbé dans l'épaisse, dans l'ombreuse tourbe de France[50]. Une « Race » entendue ensuite comme « tradition », ou mieux comme « mémoire » : mais une mémoire étrange, opaque aux regards qui la scrutent, aveugle à elle-même et aux hommes, qui est comme une « longue nuit » où le sujet péguyste s'enfonce, non sans un « secret orgueil », vers sa plus obscure, sa plus archaïque ressource[51]. Une « Race » synonyme, troisièmement, de pensées, d'idées justes et saines, d'« instinct » comme dirait Barrès : mais une pensée « mouvante », un épanchement du corps avant que de l'âme, une coulée spontanée de sève et presque d'humeurs, dont il trouve plutôt le modèle du côté de chez Bergson, son maître, et dont il accentue le caractère collectif et ano-

nyme[52]. Un dernier sens enfin, qui désigne la « vertu »,
j'allais dire l'éthique ou la morale si ces mots mêmes,
du coup, ne perdaient leur pertinence : car l'éthique,
chez Péguy, est toujours un « ethos », ses vertus des
« habitudes », ses « valeurs » de muets commandements qui s'inscrivent, qui se plient, qui se soumettent,
à l'ordre immobile de l'Être et de ses plus « naturelles » leçons... Être « amis », dit-il par exemple à Daniel
Halévy, c'est d'abord être « voisins », enfants du même
lieu, taillés dans le même terroir. Une « amitié rurale »,
ajoute-t-il[53], est d'une autre teneur, « d'une autre
beauté » qu'« une amitié urbaine ». Le lien qui rassemble les hommes, autrement dit, n'est jamais aussi vrai,
aussi intense, que lorsqu'il rassemble des hommes issus
du même lignage et conjoints par une identique
racine... L'idée de race, ici, n'a, certes, plus tout à fait
le sens qu'elle avait chez l'auteur des *Déracinés*. Les
péguystes ont raison de dire qu'il faut l'entendre au
sens figuré et de façon métaphorique. Mais dans cette
métaphore, alors, il faut entendre ceci, dont je ne suis
pas sûr que l'écho soit beaucoup plus rassurant : le
contour d'une communauté close et réduite à sa plus
simple expression ; unifiée par sa plus petite commune
extraction et inhumée dans le silence de son plus miné-
ral enracinement ; bref, d'un mot que nous aurons à
retrouver plus d'une fois au long de ce livre, le rêve
d'une micro-société qu'il qualifie volontiers d'« organique »...
    Mais aussi, et par voie de conséquence, le rêve d'une
humanité coupée de tous les liens, de tous les référents
qui, d'habitude, l'arrachent à cette organicité. C'est la
« Culture » par exemple, cette digue millénairement
dressée contre les ressacs de la nature primitive, mais
où Péguy ne veut voir que « virus », « venin », « blessure », « greffon », bref mortelle interruption de la
continuité têtue des choses et des races[54]. C'est la

« Langue » également, la langue en tant que telle, où nous savons que les hommes se constituent en êtres parlants, mais où l'auteur de la *Note conjointe* ne peut et ne veut déceler qu'un « déchet », une « poudre », un « débris de l'habitude », une véritable « escarre » et comme un ruineux caillot à la surface des flux du sang français[55]. C'est le « Nom » même, le nom propre des hommes, le propre nom d'Homme, où se scelle notre identité, où se signe notre individualité, et à quoi il oppose, lui, la confusion, l'amorphe indifférence, le racial « anonymat » qui est, dit-il, notre seul, notre plus noble « patronyme »[56]. Haine de la « Lettre » enfin, de la pure forme de la lettre, cette lettre morte, cette lettre tue, cette lettre *qui tue* parce qu'elle crible de ses vains éclats la grande « muraille d'illettrés » où la bonne « race » doit se perdre pour accéder à sa plus ancienne, sa plus intime vérité[57]. Bref, si la notion de « race » a un sens chez Péguy, c'est à servir de machine de guerre contre tous ces « alphabets » qui viennent s'interposer entre les hommes et la croissance de leur origine. C'est à disqualifier tous les grands signifiants qui font qu'ils sont hommes, autre chose que choses, davantage que bêtes, créatures exhumées des parages de matière. C'est à opposer l'immanent au transcendant, le collectif au singulier, de troubles songes d'immédiateté à ce que les modernes depuis Freud et les anciens depuis la Bible appellent la « Loi » ou le « Symbolique ». Et si notre « poète inalphabet » n'eut guère le loisir, bien sûr, de lire les travaux de Freud, on peut s'étonner en revanche qu'il n'ait pas su lire, déchiffrer le chiffre de cette Loi, dans ces « saintes écritures » qu'il citait pourtant à tout propos...

Mais, justement, que sait-il de ces saintes écritures ? Que sait-il de la divine, de la biblique filiation, ce fils prodigue et exclusif de l'archaïque race française ? Il suffit de parcourir un texte comme *Ève,* ce grand poème cosmique qu'il publie en 1907, pour y découvrir un bien bizarre catholicisme. Un récit par exemple de la « nativité » où il naît, le divin enfant, dans « le règne herbivore », béni de « la faune et la flore », réchauffé par les « museaux velus » de l'âne et du bœuf, et comme pétri encore des primitives matières[58]. Une évocation de la résurrection des corps qu'on dirait tirée des *Géorgiques* ou des *Bucoliques* de Virgile, et où on voit les ressuscités retrouver leurs villages, revenir dans leurs maisons et fouler, tête baissée, l'œil rivé à la terre, sans jamais regarder vers le ciel, les sentiers de leur vagabondages et de leurs travaux d'autrefois[59]. Un tableau de la Création elle-même, qu'il dépeint comme la torrentielle gésine d'une grande déesse nature, « chaste » et « charnelle » à la fois, dotée d'une « mamelle » aux « innombrables pis », toute ruisselante d'« écumes et de matières », et où la « Race » des hommes est éternellement « pendue »[60]. Ailleurs, le tableau d'un univers de ténèbres, « souillé de sève et de vin », gorgé de « lait et de sang », sorte d'adipeuse Cybèle qu'aurait engrossée un dieu ivre ou de « vieille mère » terrifiante qui accoucherait ses enfants en les noyant dans la crue de ses effluves[61]. Ailleurs encore, l'image du « peuple chrétien » de jadis où « la sainteté poussait pour ainsi dire toute seule », « littéralement en pleine terre comme une fleur du pays, comme une plante vigoureuse et vivace, fille du terroir », qui « enfonçait dans le sol des racines d'une nature incroyable »[62]... Est-ce cela le christianisme de Péguy ? Cette « fille du terroir », Jeanne la Sainte et la céleste ? Cette débauche de sang, de sève, de vin et de liquides divers, le récit de la Genèse ? La vérité, c'est que cette religion ressemble davantage à celle de Dionysos ou de Wotan qu'à celle de Jésus et de saint Paul. C'est que ce christianisme-là porte un nom dans l'histoire des religions – dont le poète, d'ailleurs, ne dédaigne pas, çà et là, de se réclamer[63] – et qui est le « paganisme ». C'est que ce monothéisme n'a de monothéiste que le nom et que, dans cet univers moite, dégouttant de sombres Baals, barbotant dans le marais des mères, des matières, des matrices, bref du « matérialisme », il n'y a plus la moindre place pour ce Nom du Père, ce « patérialisme » de principe, ce principe de « Médiation » qui sont au centre, qu'on le veuille ou non, d'un judéo-christianisme conséquent. Et Péguy, au demeurant, en convient volontiers lorsqu'il déclare, en veine de confidences, et non sans une déconcertante naïveté, qu'il se range à l'avis de son ami Psichari qui avait « pris le parti de ses pères contre son Père »[64].

Les pères ? Le Père ? Tout s'ensuit à partir de là. Ce parti pris théologique va avoir des effets politiques essentiels. Il a pour effet, plutôt, l'essentiel de la politique de Péguy. Et elle sera, cette politique, tout entière consacrée, comme de juste, à haïr les diverses figures laïques de ce Nom, de ce Père, de cette *Médiation* obstinément déniée... Ainsi de l'Intellectuel par exemple, médiateur s'il en est, et qui lui inspire une aversion sauvage, presque bestiale : je recommande aux péguystes la relecture des textes consacrés à « la liaison » de Herr et de Lavisse et où tout est là déjà, depuis les obsessions « microbiennes » jusqu'à l'obscénité des allusions en passant par la propre délation, qui fera le ton, très bientôt, de la littérature pamphlétaire d'extrême droite[65]. Ainsi du Politique et des Politiciens, engeance maudite d'« intermédiaires » encore, à laquelle il oppose la radieuse république des « mystiques », des « philosophies qui se sont bien battues », parentes dans l'ordre de la guerre, même si rivales dans la cité temporelle : tant d'hommages à Maurras pour tant de boue à la tête de Jaurès, « le volumineux poussah » qu'il rêve de voir « dans une charrette » déjà, avec un « roulement de tambour pour couvrir cette

grande voix »[66]. L'idée de la Démocratie plus particulièrement, avec ses mensongères prétentions, toujours,
à représenter les hommes et à médier leurs volontés :
quel est le fasciste français qui ne s'est réjoui, qui ne se
réjouirait, qui ne se réjouira encore peut-être, à la lecture de cette page plus que douteuse[67] où le « suffrage
universel » est dénoncé comme une « maladie » des
sociétés, « un débordement de vice inouï », un équivalent de l'« alcoolisme », de la « prostitution », de la
« syphilis » ! Et c'est l'Argent enfin, médiation de toutes les médiations, signe entre tous les signes, leurre
entre tous les leurres, auquel il va consacrer de pesan-
tes, d'interminables diatribes : argent roi, argent diable,
argent satanique, abominable et monstrueux argent,
dont il s'entend mieux que personne à cerner les repai-
res les plus secrets ; mieux que quiconque à flairer
l'odeur la plus discrète ; mieux que le plus expert des
pétainistes, déjà, à percer à jour l'anonymat[68]. Car
même si les mots ne sont pas encore tous là, on n'est
pas loin, chaque fois, de l'anti-intellectualisme, de
l'antiparlementarisme, de la haine des valeurs libérales,
et des imprécations contre la ploutocratie dont on ne
connaît que trop la fortune ultérieure...

On en est d'autant moins loin qu'elle a, cette politique péguyste, un autre versant encore. Celui, rigoureusement corrélatif, des pleines valeurs qui répondent au
vain empire de médiation. Celui de la cité idéale, de la
cité rêvée, de la cité qui fleurissait « du temps qu'il y
avait une race ». Et qu'on a peine, derechef, à ne pas
entendre en cet autre versant d'autres troublants, d'autres douteux échos. Le peuple français, en ce temps-là,
était, dit-il, « probe » et « sain », peuple « laborieux »,
peuple « jardinier », – « libre peuple de bons
ouvriers »[69]. Il était « simple » surtout, « imbécile »,
presque hébété, – tout le contraire du « monde qui fait
le malin », du « monde des intelligents », du monde

« urbain » de décadence et de pourriture[70]. La culture qu'on y dispensait était une culture « saine » aussi, naturelle, purgée de tous les miasmes qui empuantissent les murs de la Sorbonne, – éclose dans « les villages de France », entre « les carrés de vignes », à « l'ombre des platanes et des marronniers »[71]. L'Autorité avait un sens alors qui n'était pas celui, dévoyé, des puissances d'artifice et d'abstraction dont se satisfont les démocraties, – mais une autorité concrète, charnelle, née dans les tréfonds de la « paroisse » et qui gagnait « de proche en proche », dans l'assentiment, l'émerveillement, la génuflexion générale, les sommets du pouvoir d'ancien régime[72]. Le « bas esprit » n'avait point cours surtout qui, chez les mauvais sujets, « consiste essentiellement à se réjouir de ce que ça aille mal » et « à en faire moins que son compte », – mais un esprit « révolutionnaire », au contraire, qui « consistait essentiellement à vouloir que ça aille bien et à en faire plus que son compte »[73]. Car c'est bien ainsi que parle Charles Péguy, notre grand poète national. C'est bien à cela qu'elle ressemble, la société dont il ressasse l'esquisse entre deux bouffées de haine contre les riches et les malins. C'est de ce style digne des sentences du Sapeur Camember ou de Bouvard et Pécuchet que d'aucuns, çà et là, depuis cinquante ans, proclament l'éminente actualité. A moins qu'il ne faille y voir – à moins qu'ils n'y voient peut-être eux-mêmes, nos péguystes impénitents – ce qu'y reconnaissait Barrès quand il confiait à Tharaud : « Votre Péguy, c'est un Ballard* » ; ou même ce qu'y pressentaient Maurras et Drumont quand, goguenards, ils tranchaient : « la Jeanne d'Arc d'un ancien dreyfusard »[74].

Et de fait, ajoutez à ce tableau les délires xénophobes de la fin, fustigeant « le vague cosmopolitisme bour-

* Le héros de *la Colline inspirée*.

geois vicieux » qui menace d'emporter la France, qui
contamine déjà ses universités et qui égare les signes de
sa race[75]. Le patriotisme échevelé d'un homme qui, sur
le tard, ne pouvait plus affronter un adversaire politique ou littéraire sans y voir un agent allemand et ne
savait plus juger du Bien, du Vrai ou du Juste qu'en
référence à la reconquête de l'Alsace et de la Lorraine.
Le militarisme insensé qui, dans *l'Argent suite*, fait du
« soldat » comme tel une figure quasi métaphysique, le
berger de l'Être national, l'arpenteur de la « quantité
de terre temporelle où on parle français », le seul apte
à tailler le « berceau » où « règnent des mœurs, un
esprit, une âme, une culture, une race »[76]. L'apologie
de la Famille encore qui, dans *l'Esprit de système*
inspire l'étrange poésie de la « bonne soupe » qu'on
mange, « assis à la table commune », en face de « sa
simple femme humaine, entre les poussées des enfants
magnifiques »[77]. L'appel enfin à une « restauration du
travail », à un « assainissement général du monde
ouvrier », à une « réfection organique » de la société
française qui « commencerait par le monde ouvrier »,
qui est l'un des desseins de *Notre jeunesse*[78]. C'est
l'écho déjà, et presque textuel cette fois, de certain
« Travail-Famille-Patrie ». C'est le portrait d'un
homme qui est déjà l'ouvrier laborieux, le père prolifique, le paysan en armes et le soldat-paysan que le
Maréchal, à son tour, assignera un jour comme idéal à
la race de France[79]. Uriage, 1941 : « Qu'ils le veuillent
ou non, les bons ouvriers de la révolution qui reste à
faire seront nécessairement les compagnons de
Péguy[80] ».

L'idée de race, je l'ai dit, je le répète, j'y insiste, n'a
plus, à ce point, le sens qu'elle avait au commencement

de cette analyse. Elle n'a plus grand-chose à voir, c'est sûr, avec la forme scientifique, biologique, aryanisante qu'elle revêtait chez Le Bon, Vacher de Lapouge ou même Barrès. Le concept a travaillé, s'est déplacé, a pivoté autour de lui-même et, émondé de ses aspects les plus choquants, il a accouché d'une folie douce, de bon ton, de bon aloi. Miracle d'un racisme épuré, naturalisé, nationalisé, assimilé au génie, à la mesure, aux couleurs de la France profonde. Prodige d'un racisme sans racisme, d'un racisme des racines, d'un racisme qui, sans tuer, sans bruit ni tapage, exclut celui, simplement, où ne se repère point le collectif lignage. Merveille surtout de ce racisme de France réelle qui s'est si bien banalisé, si habilement fondu à nos paysages et nos terroirs, qu'il en est devenu une conception du monde, une philosophie de la société, une entière architecture pour les cités pétainistes d'hier, d'avanthier, et peut-être de demain. Si je m'y suis ainsi attardé c'est que je le crois, pour ces raisons précisément, plus redoutable encore que l'autre. C'est qu'il est plus sournois, plus retors, infiniment plus acceptable que celui des misérables histrions élucubrant je ne sais quelle résurrection de Hitler. C'est qu'on trouve là, et au-delà bien sûr de Vichy, l'embryon d'un dispositif dont j'aurai, bientôt, à reprendre et à réarticuler les pièces et qui me paraît au centre de notre pensée réactionnaire. Péguy nationaliste ? Péguy socialiste ? La question, du coup, n'a plus grand intérêt. Ce qui ressort de ces quelques remarques c'est que les deux bords se touchent, sont parfaitement contigus l'un à l'autre. Et ce qui se dit là, d'un bord à l'autre, comme chez Barrès, c'est la réalité, simplement, de ce qu'il faut bien appeler, déjà, un *national-socialisme à la française*.

2

LA PATRIE
DU NATIONAL-SOCIALISME

Car je crois, effectivement, qu'il y a eu, un demi-siècle avant Vichy, un national-socialisme à la française.
Mieux : que la France, la patrie des droits de l'homme
de nouveau, est, en un sens, la propre patrie du national-socialisme en général. Que c'est à nous, Français, à
nos laboratoires, et sans ambiguïté cette fois, qu'il
revient d'en avoir inventé, pensé jusqu'au bout, et parfois même exporté, sinon le fait, du moins le concept.
Et je voudrais, pour le montrer, rappeler maintenant
deux séquences de notre Histoire. Deux histoires apparemment rivales et, en réalité, étrangement convergentes. Celle des débuts de notre socialisme d'une part.
Celle des débuts de notre nationalisme d'autre part. Où
émergent, on va le voir, deux figures qui comptent, à
l'égal de Péguy et de Barrès, parmi les saints patrons de
l'idéologie française : Georges Sorel et Charles Maurras.
Commençons donc par le socialisme. Notre cher
socialisme français. Notre matinal socialisme aux
panaches de liberté. Ces traditions « libertaires »,
« antiautoritaires », « autogestionnaires », qui seraient,
paraît-il, notre honneur et notre apanage. Ces sources
éminemment françaises où tant d'hommes de gauche,

aujourd'hui encore, à l'heure de la crise du marxisme, voudraient nous ressourcer. Pourquoi nous parlent-ils si peu, par exemple, de ces matins de 1880 où les rescapés de la Commune rejoignent avec ardeur la ligue des patriotes ? De ces héroïques chefs blanquistes qui, ensuite, se rallient à Boulanger ou de ces autres – Guesde, Lafargue – qui « entrevoient toute l'importance » de ce « véritable mouvement populaire » qui porte le général factieux ? De ces singulières origines, tout de même, où le groupe parlementaire socialiste vote couramment aux côtés du groupe antisémite et où Pelletan et Pelloutier écrivent à *la Cocarde* de Barrès, aux côtés de Léon Daudet et de Charles Maurras ? C'est l'époque où un travailleur parisien distingue mal ce qui sépare les diatribes anticapitalistes de Drumont et celles de Vallès. Où la base « possibiliste » contraint parfois ses chefs à la démission quand elle les voit renâcler devant l'alliance avec le parti national. Où Jaurès lui-même s'en va solliciter l'appui de Rochefort, le plus enragé des boulangistes, dans le cadre d'une élection partielle dans un arrondissement de Paris. Les socialistes allemands, de loin, observent tout ce manège. Engels multiplie les mises en garde, les lettres aux caciques parisiens. Bebel et Liebknecht grondent, éberlués par le chauvinisme qui règne alors à Paris. Mais qu'ont-ils à faire, les Parisiens, de ces blâmes venus d'outre-Rhin ? De quoi se mêlent-ils donc, ces Blücher en robe de clercs qui suivent – à moins qu'ils ne les précèdent – les canonnières prussiennes ? Que vaut même leur marxisme, cette doctrine « antifrançaise », si peu « sympathique, dit-on, à notre tempérament » ? Notre socialisme naissant, de fait, a choisi son camp. Il a choisi, plus exactement, sa patrie et ses racines. Il sera français, exclusivement français, ou il ne sera pas. Il sera national, pleinement national, ou il ne sera rien. Et il apparaît tout imbibé, d'emblée, de quelques-uns des fantasmes dont on fait d'habitude le privilège de la droite[1].

Ainsi de l'antisémitisme. On imagine mal, aujourd'hui, à quel point il en est infecté, en cette première aurore. On a peine à imaginer le spectacle de Louise Michel, étreignant, lors d'une réunion publique, le marquis de Morès, ce raciste déchaîné qui, la veille encore, arpentait les rues de Paris en quête de juifs à lyncher, à la tête de sa bande de « bouchers de la Villette »[2]. Celui de Lafargue haranguant, coude à coude avec Drumont, les ouvriers de Fourmies au lendemain du massacre du 1er mai 1891, ou de Clovis Hugues, poète et député socialiste, remerciant le même Drumont d'avoir su gagner tant de cœurs à la cause du socialisme[3]. La faveur dont jouit *la France juive* dans les rangs de la gauche d'alors et les deux articles élogieux que lui consacre la *Revue socialiste* par exemple, le périodique de Benoît Malon, socialiste indépendant, proche de Jaurès, et qui ne dédaignait pas lui-même de condamner « les radotages antihumains » des « juifs fanatiques »[4]. Exception ? Cette même revue ose publier une série d'articles d'Albert Regnard, qui s'échelonnent sur plus de deux années et où se trouve proclamée, entre autres, l'« éclatante vérité » de « l'excellence de la race aryenne » et, en regard, la juste « haine du sémitisme » chez « les jeunes révolutionnaires » du Second Empire[5]. Malentendu ? Quand, au bout de ces deux longues années, Gustave Rouanet finit par protester et par engager la polémique avec Regnard, Benoît Malon, fort embarrassé, clôt prudemment le débat en renvoyant dos à dos les « superbes études ethniques » de ces deux « coreligionnaires » et en invitant « les lecteurs » à trancher « en dernier ressort »[6]. Un thème parmi d'autres alors ? marginal dans le discours ? Ce n'est pas l'avis du *Cri du peuple* qui identifie explicitement « question sociale » et « ques-

tion juive » ; ni de Guesde estimant en substance qu'il
n'y aura pas de « vraie république » en France tant que
les Rothschild y seront encore en vie[7] ; ni d'un Auguste
Chirac, auteur de *les Rois de la République* et qui, tout
comme Drumont, fait du « juif » une catégorie générale et de la haine de la « juiverie » le pivot d'une
politique authentiquement socialiste[8].

Car si l'on observe d'un peu plus près encore cette
scène des commencements, on s'aperçoit qu'il s'agit
d'un antisémitisme à forte teneur idéologique, parfaitement pensé et articulé, et qui joue déjà de tous les
claviers où s'orchestrera le calvaire du XXe siècle. Il y a
le registre anticapitaliste bien sûr, le mieux connu,
qu'on lisait déjà chez la plupart des socialistes utopi-
ques et dont la forme la plus élaborée se trouve probablement dans *les Juifs, rois de l'époque* que publiait en
1845 le révolutionnaire Alphonse Toussenel : souvent
réédités depuis, cités par Drumont[9] comme une de ses
sources, exhumés en 1940 en France et dans les années
30 en Allemagne[10], ils accréditent l'idée, presque l'évidence, que la misère ouvrière revient exclusivement à
l'influence juive dans la banque, le commerce, l'industrie naissante. Il y a sa dimension politique ensuite, liée
à la première, issue des mêmes traditions et où le juif
apparaît sous les traits du Parasite, corps noir dans la
société française, obstacle à sa cohésion présente et
future, bouc émissaire, du coup, dont la haine est un
précieux adjuvant pour mobiliser un mouvement de
masse : c'est sur cette ligne qu'un journal comme
l'Antisémitique, premier modèle du genre en Europe,
peut lancer dès 1883 « une enquête sur les juifs » où il
invite ses lecteurs à lui signaler tous ceux qui occupent,
dans leur bourg, dans leur département, des fonctions
politiques, administratives ou judiciaires[11]. Il y a sa
facette religieuse encore, ou plus exactement antireli-
gieuse, anticléricale, fanatiquement athée, avec cette

idée neuve que le juif est moins odieux, comme on le pensait jusqu'ici, pour avoir tué le Christ, que pour l'avoir inventé au contraire et être à l'origine de cette lèpre moderne qu'est le christianisme : ce courant, inauguré avec Voltaire, continué par Blanqui, culmine avec les livres de Gustave Tridon, blanquiste et communard, qui, dès 1865, confond dans le même haïssable « sémitisme » ces « mauvais génies de la terre » que sont le catholicisme et le judaïsme[12]. Et il y a enfin, pour couronner le tout, une dimension proprement raciale, hallucinante de modernité, dont il n'est pas exagéré de dire que c'est là, dans les rangs socialistes, qu'elle atteint le plus tôt à son maximum d'intensité.

Il est temps de se souvenir en effet du racisme bestial qui imprègne la pensée de Proudhon, le seul théoricien sérieux, paraît-il, qui puisse, dans notre patrimoine, soutenir la comparaison avec Marx : « Les juifs, dit-il, sont une race » ; cette race « envenime tout » et « se fourre partout » ; il n'y a qu'un remède à ce venin, qui est de « demander leur expulsion hors de France » ; à terme, une solution finale, qui serait de les « renvoyer en Asie » ou de les « exterminer » ; avec une exception néanmoins puisqu'il consent, le père du socialisme autogestionnaire, à « tolérer les vieillards qui n'engendrent plus »[13]. Il n'est peut-être pas inutile non plus de relire, à l'autre bord, tel texte où Jules Guesde salue « les ouvriers californiens » qui « ont accueilli à coups de couteau », aux cris d'« à bas les hommes jaunes », les « hordes asiatiques » qui venaient leur voler leur travail : car quand il ajoute qu'il ferait « injure à notre prolétariat en admettant un instant qu'en pareille occurrence il pût hésiter à agir de même », on ne peut s'empêcher de songer que le P.C.F. d'aujourd'hui ne fait, bien souvent, qu'honorer le vœu de son grand ancêtre[14]. Il faut savoir également qu'en l'absence de tradition marxiste – on le verra plus loin en détail –

c'est sur la même base raciale qu'apparaît parfois, à cette même époque toujours, le concept même de lutte des classes : le mouvement socialiste hérite en effet, à travers des historiens comme Augustin Thierry ou Michelet, de la vieille problématique de la « guerre des deux races », la « franque » et la « germaine », qui alimentait depuis quelques siècles le fonds de la pensée réactionnaire française et qu'il leste, lui, maintenant, de la dimension révolutionnaire qu'elle n'avait bien entendu pas[15]. Et c'est ainsi qu'on comprend enfin qu'un homme comme Georges Vacher de Lapouge n'était pas seulement le « craniologue » que j'ai dit ; pas seulement le « savant » dont nous savons aujourd'hui que Hitler connaissait les théories[16] ; pas seulement ce précurseur que les collabos de 1940 tiendront à remettre à l'honneur[17] ; pas seulement, non plus, l'un des maîtres à penser, explicites et avoués, de la « nouvelle droite » cuvée 1980[18] : mais aussi, mais d'abord, parce que de son vivant, un militant guesdiste, lié à Paul Lafargue, qu'il intronisa même, au moment des élections de 1889, dans la circonscription proche de Montpellier où il régnait en maître[19], – et qui, à ses heures perdues, contribuait nonchalamment à jeter les bases d'un socialisme « français », « eugéniste », « sélectionniste ».

On pourrait continuer longtemps, hélas, dans ces parages. Évoquer l'obsessionnelle présence, chez nombre de ces idéologues du mouvement ouvrier, du thème aryen. Citer tel texte de l'époque à prétention militante autant que scientifique, qui s'attarde à de singulières comparaisons sur la « sodomie juive » ou la taille et la forme des « nez juifs »[20]. Rappeler le cas d'Edmond Picard, citoyen belge mais édité en France et actif dans les milieux socialistes français, qui est probablement le premier disciple conséquent d'Arthur de Gobineau[21]. Celui, plus inoffensif sans doute, mais identique en sa démarche, d'un Clovis Hugues, maniaque de celtitude et de Vercingétorix[22]... La vérité, c'est que ces premiers socialistes ne sont pas seulement infectés de racisme mais que ce racisme, souvent, fait corps avec leur doctrine. Que, exactement comme chez Barrès et Péguy, il est pris dans des chaînes de raisons qui font du juif l'équivalent symbolique de toutes les turpitudes capitalistes et de l'antisémitisme, à l'inverse, une pièce organique de leurs discours. Qu'on a tort, en ce sens, de parler des « sources de gauche » de cet antisémitisme, comme si elles étaient différentes – plus nobles ? plus excusables peut-être ? – de ses sources de droite, puisque c'est la même source, le même foyer, où s'alimentent les deux traditions. Mieux : on pourrait montrer – cela a été montré[23] – qu'il n'est presque pas un thème de la littérature d'extrême droite la plus ordurière qui n'ait été pressenti, tout entier exprimé, expérimenté en tout cas, dans ces cornues prolétariennes. Et ce qui est sûr, en un mot, c'est qu'à la veille de l'affaire Dreyfus, la France est un pays où la gauche naît à droite ; et où le socialisme, bien souvent, demeure, comme dirait l'autre, le « socialisme des imbéciles ».

L'affaire Dreyfus survient-elle justement, qui suffit à tout faire basculer ? En un sens oui, bien sûr, si l'on songe à ses épisodes les plus glorieux. Si on pense à Jaurès par exemple et à son ralliement sans réserve, sans retour, au camp de la justice et de la vérité[24]. Si on accepte d'oublier que la majorité des autres chefs socialistes, jusque parmi ses proches, tardèrent à le rejoindre*. Si on consent à effacer de nos mémoires le mani-

* En février 1898, après la condamnation de Zola donc, la presse socialiste, *Petite République* en tête, refuse de suivre Jaurès. Et emboîte plutôt le pas à un Gustave Rouanet qui s'incline, lui, dans *la Lanterne,* devant « la sentence rendue par douze citoyens français ». (Cf. Jean Ponty, *la Presse quotidienne et l'affaire Dreyfus, en 1898-1899.)*

feste fameux du 20 janvier 1898, où Guesde, Viviani, Millerand et quelques autres refusent de prendre parti dans une « lutte entre deux factions rivales de la classe bourgeoise », dont la fonction est de réhabiliter les capitalistes juifs aux yeux du pays[25]. Si on décide de ne plus penser à la terrible solitude – dont Blum, dans ses *Souvenirs sur l'Affaire,* dira quelques péripéties[26] – de la poignée de marginaux qui, les premiers, engagèrent la bataille et qui, longtemps, eurent à lutter à la fois contre ceux qui, fanatiques de la France, jugeaient Dreyfus a priori coupable, et contre ceux qui, apôtres du prolétariat, jugeaient la cause indéfendable. Oui donc, décidément oui, si l'on prend le parti de lire l'histoire par la fin, de ne juger qu'à l'issue et de reconnaître par exemple que c'est là, aux lendemains de l'Affaire, dans le sillage de l'Affaire, à partir de la coalition finalement née de l'Affaire, que naît enfin, en avril 1905, ce monstre qui faisait tant horreur à Péguy mais dont je pense, moi, qu'il est la part d'honneur de cette époque : un parti, une tradition, un embryon de *social-démocratie...* Et pourtant, en même temps non. En un autre sens non. Paradoxalement, mais tout aussi décidément non. Et « non », – parce qu'aux lendemains de l'Affaire, dans le sillage de l'Affaire encore, dans l'immense dépression née de l'Affaire toujours, va apparaître une autre coalition, un autre mouvement, un tout autre courant idéologique qui va peser malheureusement presque aussi lourd dans l'histoire de la gauche du XXᵉ siècle : l'« anarcho-syndicalisme » dont certain Georges Sorel va se vouloir le héraut et l'intellectuel organique*.

---

* Je dis bien qu'il s'en « voulut » l'intellectuel organique. Car il est évident qu'il n'épuise pas à lui seul la pensée du syndicalisme naissant. Évident, aussi, que d'autres l'incarnent au moins autant, et peut-être même davantage qui, comme Pouget ou Griffuelhes, y consacrèrent leur vie. Et pourtant, malgré ces réserves, je crois que les livres de Sorel sont une bonne voie d'accès à ce néo-socialisme d'avant 14.

Car qu'est-ce au juste que cet anarcho-syndicalisme dont on nous rebat les oreilles, de nouveau, et sur lequel notre C.G.T. s'est fondée avant que ne la lamine, dit-on, le rouleau compresseur marxiste ? Qui est surtout ce Georges Sorel dont on nous assure, çà et là, qu'il est, avec Proudhon, l'autre valeur sûre de notre patrimoine, – notre anti-Marx méconnu, le génial théoricien d'un socialisme inédit dont nous aurions eu le tort de si vite perdre le fil ? A première vue, et si l'on s'en tient du moins à la légende pieuse, tout n'y serait qu'angélisme, pureté, intransigeance morale et politique. Il ne s'agirait, dans les *Réflexions sur la violence* par exemple, que d'exalter les valeurs d'insoumission, de chanter la rébellion, d'exhorter à la libération des humbles et des damnés. Ce serait un grand cliquetis de chaînes qui se défont, de servitudes conjurées, et ce défi, cet immortel esclandre soudain adressé au monde, d'un malheur ouvrier qui n'est pas la fatalité qu'on croit et dont le terme est pensable, prévisible, imminent. Ce serait le projet mirobolant d'une révolte sans partis, d'une société sans État, d'une politique sans mensonges ni imposture et, au bout du chemin, au bout d'une révolution à nulle autre semblable, ce monde nouveau, cet homme nouveau, cette histoire enfin cassée en son milieu, dont les marxistes avaient rêvé, – mais que Sorel, seul ou presque, aurait réellement pensés. En un mot, l'auteur des *Réflexions* serait le père de l'ultragauche contemporaine. Ils seraient, ces anarcho-syndicalistes, les fondateurs de ce qu'on appelle aujourd'hui le « gauchisme ». Et, de fait, ce n'est pas faux ; la légende, une fois n'est pas coutume, est effectivement à demi vraie ; mais à demi seulement, hélas, – et étrangement, obstinément muette sur le reste.

Le reste ? Eh bien, c'est d'abord que, sur un certain nombre de points tout de même essentiels, ce fondateur de l'ultragauche française n'a pas grand-chose à envier

à Malon, Chirac, ou Toussenel... Il est l'auteur par
exemple d'une *Révolution dreyfusienne*[27] qui constitue
l'un des plus violents réquisitoires publiés après l'Affaire contre le capitaine traître et le « parti » qui l'avait
soutenu. D'un *Procès de Socrate*[28], plus ancien, où il
refait à sa façon le procès du philosophe assassiné et
où il le condamne en appel pour délit de « dialectique », nous dirions aujourd'hui d'« intellectualisme ».
D'une série de *Propos* posthumes où l'on découvre au
fil des pages qu'il y a quelque part en France, mal aimé
de ses pairs, un « grand journaliste », un « écrivain
excellent », qui a « le talent de dire des vérités en ayant
l'air d'inventer » : Edouard Drumont[29]. Un autre, jeune
encore, mais « vrai chef » déjà, non moins « excellent » que l'auteur de *la France juive,* et qui, outre le
mérite d'animer « le seul mouvement nationaliste
sérieux », a celui d'être un des rares intellectuels immunisés contre « le virus démocratique » : Charles Maurras[30]. Ajoutez à cela le fait que notre « socialiste révolutionnaire » est aussi l'animateur d'un journal, *l'Indépendance,* où une autre de nos vieilles connaissances,
Gustave Le Bon, vient chercher et trouver asile[31] après
que l'université et l'État républicain l'ont convaincu
d'imposture et mis au ban de la communauté des
savants*. Qu'on peut lire dans la même mouvance, au
Mouvement socialiste d'Hubert Lagardelle, un étrange
article intitulé « Le dreyfusisme ou le triomphe du parti
juif » où l'on a l'impression que rien, strictement rien,
ne s'est passé depuis le temps des antisémites fous de la
période boulangiste[32]. Qu'ailleurs encore, mais dans le
même voisinage toujours, à *la Guerre sociale* d'Hervé,
on apprend que *l'Humanité* de Jaurès est financée par

---

* C'est, dès le début des années 80, au retour d'une mission en Inde où il
était parti étudier la religion bouddhiste, que Goblet, ministre de l'Instruction publique, le désavoue, non sans avoir soumis son mémoire aux autori-
tés scientifiques de l'époque.

les Rothschild et tout entière consacrée à servir leurs ténébreux desseins[33]. Oui, ajoutez tout cela, et vous aurez quelque idée du singulier contexte où s'inscrit, par exemple, la naissance de notre C.G.T...

On en aura une meilleure idée encore si l'on se tourne maintenant vers l'œuvre proprement philosophique de Georges Sorel, – et qu'on essaie, à très grands traits, d'en fixer les axes principaux... C'est une philosophie de la décadence, d'abord, obsédée par la régulière, l'inévitable, la terrifiante déchéance des morales, des sociétés, des civilisations élevées*. Elle est nourrie, cette obsession, par une longue réflexion, qu'il poursuivra sa vie durant, sur le déclin du monde antique, et par une fascination surtout de l'idéal héroïque que ce monde avait inventé et que notre modernité « marchande » a apparemment perdu[34]. Elle s'étaye d'une philosophie de l'histoire néanmoins, empruntée à Vico et qui, pensant le cours des choses en termes de « cycles », laisse présager des « ricorsi », des « ressources », des « retours » de l'origine, qui sont proprement ce qu'il faut, en langage politique, entendre par « révolution »[35]. Ce qui affleure en ces ressources, ce qui doit revenir en ces retours, c'est, continue Sorel, non seulement l'« origine », mais aussi le primitif, l'instinctif, presque le barbare : toutes ces forces tapies, refoulées par la médiocrité, censurées par l'intelligence, et qui sont comme une fontaine de jouvence où les peuples, de loin en loin, retrempent leurs énergies, retrouvent le sens de la violence, et réapprennent la ferveur[36]. La ferveur pour la ferveur. La violence pour la violence. L'énergie pour l'énergie. Et l'héroïsme même pour l'héroïsme. Celui des premiers chrétiens autant que des nouveaux grévistes. Celui du producteur, mais aussi

---

* Cf. à titre indicatif, « Aux temps dreyfusiens », *l'Indépendance*, 10 octobre 1912, où Sorel fait le procès, pêle-mêle, du roman russe et de la peinture fauve, des salons cosmopolites et des juifs de la *Revue blanche*.

celui du guerrier. Il y a « deux noblesses », dira
Edouard Berth, son disciple, celle de « l'épée » et celle
du « travail »[37]. Il faut, ajoutera-t-il plus tard, que « le
réveil de la force et du sang contre l'or » s'achève par
« la déroute définitive de la ploutocratie »[38]. Et, en
attendant, sur la base de ce vitalisme, de ce culte de
l'énergie, de cette fureur naturaliste, c'est une lutte sans
merci contre les valeurs libérales, les croyances démocratiques, la philosophie des Lumières, l'imposture des
droits de l'homme, – qui deviennent, au fil des œuvres
et des années, la cible principale de ces « nouveaux
socialistes » : le 1er mai 1908, place de la Bourse, le
prolétariat révolutionnaire, fidèle à l'invite, pend haut
et court l'effigie de Marianne la fusilleuse[39]...

Il n'est pas démuni pour autant, ce prolétariat révolutionnaire. Finis, certes, ses droits, ses libertés, ses
conquêtes sociales même, dont Sorel estime qu'elles ne
peuvent qu'entamer sa précieuse combativité. Mais il
lui reste des « mythes » en revanche, ces grandes images collectives qui, s'adressant à l'instinct de la foule
plus qu'à la raison des sujets, lui parlant la langue de
l'oracle plus que celle de la militance, fait de lui la pure
matière, aphasique et informe, de l'héroïque volonté
des chefs qui le chevauchent vers le grand soir. Il a la
« grève » également, le mythe par excellence, la grève
générale et insurrectionnelle, une promesse d'apocalypse qu'on lui décrit comme un « phénomène guerrier », une valeur « militaire », un substitut de provision à l'antique noblesse d'épée, et qui doit le mener,
tambour battant et en « formation de combat »,
comme le soldat en son bataillon ou le nervi en sa
section d'assaut, à la conquête des citadelles d'un pouvoir imaginaire[40]. Il a les « syndicats » surtout, pièce
essentielle du dispositif sorélien, qui, véritables casernes prolétariennes et viviers de l'homme nouveau,
« neutres au point de vue politique » et « prolongeant

simplement l'atelier », sont définis comme de grands « corps de producteurs » qui « auraient le monopole de la main-d'œuvre », ressusciteraient en quelque sorte les « corporations » de l'ancien temps et jettent les bases, alors, si les mots ont un sens, d'une société que d'autres, quarante ans plus tard, parfaitement fidèles à leurs maîtres, baptiseront précisément et rigoureusement corporatiste[41]. Ce socialisme est de nouveau racial : le « peuple », dit Berth encore, est une réalité charnelle tissée de « sang », de « tradition », de « races »[42]. Il n'est plus explicitement aryen en revanche : mais il rêve désormais de hordes barbares venant nettoyer le monde de son immondice marchande[43]. Son eugénisme est plus subtil, plus politique, que celui d'un Vacher de Lapouge : il se propose simplement d'éliminer les « inconscients », les « déchets », les « zéros humains »[44]. Mussolini ne s'y trompa pas qui vit dans ce socialisme français une source du fascisme italien. Et Georges Sorel non plus qui, pas peu fier de l'hommage, voyait dans le fascisme l'incarnation de son socialisme.

Notre ultragauchisme national aux sources du fascisme ? Cette filiation est si souvent contestée, ou en tout cas minimisée, qu'il n'est peut-être pas inutile, sur ce point, de rappeler quelques vérités d'histoire. Les textes de Mussolini d'abord, parfaitement clairs : en 1926, à Madrid, la phrase fameuse : « C'est à Georges Sorel que je dois le plus » ; en 1932, l'article où il rappelle l'influence fondamentale qu'eut le *Mouvement socialiste* sur sa doctrine en gestation ; en 1932 toujours, les entretiens avec Emile Ludwig, publiés à Paris, qui laissent peu de doute sur ce qu'il doit – ou croit devoir – au syndicalisme révolutionnaire français[45]. Les textes de Sorel ensuite, disparu quelques mois avant la prise du pouvoir, mais qui eut le temps, tout de même, entre 1919 et 1921, de donner au *Resto*

di Carlino de Bologne une série d'articles où il salue en
Mussolini un « génie politique » ; l'heureuse synthèse
sous son égide du « mythe » socialiste et du « mythe »
national ; la juste articulation fasciste du « corporatisme » à l'intérieur et de l'« expansion impériale » à
l'extérieur[46] ; sans parler de la correspondance avec
Croce, Missiroli, Roberto Michels, voire du recueil de
Propos, qui attestent qu'il ne dédaignait pas de se
reconnaître dans le fascisme réel[47]. Enfin et surtout, la
réalité de l'influence qu'il exerça, durant toutes ces
années, sur l'intense activité doctrinale qui précéda et
accompagna la montée de ce fascisme : ce sont les
syndicalistes qui passent au corporatisme et qui trouvent dans ses livres de quoi légitimer leur geste ; une
série de revues – *La Voce, Il Regno, Il Tricolore, La
Lupa* surtout de Paolo Orano[48] – qui le tiennent, à des
degrés divers, pour leur inspirateur et leur maître à
penser ; *La Gerarchia,* que fonde Mussolini lui-même,
où on trouve nombre de jeunes intellectuels soréliens et
qui, au lendemain de la mort du « Maestro », lui rend
le plus vibrant hommage[49]. Il est clair que les *Réflexions sur la violence* n'étaient pas une technique du
coup d'État ni la prémonitoire recette de la marche sur
Rome. Il est possible que Croce lui-même ait surestimé
leur rayonnement quand, en 1933 encore, il y voit le
« bréviaire du fascisme » triomphant et une des sources
idéologiques du nazisme en gestation[50]. Il est exact,
encore, que Sorel salua au moins aussi haut l'expérience d'octobre 1917 et que, peu regardant sur la couleur de la barbarie, il eut le temps de reconnaître dans
la terreur rouge une autre figure de l'« héroïsme »
selon son cœur. Mais l'un, hélas, n'exclut pas l'autre.
Et il est non moins indéniable que sa pensée joua un
rôle réel, un rôle de catalyseur en tout cas, dans une
synthèse fasciste dont la France, à travers lui, eut ainsi
le privilège de commencer de penser la formule.

Lénine, Mussolini, l'antisémitisme, le proto-
corporatisme : n'est-ce pas assez ? que faut-il de plus
aux chantres du retour à Sorel ? quoi de plus, aux
nostalgiques de notre doux « socialisme français » ? A
ceux qui n'ont pas plus de goût pour la potence que
pour la guillotine, je crois que cette première conclusion s'impose : oublier ce socialisme-là avec la même
énergie, la même détermination que le socialisme marxiste, léniniste ou stalinien...

D'autant que ce n'est pas tout. Qu'il n'est pas même
nécessaire d'aller chercher si loin pour voir se faire la
synthèse dont je parle. Qu'il se trouve, au cœur même
de Paris, un mouvement de droite extrême, inventeur
d'un « nationalisme intégral », qui va reconnaître dans
ce socialisme son plus précieux allié. Et que ce mouvement c'est, contre toute attente, la toute jeune Action
française de Charles Maurras, qui vient de se constituer
elle aussi dans le sillage de l'affaire Dreyfus et qui
commence d'emplir les têtes françaises du bruit de ses
fureurs meurtrières...
Car dissipons d'abord une équivoque. Sur la question clé du racisme et de l'antisémitisme encore. Dont
on a un peu trop tendance, dans ce pays – voir aujour-
d'hui le cas de la « nouvelle droite » – à sous-estimer la
gravité dès lors qu'ils affectent des hommes qui se veulent ou se prétendent des « intellectuels ». Car faut-il
rappeler par exemple les textes innombrables de Maurras sur les « miasmes », la « lèpre », les « microbes »
juifs[51] ? L'aveu, maintes fois renouvelé, que l'antisémitisme « constitue l'un de nos points de départ essentiels[52] » ? Tels accès de démence, fréquents dans *l'Action française,* sur « les ghettos immondes » qui « favorisent les épidémies » et qui font de la « pullulence »,

de la « vermine », du « choléra » juifs, « une peste chronique et une infection en permanence »[53] ? Le rôle que joua la Ligue dans la diffusion des *Protocoles des sages de Sion* et la constance surtout, unique dans notre histoire, avec laquelle ces « journalistes » entretinrent, un demi-siècle durant, un climat de pogromes larvé ? Les prises de position du maître, dans les années 40 enfin, quand il estimait les mesures de Vichy insuffisantes, la route longue encore pour parvenir à l'élimination définitive du judaïsme[54] ? son indignation, en 1944, à l'idée que l'on puisse songer à recueillir, dans des villages de France abandonnés, « ce qu'il y a de plus crasseux dans les ghettos d'Europe centrale »[55] ? Je ne rappellerais pas ces morceaux d'anthologie s'il ne se trouvait de fins dialecticiens pour nous expliquer que ces « antisémites d'État » ne trempèrent jamais dans l'horrible « antisémitisme de peau » réservé aux seuls Allemands. S'il ne se trouvait pas, aujourd'hui même, de lugubres arithméticiens pour nous assurer que cet antisémitisme-là, sans doute plus proche de celui de Drumont que de celui de Gobineau, fut nécessairement plus clément et moins empreint de barbarie. S'il n'y avait pas tant de bernanosiens attardés pour traiter avec indifférence cette passion « nationale », simplement et banalement nationale, qui n'aurait jamais vu dans le juif que (!) le nécessaire parasite sans la haine duquel la communauté patriote serait impuissante à se souder. Merci pour lui. Merci pour nous tous. Merci pour la démocratie. Ce qui me paraît sûr, en tout cas, c'est que des hommes qui osent écrire, un jour de confidence, que « tout paraît impossible ou affreusement difficile sans cette providence de l'antisémitisme », que « par elle tout s'arrange, s'aplanit et se simplifie » et que « si l'on n'était antisémite par volonté patriotique on le deviendrait par simple sentiment de l'opportunité »[56], – que ces hommes-là, donc, ne sont pas seulement des déments ; qu'ils ne sont plus seulement des détraqués irresponsables ; mais qu'il s'agit bel et bien d'assassins conscients, résolus, besogneux, appliqués à la tâche et, par conséquent, d'autant plus redoutables.

Mais revenons aux débuts de cette Action française. A l'aube de cette seconde séquence de notre histoire. Et aux liens qu'elle entreprend de nouer avec les socialistes soréliens... Car il y a là, on le sait mal, des hommes qui, quoique monarchistes convaincus, dépouillent méthodiquement la moindre livraison de *l'Indépendance,* du *Mouvement socialiste,* de *la Guerre sociale.* Des antisémites « de droite » qui observent avec une joie obscène la soudaine résurrection du vieil antisémitisme prolétarien et la rupture, en 1902, du « pacte infâme » et contre nature que la classe ouvrière, quatre ans plus tôt, avait conclu avec le « parti juif »[57]. Des antirépublicains fanatiques qui ne manquent pas une occasion de signaler à leurs propres lecteurs ces alliés providentiels qui, là-bas, à l'autre bord apparemment du spectre idéologique, « n'hésitent pas à proscrire eux aussi de leur langage le mot démocratie »[58]. Des nostalgiques de l'Ancien Régime surtout qui ne se sont jamais résignés à cette grande blessure que constitue, au flanc de la nation, l'héritage de 89, et qui voient maintenant les humbles, les petits du Nouveau Régime conspuer les idéaux qu'ils portaient jadis en triomphe par la grand-porte de la Bastille. La pendaison de Marianne le 1er mai 1908 est, dit Maurras, « l'acte le plus significatif de notre histoire depuis le 14 juillet »[59]. Cet antidémocratisme de gauche est une « divine surprise » avant la lettre dont il ne cessera plus, jusqu'en 14, d'accueillir et de saluer les productions. « Extraordinaire rencontre »[60] – le mot est de Georges Valois, futur fondateur du Faisceau – de l'ultragauche sorélienne et de l'ultradroite maurrassienne, toutes deux

unies par les mêmes refus, et où va achever de se boucler le cercle de la synthèse.

Ce n'est pas que les deux courants, bien sûr, s'accordent en tous points de leurs programmes respectifs. Les
maurrassiens ne goûtent guère, on l'imagine, l'antipa-
triotisme qui sévit à *la Guerre sociale* par exemple, le
journal pacifiste et antimilitariste de Gustave Hervé.
L'anarchisme de principe qui fait le fond de la doctrine
cégétiste n'est pas de leur manière non plus avec son
utopie d'une société rendue à elle-même et délivrée du
chancre que constitue la machine étatique. Il y a chez
Sorel lui-même, on va le voir bientôt plus en détail,
une étrange insistance à se réclamer d'un marxisme où
Maurras ne verra jamais mieux qu'une doctrine juive et
allemande, rigoureusement incompatible avec sa pensée de France. Mais qu'à cela ne tienne ! Au diable les
querelles d'académie ! Maurras a lu Sorel justement et
sait la différence entre un « mythe », dont la principale
fonction est de mobiliser les masses, et le solide prag-
matisme qui, toujours, quand il le faut, arraisonne les
utopies. Il a lu Édouard Berth aussi qui, dans *les
Méfaits des intellectuels,* se réclame de lui, Maurras,
pour envisager un système où la « société des producteurs » s'accommoderait d'un « État », à condition
qu'il soit « organique » et « naturel »[61]. Il sait lire surtout, il lit comme personne, c'est un incomparable
déchiffreur de textes, qui n'a aucun mal, par exemple,
à retrouver dans cet ouvriérisme nouveau les plus
anciennes traditions de l'honneur et de l'esprit de
métier[62]. Dans cette guerre des classes haut clamée,
plus de guerre que de classe, plus d'épée que d'argent,
et l'antidote idéal, du coup, aux mornes rêves de paix
où se complaît la « radicaille »[63]. Dans les appareils
syndicaux même, de hautes et vives pierres à quoi il
manque peu, infiniment peu de chose, un léger déplacement d'accent peut-être, pour qu'elles deviennent –

Sorel lui-même en convenait – comme les piliers, les voûtes de soutènement, de la société organique qui, un jour, ressuscitera[64]. On est beaucoup trop doctrinaire, autrement dit, à l'Action française, pour se satisfaire d'alliances de fortune : au-delà des convergences de surface c'est à l'âme, à l'esprit, Péguy dirait à la mystique de ce socialisme, qu'on choisit, en fait, de rendre hommage.

De là les efforts que déploie alors la Ligue – et qu'on aurait tort de mésestimer – pour aller au peuple, servir le peuple et « faire », comme le raconte Pujo dans ses *Camelots du Roi,* « après la conquête de la jeunesse celle du peuple révolutionnaire »[65]. Pas grand-chose à voir avec ce populisme de patronage dont la droite classique est coutumière et où elle met régulièrement son point d'honneur spirituel. Pas question non plus de jouer la carte de ce mouvement « jaune » qu'anime au même moment Paul Biétry et qui pèse aussi lourd pourtant, dans les milieux prolétariens, que la très rouge C.G.T.[66] A peine Maurras parraine-t-il une éphémère « Ligue d'accord social », de stricte obédience royaliste et dont les thèses, pourtant, paraissent infiniment plus proches de celles de l'*Enquête sur la monarchie.* Non. L'Action française, qu'on se le dise, ne mange pas de ce pain-là. Elle n'a que faire, dit-elle, de ce prolétariat honteux. C'est aux travailleurs révolutionnaires et à eux seuls que, lors de son quatrième congrès, elle choisit de tendre la main. C'est auprès des purs, des durs de durs, des authentiques socialistes de l'époque, qu'elle s'en va quérir sa clientèle et constituer peut-être sa base de masse. C'est aux Bourses de Pouget et de Griffuelhes qu'elle songe quand elle proclame que le monarchiste idéal est aussi « le meilleur, le plus pur syndicaliste »[67]. C'est dans le parti des grévistes, des irréguliers, que Valois, en 1910, va jusqu'à recommander à ses « camarades ouvriers et employés » d'« entrer », de peser de tout leur poids et de lutter, aux côtés des soréliens, contre les politiciens, les intellectuels, et autres gibiers de potence libéraux[68]. « Pourquoi nous serions-nous battus ? » demande encore Pujo, évoquant ses compagnons de détention anarchistes, à la Santé, au printemps 1909. « Le 1er mai, jour de la fête des travailleurs », n'était-il aussi « le jour de la Saint-Philippe » ? « Il ne nous a pas fallu longtemps, conclut-il, pour reconnaître que nous étions du même monde, du monde où l'on suit des idées et non des intérêts »[69]...

D'autant que cette découverte ne se satisfait pas de mots ni de pauvres et pieuses déclarations d'intention. Que ce parti pris ouvrier, les maurrassiens entendent bien le concrétiser, le payer d'actes et de témoignages. Et que c'est le temps où ils ne négligent pas, eux non plus, de descendre dans la rue et de se mêler à son tumulte. Ils sont là par exemple, présents au front de la lutte sociale, lors de la menace de grève des électriciens de l'Opéra, où Maurras dénonce le « chantage patronal ». Là aussi à Hennebont où mille huit cents grévistes tiennent tête, cinq mois durant, à la coalition des « patrons », du « préfet », de l'« armée », de la « magistrature ». Là toujours, à Draveil et Villeneuve-Saint-Georges, sur le théâtre des massacres qui endeuillent la république et où ils voient, eux aussi, d'accord avec l'extrême gauche, une « tuerie voulue, préméditée, réglée dans ses détails par un des grands meneurs de l'anarchie dreyfusienne »[70]. Ce « grand meneur », c'est Clemenceau. Mais ce pourrait être Briand, haute figure, lui aussi, de l'État post-dreyfusard. La bête noire de l'ultragauche qui en fait le symbole même du renégat, du parjure et du vendu. Mais la bête noire également des royalistes, dont l'un, Lucien Lacour, jeune camelot, le gifle une fois publiquement[71]. « Bienfaisante action directe » ! soupirent les chefs maurassiens. Héroïque jeunesse de France, songent-ils, qui, droite et gauche confondues, cogne si rudement au ventre républicain ! Le fait est que la Ligue se trouve plus souvent qu'à son tour de ce côté-ci de la barricade. Les ouvriers de Narbonne, de Carcassonne, de Toulouse ou de Périgueux lui en savent apparemment gré, qui commencent d'adhérer[72]. Ceux de Paris également qui, le 9 juin 1909, à la salle des Sociétés savantes où se déroule un meeting de soutien à des syndicalistes emprisonnés, sifflent Jaurès et Renaudel mais applaudissent bien fort Léon Daudet venu parler au nom des royalistes[73]. Et quant à la presse révolutionnaire – *les Hommes du jour* par exemple, ou *la Guerre sociale* – elle observe, compte les coups, semble parfois miser sur un « coup » organisé par les « camelots » contre « le régime actuel » et, pour l'heure, « regrette simplement » que les « royalistes » aient « aujourd'hui l'apanage de donner des leçons sérieuses aux bandits du pouvoir »[74].

On ne saurait rêver plus clair hommage. Meilleur brevet de radicalisme et de pur socialisme. Sauf bien sûr à se le décerner soi-même, – ce que les maurrassiens, au demeurant, ne dédaignent pas de faire. Car on peut lire dans *l'Action française* de ces années des « déductions rapides », mais qu'on dirait droit sorties de la plus classique vulgate marxiste, où « la liberté économique aboutit à la célèbre liberté de mourir de faim »[75]. Des analyses des « conquêtes libérales de la Révolution française » qui, au-delà de la rengaine usée de Bonald, de De Maistre, ou des contre-révolutionnaires traditionnels, semble puiser à Michelet ou déjà à Albert Mathiez[76]. Un procès par exemple, de style très ultragauche, de la fameuse « loi Le Chapelier » qui, atomisant comme jamais la société française et faisant de l'« ouvrier » un être désormais « isolé », le livre sans défense, dit Jean Rivain, à la dictature du proprié-

taire et ne fait que « consacrer » ainsi l'odieuse
« liberté du plus fort »[77]. Des analyses, plus surprenan-
tes- encore chez des hommes qu'on dit généralement
fermés à la chose économique, sur « l'exploitation
capitaliste », le jeu des luttes de classe, la légitimité de
la révolte et l'affreuse cécité de la « bourgeoisie » face
à la « question ouvrière »[78]. Exceptions ? Ce n'est pas
par exception, en tout cas, que Maurras dénie à
Guesde et Jaurès leur titre de « socialistes ». Ce n'est
pas par hasard non plus que, dans un texte sur La Tour
du Pin, il tient si fort, lui, en revanche, à se réclamer
d'un « socialisme éternel ». Il sait ce que parler veut
dire, encore, lorsqu'il rêve d'un « socialisme libéré de
l'élément démocrate et cosmopolite » qui irait « au
nationalisme comme un gant bien fait à une belle
main »[79]. Socialisme français. Nationalisme français.
Bref une droite prolétarienne française, après la gauche
réactionnaire aux couleurs de la France...

Je ne sais si les maurrassiens d'aujourd'hui reconnaî-
tront dans ces quelques remarques le visage de leur
cher maître à penser. Je ne suis pas sûr non plus que les
autres y retrouveront l'image classiquement consacrée.
On est loin, très loin effectivement, du vieillard com-
passé qui hantera, quarante ans plus tard, les coulisses
de Vichy. A cent lieues de cette « inaction française »
que dauberont et déserteront alors les plus remuants,
les plus enragés de ses disciples. Mais enfin, c'est ainsi.
C'est à cela que ressemble alors le chantre du monarchisme français. C'est bel et bien lui qui, à droite,
incarne l'action, la subversion. Il faut l'imaginer piaf-
fant d'impatience devant les trop prudentes manières
de la vénérable ligue de la Patrie française. Il faut se
souvenir de ses colères de jeune chien, écoutant les
effets oratoires des Lemaitre, des Brunetière, notables
fatigués, « paniers de crabes nationalistes », comme les
appelait Sorel qui y voyait les « véritables ennemis » de

l'auteur de *l'Enquête*[80]. Ne pas oublier non plus que, lorsque Pujo et Vaugeois publient l'article du *Temps* qui donne le signal de la scission, ils viennent à peine de quitter la dreyfusarde ligue d'Action morale, tout imprégnée de kantisme[81]. Relire aussi la polémique avec Barrès où il paraît si vieux tout à coup, si profondément bien-pensant, l'ex-« prince de la jeunesse », face au forcené qui le détrône et reprend le flambeau de l'activisme[82]. Des hommes de gauche ? Non, bien entendu. Mais des hommes qui, comme racontera Bernanos dans *les Grands Cimetières sous la lune*[83], n'étaient pas des « gens de droite ». Mais des hommes qui, empruntant à l'autre bord quelques-unes de ses valeurs, croient eux aussi que « le coup de force est possible »[84]. Mais un livre tout entier écrit pour tenter de le démontrer et où la jeunesse nationaliste qui, comme Bernanos encore[85], préférait « courir les chances d'une révolution ouvrière que de compromettre la monarchie » avec une bourgeoisie « sotte » et « cupide », croit lire la version royaliste des *Réflexions sur la violence* de Sorel. Sorel et Maurras. Maurras et Sorel. Les « violents », comme dirait Barrès, gourmand et vaguement inquiet. Les frères siamois, et complices, de la double réaction française. Les duettistes ardents de l'idéologie française naissante. L'air est à la synthèse, en un mot : il ne manque que de la célébrer.

La cérémonie aura lieu à Paris, comme il se doit, le 16 décembre 1911. Maurras est présent, jubilant de bonheur, qui préside la séance. Sorel, lui, n'est pas là, mais il a dépêché Édouard Berth, son plus proche compagnon d'armes. Une certaine émotion habite ces hommes qui représentent « deux traditions françaises » qui se sont « opposées au cours du XIXe siècle » et dont on s'apprête maintenant à célébrer l'hymen[86]. L'heure est grave, décisive même, où l'on voit se conjoindre, et s'entrelacer enfin, ces deux fils parallèles, « synchroni-

ques » et « convergents », qui s'étaient si longtemps
évidés dans le désordre et tant de fois égarés, du coup,
dans des rivalités et des affrontements stériles[87]. En un
mot, le *cercle Proudhon* est né, officiellement baptisé,
provisoire épilogue à cette double et symétrique aventure, qui s'assignera explicitement pour tâche de fournir un cadre commun aux idées de l'Action française et
aux aspirations syndicales[88]. Une institution est née où,
pour la première fois dans l'histoire de l'Europe, des
hommes de gauche et de droite vont, ensemble, filer la
trame d'un discours qui reprendra tous les thèmes
épars de la critique de la ploutocratie, de la haine du
cosmopolitisme, du procès de l'intellectualisme décadent, ou d'un antisémitisme désormais monochrome.
Le national-socialisme lui-même est né, dans la pierre
et dans les textes, statutairement proclamé cette fois, et
dont la doctrine va s'écrire dans une série de *Cahiers*
où le Cercle, trois ans durant, prétendra hâter tout à la
fois le « réveil de la force et du sang » français et l'avènement d'un socialisme paysan, guerrier, gaulois[89]...

L'expérience sera éphémère, c'est vrai. Elle aura
peine à déborder les cercles intellectuels. D'autres orages menacent surtout, qui, en août 1914, interrompront
de force l'expérience. Mais les jeux sont faits, d'une
certaine manière, et à jamais jouée la scène qui ailleurs
se rejouera. Mais l'alambic est là au moins, où bouil-
lonnent déjà les mots qui envahiront bientôt le siècle.
Mais les monstres sont lâchés qui, quoique encore titu-
bants, arpenteront désormais les terres de la détresse.
Oui, elle est née la bête immonde. Elle est éclose la
chimère, du ventre fécond de la France. Elle est là, la
pierre philosophale qui connaîtra, ailleurs et plus tard,
les foudroyants succès que l'on sait. Valois et Berth,

satisfaits, savent qu'ils ont fait leur office et il ne leur reste que d'enjamber la guerre pour s'en aller fonder, l'un le Faisceau, et l'autre le Parti communiste*. Drieu, Rebatet, Déat, et d'autres à l'étranger n'oublieront jamais tout à fait cette étrange bombe à retardement qui « contenait déjà de quoi faire pétarader tous les moteurs de l'histoire ». Nous-mêmes, soixante-dix ans après, nous devons nous souvenir de ce court-circuit qui s'est fait, qui se fait, qui peut se faire, aussitôt que défaille la croyance en ces vieilles et fragiles valeurs que sont les valeurs « démocratiques ». Et pour l'heure, en tout cas, les fascistes du monde entier ont les yeux tournés vers une France qui, tandis que l'Allemagne par exemple est encore la patrie du marxisme et du « socialisme scientifique », est, elle, et sans conteste, le foyer du fascisme et du socialisme national.

---

* On retrouve Edouard Berth, en effet, en 1920, membre du Parti et collaborateur de la revue *Clarté*.

DE LA XÉNOPHOBIE CONSIDÉRÉE
COMME UN DES BEAUX-ARTS

Et de fait, il y a une question qu'on ne peut plus, à ce point, esquiver davantage. C'est celle de savoir ce que pèse, dans cette France de Maurras et de Sorel, de Péguy et de Barrès, le marxisme précisément. Comment il s'y combine, s'y articule, et parvient à frayer ses voies dans cette forêt de textes qui occupent si manifestement le terrain. S'il y a même une place, *sa place,* un site pour opérer, une aire pour se déployer et à partir de laquelle il aurait, depuis un siècle, exercé le ravage que l'on dit dans les têtes totalitaires. Au-delà du marxisme d'ailleurs, quel rôle joue, quel rôle a pu et dû jouer, quel office réel il restait réellement à tenir, pour la pensée allemande en général, où nous avons pris l'habitude, si rassurante au fond, de voir l'origine de nos plus coupables tentations ? Bref, la question qu'il faut poser maintenant, c'est de savoir si l'on ne va pas un peu vite en besogne quand on tient pour acquis, aujourd'hui comme hier, cette éternelle « faute-à-l'Allemagne » – à Marx, à Nietzsche, à Hegel – qui a la miraculeuse propriété, de nouveau, et dans l'ordre théorique cette fois, de laver de tout soupçon les sources de l'idéologie française... On ne peut, bien entendu, y répondre en quelques phrases. Elle passe, cette réponse, par une autre histoire encore, qui est celle de la production, de la diffusion et de la circulation des idées philosophiques dans notre pays. Aussi me contenterai-je d'une série de remarques, parcellaires certes, mais qui devraient suffire, déjà, à corriger un certain nombre de tenaces – et confortables – idées reçues.

Ce qui est sûr d'abord, c'est que le thème lui-même, ce procès de la pensée allemande comme telle, n'est pas un thème très nouveau, ni peut-être très innocent. Il a lui-même une histoire, une longue histoire déjà, point toujours très recommandable, et qui se confond, depuis un siècle au moins, avec celle de l'idéologie française justement. Il est présent, par exemple, on l'a vu, chez les joyeux drilles antisémites et chauvins de notre socialisme naissant. Chez Péguy également, dont on se rappelle les invectives contre un « parti intellectuel » dont le crime majeur était d'être « vendu » à l'Allemagne et de contaminer nos terroirs d'idées racialement impures. Chez Maurras bien sûr qui, en 1945, faisait du « fichtéisme » *(sic)* l'unique origine des totalitarismes modernes et qui, en 1933, partait déjà en guerre contre ces « princes des nuées » – le « pouvoir intellectuel » dans la France de son temps – dont les « songes funestes », nourris d'abstractions « germaniques et judaïques », devaient « céder promptement au premier geste d'une forte et salubre opération de police intellectuelle »[1]. Chez la plupart des idéologues qui approchèrent de près ou de loin la ligue d'Action française et qui, depuis Théophile Funck-Brentano dénonçant en 1887 « les sophistes allemands et les nihilistes russes », ou Henri Vaugeois fustigeant en 1917 l'empire de la « morale kantienne » au sein de l'« Université française », ne se lassent pas, jusqu'aujourd'hui, d'appliquer le programme du Maître et de travailler à dissiper, à « coups de canons » comme il disait, les « spectres » germaniques[2]. Chez Barrès même qui fut, certes, marqué dans sa jeunesse par la « philosophie de l'inconscient » d'Ernst von Hartmann ; qui, en 1892, se réjouissait de voir le monde aller « vers une culture cosmopolite »[3] ; qui, en 1894, publiait encore son *Hegel dans les cantines du Nord ;* mais dont le cosmopolitisme de surface devait vite céder la place à un nationalisme délirant qui ne pouvait plus voir dans les métaphysiques « prussiennes » que de funestes machines à « enjuiver » les têtes et à faire de nos lycéens des « citoyens de la raison pure »[4]. Bref, il y a, en France, une solide tradition de germanophobie intellectuelle dont on ne peut nier qu'elle a sa source, déjà, dans quelques-uns des hauts lieux de notre national-socialisme...

Mais ce qui est sûr également, c'est qu'elle ne se réduit pas à cela, cette tradition germanophobe. Qu'elle a sa source dans un autre haut lieu encore, plus spécifique, de notre idéologie en formation. Qu'elle plonge ses racines dans une autre contrée, moins bien connue sans doute, mais dont le rôle, en l'occurrence, ne pouvait qu'être décisif. Et cette contrée, c'est l'Université moderne, telle qu'elle apparaît, en France, aux lendemains de la guerre de 1870. C'est l'époque, en effet, où nos mandarins prennent la route de Göttingen et de Berlin pour aller y étudier sur place les causes profondes de la puissance allemande et de la défaite française. Où un Louis Liard, un Albert Dumont acquièrent la conviction que cette défaite a *aussi* des causes intellectuelles, liées au sous-développement philosophique d'une Sorbonne somnolente et sclérosée. Où Lavisse et Gabriel Monod, directeurs de l'École normale supérieure, entreprennent de réformer celle-ci sur le modèle des facultés d'outre-Rhin[5]. Mais où d'autres, beaucoup d'autres, parfois aussi les mêmes, arrivent à la conclusion que c'est ici, surtout, dans les amphithéâtres et les bibliothèques prussiennes, que s'enfantent silencieusement les monstres de la barbarie teutonne... De là, un formidable vent de croisade qui souffle dans les têtes de nos dignes professeurs. Il n'est bruit que d'une nouvelle guerre entre la douce France de lumière, de grâce, de spiritualité et la redoutable, la sinistre, la ténébreuse Allemagne « matérialiste ». Feu sur les livres de Nietzsche par exemple, « ces folies écrites par un fou », qui contiennent en germe, selon le pauvre Alfred Fouillée, tout l'immoralisme contemporain[6]. Exécution de Hegel, ce penseur « dogmatique », « panlogique », « déterministe », nous dirions aujourd'hui « totalitaire »[7]. Mort à toute la clique de Iéna, à son galimatias, à ses insensées spéculations où nos maîtres ne devinent que trop bien la loi du pangermanisme et du militarisme prussien. On n'en est pas encore, et pour cause, à faire de Fichte et de Schelling les ancêtres des S.S. : mais à une formidable chasse aux sorcières déjà, où ce sont tous les penseurs allemands – autant dire, à l'époque, toute la pensée européenne – qui, comme dira Victor Basch en 1927, sont purement et simplement « lynchés » comme une vulgaire bande de « malfaiteurs intellectuels »[8].

D'autant que cette Université française n'en reste pas au lynchage ni aux imprécations de principe. Qu'elle va s'employer à contenir hors de son sein ces redoutables malfaiteurs. Et que, renouant avec les bonnes vieilles méthodes du regretté Victor Cousin, elle va se doter d'un véritable dispositif de « protectionnisme philosophique ». Les jurys d'agrégation, présidés par Lachelier ou Ravaisson, sont autant de douanes ou d'octrois où les jeunes philosophes, une fois l'an, viennent payer leur dîme de révérence à l'idéologie française. Le choix des sujets de thèse fonctionne, à de rares exceptions près – pour un Gabriel Monod combien de Ravaisson ou de Delbos ? – comme une formidable pompe à refouler la marchandise, la pacotille étrangères. Le circuit des traductions surtout, où l'essentiel, inévitablement, se joue, est comme un front, une ligne de combat où veillent sur les hauteurs de doctes sentinelles. Les manuels eux-mêmes qui, tel celui de Rabier, parviennent en cinq cents pages à ignorer jusqu'au nom de Hegel, tracent autour de la jeunesse française un véritable cordon sanitaire qui doit la préserver de cette maladie de l'âme qu'est la métaphysique allemande. Le résultat c'est, bien entendu, le règne durable de la sottise et un obscurantisme culturel dont le siècle qui commence aura le plus grand mal à émerger. Ce sont les grands textes de la philosophie moderne qui mettent trente, cinquante, soixante-dix ans parfois à être simplement accessibles. C'est la lecture et le commentaire de Nietzsche qui ne concernent longtemps que quelques littérateurs attardés, quelques esthètes réunis autour du *Mercure de France,* quelques nationalistes d'extrême droite aussi, on va le voir dans un instant. Ce sont les études hégéliennes durablement discréditées et qui, pendant un demi-siècle au moins, demeureront entre les mains de pionniers isolés (Hyppolite), de marginaux à l'université (Groethuysen), d'étrangers (Koyré, Kojeve). Je n'insiste pas. Car cette histoire est assez bien connue désormais. Nous en avons, de Sartre à Claude Lefort, de Merleau-Ponty à Althusser, d'innombrables témoignages[9]. C'est l'histoire, en un mot, de notre profonde, tenace *xénophobie intellectuelle.*

Ce qui est moins connu, en revanche, – et à quoi je voudrais m'attarder davantage – c'est la forme très subtile et très diverse que prend cette xénophobie. La façon dont la machine à décerveler s'adapte à chaque cas et varie, chaque fois, sa méthode de refoulement... Il y a Kant d'abord. Le cas le plus simple. Le plus vite

réglé. Car lui, c'est le bon Allemand. La classique
èxception à la règle d'exclusion. Le seul à être jugé
présentable, acceptable, assimilable et assimilé. Le seul,
aussi bien, qu'on consente à recevoir, à admettre à sa
table et pour qui on entrouvre les portes du club très
fermé de l'idéologie nationale. Mais à quel prix justement ! Au prix de quel gâchis, de quel carnage philosophique ! Et dans quel rôle surtout, dans quelle désho-
norante livrée ! Il lui faudra, pour remercier de tant de
bonté, consentir à s'enrôler d'abord dans la croisade
anti-hégélienne et à servir de prête-nom pour les douteuses opérations françaises. Courir les écoles normales
pour nourrir les futurs instituteurs républicains de ces
fortes maximes, épaisses et péremptoires, qu'il sait si
bien frapper, n'est-ce pas, au marbre du bon sens. Passer sans transition dans l'Olympe spiritualiste, si fort
secoué récemment par « la crise de la science », et qu'il
lui appartient de fournir en épistémologies de
rechange, lui le grand spécialiste de la distinction entre
les « phénomènes » et les « noumènes ». Voler au
secours de l'âme chrétienne aussi, dont la France
d'alors vient à se demander si elle ne l'a pas trop hâti-
vement jetée aux poubelles de l'Histoire, et qu'il a sûrement les moyens, avec son « je pense » transcendantal,
de renflouer efficacement[10]. Colmater encore la brèche
ouverte au flanc du pays par l'anticléricalisme dreyfusard, en y fichant sa théorie de la « limitation du savoir
par la Foi », qui devient chez nos kantiens comme le
correspondant métaphysique de la séparation de
l'Église et de l'État.[11]. Kant otage. Kant mercenaire.
Kant taillable, corvéable à merci. Kant toujours prêt
pour toutes les missions impossibles. Ce Kant-à-tout-
faire et parfaitement dénaturé illustre la première règle
du protectionnisme philosophique : le baptême, la
conversion, la naturalisation d'un système qui n'a droit
de naviguer qu'en battant pavillon français.

C'est la même règle apparemment qui vaut dans le cas de Nietzsche. Le vénérable Alfred Fouillée par exemple semble regretter, pour finir, son mot malheureux sur « les folies écrites par un fou », et croit plus fin, par la suite, d'enrôler la « volonté de puissance » sous la bannière de sa propre – et piètre – « morale des idées-forces ». Un René Berthelot, qu'on verra mieux inspiré en d'autres circonstances, n'hésite pas, lui, à rapprocher Nietzsche de Poincaré et à faire de sa « philosophie au marteau » la variante germanique d'un « idéalisme dynamique » bien de chez nous, et bien davantage dans la manière de l'Université française[12]. Henri Lichtenberger, qui se risque, dès 1898, au premier cours jamais encore prononcé sur le penseur maudit, croit bon de l'achever sur de ridicules leçons de diététique philosophique, où il recommande une cure de « gai savoir » aux âmes anémiées, et la déconseille au contraire aux tempéraments trop riches, sanguins, pléthoriques[13]. A croire que, là encore, la France ne sache lire qu'en croyant se relire. Ne puisse admirer l'inconnu qu'à condition de le mutiler. N'ose accueillir les géants de la pensée qu'en en faisant les épigones de ses nains nationaux. On songe irrésistiblement[14] à l'apologue de Diderot contant, dans *les Bijoux indiscrets,* l'histoire de ces pygmées qui, armés de rasoirs, s'occupent à tailler les têtes des grands hommes pour les remodeler à leur façon. On a envie de hurler à l'imposture quand, à l'extérieur cette fois de l'Université, un Rémy de Gourmont, l'un des premiers lecteurs de Nietzsche, ne sait y voir qu'un hymne à l'« esprit latin », à la « lumière du Midi », à la « gloire de la Méditerranée »[15]. On hésite entre l'indignation et le fou rire quand on entend un Maurras nous parler de ce brave paysan de Nietzsche, point si allemand qu'il en a l'air, au fond ; qui « a du bon », finalement ; qui peut même être « utile » malgré ses « ascendances germanoslaves » ; et qu'on peut presque condescendre, s'il reste sage et discipliné, à admettre à titre étranger « dans l'enceinte sacrée de l'antique école française », – mais à la condition expresse qu'il y entre pour ce qu'il est : un disciple obscur et mal dégrossi du nationalisme d'action française[16] !

Et pourtant, on aurait tort de rire. Tort même de s'indigner et de crier au détournement de textes. Car le plus extraordinaire c'est que Maurras, en un sens, ne triche ni ne truque. Et qu'il met le doigt là, avec cette prétention à l'antécédence, sur un autre ressort essentiel de la machine à refouler. Car il est vrai, parfaitement vrai, qu'il n'a pas attendu le « Germain demi-slave » pour songer à opposer, dès 1895, dans *le Chemin de Paradis,* la « morale aristocratique » des maîtres et la « morale grégaire » des esclaves[17]. Si la philosophie du « Sarmate », comme il l'appelle, repose sur cette haine du christianisme et de ses valeurs sacerdotales dont la rumeur est parvenue jusqu'à Paris, il n'en a pas eu besoin non plus, lui, le Latin, pour en exposer, bien avant, les lignes et les raisons[18]. Ce procès de la « pitié » – vertu des « faibles » et des « infirmes » – dont on sait l'insistance dans la problématique nietzschéenne, il est exact qu'on peut le lire chez lui, instruit en propres termes, mais par des voies parfaitement autonomes, pures de toute influence étrangère, puisées aux meilleures sources de l'éternel « esprit français »[19]. L'apologie symétrique de la « cruauté » – vertu des « maîtres » et des « seigneurs » – qui est une des clés de la philosophie de l'Éternel Retour, elle est là déjà, avant que ne fussent connues les œuvres et presque le nom de son inspirateur supposé, dans ses textes comme dans ceux, d'ailleurs, de Psichari, Barrès, Sorel, Péguy et même Paul Bourget[20]. Qu'est-ce que cela signifie ? Cela signifie qu'on trouve tout « A l'Idéologie Française ». En bon système d'autarcie, elle est outillée

pour se suffire, se satisfaire d'elle-même. Protectionniste jusqu'au bout, elle est comme une imprenable
citadelle dont les arsenaux regorgent d'ersatz. Que la
morale de Maurras, le vitalisme de Barrès, les « idées-
forces » de Fouillée, ou le système de Guyau ne soient
que l'ombre du nietzschéisme ne change rien au
problème : car ce qui importe c'est que le refoulement,
cette fois, se fait tout seul, par le seul effet d'une structure et la seule contrainte d'un discours. Que le discours français est ainsi organisé, ainsi *saturé*, qu'un
livre comme *le Gai Savoir* y est proprement, nécessairement économisé, et qu'il n'a pas plus lieu de s'y tenir
qu'une lumière artificielle en plein midi. Et ainsi
apparaît la seconde règle du protectionnisme
philosophique : l'illisibilité, l'irrecevabilité d'un texte
dont d'autres textes, déjà là, épargnent la lecture.

Troisième malfaiteur : Hegel. La partie, cette fois, est
infiniment plus délicate. Et nos mandarins s'avisent
vite qu'il faut la jouer autrement. Pas question d'assi-
milation en effet : le morceau est trop gros et, comme
dit Politzer, il pourrait être mortel à leurs estomacs
délicats[21]. Pas question de naturalisation non plus : le
bonhomme est coriace, il résiste comme un diable et les
pauvres efforts d'un Hamelin pour intégrer la « dialectique » à sa théorie de la « relation » ne convainquent
vraiment personne. On se risque bien çà et là, du côté
de Boutroux notamment, à lui tailler un peu le nez et
les oreilles : mais les nains de la Sorbonne ne valent
décidément pas les Pygmées de Diderot et l'opération
est voyante, légèrement grotesque et, pour tout dire,
ratée. On a beau chercher même, fouiller autour de soi,
battre le rappel de tous les professeurs, de tous les
grands ancêtres qui pourraient attester d'une préhistoire française de l'hégélianisme : on ne trouve rien, on
rentre bredouille, il faut trouver autre chose. Oui, il
faut se résoudre cette fois à employer les grands

moyens. A balancer par-dessus bord tout ce grand
corps inutile et vraiment trop rétif aux petits trafics
philosophiques. A repartir de zéro en quelque sorte et à
bâtir dans le dur, dans le neuf, dans l'inédit, de tout
autres fondations. En un mot : puisque Hegel s'obstine
à ne pas vouloir être français, on fabriquera de toutes
pièces un hégélianisme à la française. Puisque la *Phénoménologie de l'esprit* est indécrottablement gangre-
née de germanisme, on écrira d'autres « phénoménolo-
gies », germanophobie garantie. C'est le raisonnement
canularesque d'Alfred Jarry, apostrophant de son célèbre « nous vous en referons d'autres, Môdame » la voi-
sine dont il a manqué assassiner le rejeton. Mais c'est
aussi le très sérieux raisonnement des pontifes de l'Université française face au monstre qui leur vient du froid
et qu'il leur faut à tout prix contourner. Leur phénoménologie postiche, elle s'appellera *Matière et Mémoire.*
Cet Hegel de remplacement, ils iront le chercher au
Collège de France. En un mot, c'est Henri Bergson.

Car qu'est-ce que l'hégélianisme aux yeux d'un Français de cette époque et bien souvent aussi, je le crains,
de la nôtre ? C'est une définition du temps, d'abord,
dont on devine vaguement le caractère dynamique,
inquiet, « dialectique » : or Bergson ne fait ni ne dit
rien d'autre avec sa conception fameuse, et combien
plus lumineuse, d'une temporalité vivante, frémissante,
indéfiniment dilatée et rendue à la plénitude d'une éternelle présence. C'est une métaphysique aussi, dont le
nom même de « dialectique » semble ne rien désigner
qu'un vague refus des atomismes, des substantialismes,
de tous les êtres clos et refermés sur soi : or l'« évolution créatrice », c'est la forme achevée de cette métaphysique avec, en prime, les belles et claires oppositions de la « matière » et de l'« esprit », du « clos » et
de l'« ouvert », du « mécanique » et du « vivant », du
« tout fait » et du « se faisant », qui l'irradient de leur

éclat. C'est une théorie de la connaissance, encore, qui sent légèrement le fagot, avec la prescription qu'elle fait de s'unir à cette dialectique, de communier avec son procès, de rompre avec les vues figées que prend l'entendement sur elle : or l'anti-intellectualisme bergsonien fait, là encore, l'affaire, qui ridiculise mieux que quiconque les « raideurs » conceptuelles, pulvérise lui aussi les prétentions de l'« intellect », commande d'« épouser » également la pure « poussée vitale », mais tout cela, grâce au ciel !, dans un climat de « joie », de divine euphorie, si différente de la noirceur d'âme du maître de Iéna. Tout y est, comme on voit. L'essentiel des effets du discours hégélien, mais sans leurs troubles et sulfureux présupposés. L'essentiel de ce qu'on y lit, qu'y lisait déjà Victor Cousin, qu'on veut y remplacer et que, de fait, on y remplace. Non pas, bien sûr, que l'hégélianisme se réduise à cela. Il va sans dire que cette caricature n'a à peu près rien à voir avec la lettre de la *Grande Logique*. Mais c'est ainsi, je le répète, qu'en l'absence des textes justement, les choses sont pour l'essentiel perçues. Et c'est sur ce malentendu que peut s'opérer le tour de passe-passe.

Ce tour de passe-passe, d'ailleurs, il ne faut pas l'imaginer clandestin pour autant, ourdi dans d'obscurs et discrets laboratoires. Car il se trouve deux hommes au moins pour en reconnaître, sur le moment même, l'évidente mécanique. Le premier s'appelle René Berthelot et il le fait lors d'une séance mémorable de la Société de philosophie, le 31 janvier 1907, consacrée à une discussion sur l'hégélianisme justement[22] : face à Delbos et Boutroux, il commence par faire justice des sottises qui se profèrent ici ou là sur le « panlogisme », le « dogmatisme », le « déterminisme » de l'auteur de la *Phénoménologie ;* il se livre ensuite à une comparaison entre cette philosophie de Hegel et *Matière et Mémoire* de Bergson, où il établit la troublante parenté

entre l'« esprit général » de l'un et la « psychologie »
de l'autre ; aux origines de cette confluence, il distingue
une commune influence du romantisme allemand,
directe pour le premier, indirecte pour le second et
transmise par l'intermédiaire de Ravaisson ; mais il
souligne surtout, dans des termes voisins de ceux que je
viens d'indiquer, l'ensemble des repères, des points de
concours qui permettent au bergsonisme de fonctionner comme un véritable produit de substitution à un
hégélianisme inaudible. Le second s'appelle Julien
Benda : il est l'auteur d'une *Trahison des clercs*[23], bien
méconnue de nos jours, dont j'aurai à reparler, mais où
s'instruit déjà, dès 1927, l'essentiel du procès de la pensée réactionnaire en France ; une bonne partie de la
préface du livre est consacrée à souligner la prégnance
des concepts bergsoniens dans le discours des marxistes, des historicistes, des dévots de l'Histoire qui sévis-
sent à son époque ; et même s'il croit à une influence
directe – qu'il pense, parfois lui aussi, malheureusement, en terme de « contamination » – des théories
allemandes sur l'idéologie française, il désigne parfaitement le jeu de relais, d'échanges, de circulation d'énoncés qui contraignent bien souvent à entendre l'écho de
l'« évolution créatrice » là où on croit lire la forme
achevée du discours « révolutionnaire »... Ce dont ces
deux hommes témoignent c'est, autrement dit, de la
troisième règle de la xénophobie philosophique. Du
travail acharné qui permet à une philosophie de tenir
littéralement lieu d'une autre philosophie. Mais aussi,
et du même coup, de ceci qui, pour ce qui nous occupe,
est essentiel : il y a en France, dans la France du XXe
siècle, un maître à penser français dont l'empreinte et
l'empire sont probablement sans commune mesure
avec ceux de tels ou tels autres dont le délit majeur est
de nous venir d'outre-Rhin...
   Bergson dans le XXe siècle ? On retrouve sa trace,

têtue, obsédante, dans l'ordre proprement philosophique d'abord, – et en des lieux, parfois, tout à fait inattendus. C'est ainsi que lorsque Jean Wahl par exemple publie en 1929 le livre fameux[24] qui passe pour avoir relancé les études hégéliennes en France, il est difficile de ne pas deviner derrière son insistance sur le « vécu », l'« intuition mystique », les « éléments primitifs » que « recouvrent » les « formules logiques » du système, la marque de l'auteur des *Deux sources* et de sa théorie de l'« intuition originaire » sous-tendant nécessairement l'architecture d'une philosophie. L'époque en est à ce point imprégnée que lorsque le marxiste Georges Politzer fait paraître son retentissant pamphlet contre la « parade » bergsonienne[25] et qu'il le place tout entier sous le signe d'un magique et péremptoire « retour au concret » qui devrait nous préserver à jamais, selon lui, de la tentation spiritualiste, on a peine à ne pas voir, dans cet appel au « concret » justement, l'ultime et ironique parade de l'adversaire. On pourrait montrer – et Jean Hyppolite a commencé de le faire jadis[26] – comment, plus tard, et malgré les dénégations de l'intéressé, un bergsonisme diffus continue de hanter les textes du premier Sartre et de contribuer sourdement, au moins autant que la métaphysique allemande dont il se réclamait, à l'élaboration des concepts d'« existence », d'« authenticité », voire de « groupe en fusion » ou de « pratico-inerte ». Aujourd'hui encore, je crois qu'on n'entend rien à une philosophie comme celle de Gilles Deleuze et, notamment, à son anti-hégélianisme sans réserve, si l'on oublie qu'elle s'inaugure d'un essai sur Bergson justement[27] et que Bergson est toujours là, du coup, avec son vitalisme, son naturalisme, son procès de l'intellectualisme, dans les notions de « flux », de « machine désirante » ou d'« économie libidinale » qui font la trame de *l'Anti-Œdipe*. Ces quatre exemples ne sont que des exemples, bien sûr. Je les

ai choisis à dessein disparates et espacés dans le temps.
Pour poser des jalons, simplement, sur la piste d'une
Histoire qui reste, pour l'essentiel, à écrire.

D'autant que ces effets sont plus manifestes encore
dans l'ordre politique ou idéologique au sens large. J'ai
dit l'influence sur Péguy par exemple de cette pensée
dont il tint jusqu'au dernier jour à porter haut les couleurs et qui était la seule, surtout, dont il admît de se
reconnaître le disciple[28]. Son influence est omnipré-
sente aussi dans l'œuvre de Sorel qui ne manquait
jamais, rapporte Halévy, d'aller « écouter » le maître,
bras dessus bras dessous avec Péguy, « le vendredi à
cinq heures moins le quart » et qui lui empruntait, de
fait, une bonne part de la problématique des *Réflexions*. C'est le même bergsonisme encore qui, dans les
années 30, inspire bien souvent à la « jeune droite » ou
à l'équipe d'*Esprit* la critique de l'« individualisme »,
du « formalisme », de l'« abstraction » en général, bref
de toutes « ces formes sans vie, peaux vidées de leur
chair, théorèmes séparés de leur contexte » qui sont
l'obstacle principal à cette cité « organique » dont la
génération pré-pétainiste commençait, on s'en souvient, de nourrir le projet[29]. Et il n'est pas, enfin, jusqu'à ce « spontanéisme », cette apologie de l'« immé-
diat », cette nostalgie, parfois, d'écologiques et naturelles communautés qu'on voit revenir çà et là, depuis le
début des années 70, où l'on ne puisse repérer, encore,
l'ultime et lointain effet de la même philosophie...
Bergson ou l'idéologie française*. Le point focal,
peut-être, de cette idéologie française. Bien davantage
en tout cas qu'un hégélianisme imaginaire ou qu'un
marxisme hypothétique.

* Il est clair que je ne parle pas ici de Bergson lui-même, dont la vie et
l'éthique d'intellectuel furent parfois exemplaires. Pas davantage du bergsonisme comme tel, qui s'illustre aujourd'hui de l'éminente et très haute figure
d'un V. Jankélévitch, mais d'*une certaine* vulgate bergsonienne, diffuse,
dont je m'efforce simplement de repérer l'insistance.

Car venons-en enfin à Marx. Le dernier et le plus redoutable de ces « malfaiteurs intellectuels » dont parlait Victor Basch. Le moins assimilable, le plus rebelle de tous peut-être. Et dont le cas est, curieusement, à la fois le plus simple et, de beaucoup, le plus complexe. Il est simple parce que l'Université, avec lui, ne s'embarrasse guère de ces pudeurs dont elle honorait encore Kant ou Hegel. Elle sabre, elle tranche sans quartier et efface jusqu'à son nom des cervelles estudiantines. Toutes les ressources, tous les équipements philosophiques sont mobilisés contre l'intrus et conspirent à le décréter ennemi public numéro un. Ce sont toutes les règles, maintenant, du dispositif protectionniste qu'on range en face de lui et qui pompent sans relâche la moindre infiltration de virus marxiste. De Herr à Althusser en passant par Nizan et Politzer[30], les témoignages sont innombrables là aussi qui, de génération en génération, redisent le même vertige de nos rares intellectuels marxiens quand, parvenus à l'âge d'homme, ils découvrent le grand vide de leur tradition nationale. La tragique indigence de nos études marxiennes depuis un siècle, si différente par exemple de leur floraison chez nos voisins italiens, est là aussi pour prouver avec quelle perfection a fonctionné cette fois l'opération de police et de voirie intellectuelles. Mais je dis pourtant que le cas est, en même temps, plus complexe. Et cela parce que le marxisme, comme chacun sait, ce n'est pas seulement ces études, ces livres et ces écoles. Qu'il a d'autres écoles et l'avantage, sur les autres philosophies allemandes, de pouvoir en appeler à la rue des outrages de la chapelle. Qu'il participe d'une autre histoire, celle du socialisme et du mouvement ouvrier, où son destin se joue tout autant, sinon davantage, que dans les annales universitaires. Qu'il peut bien perdre une bataille ici s'il gagne la guerre là, et se passer des mandarins s'il parvient à rallier la foule

des simples gens. Bref, que le débat se noue moins cette
fois du côté des Boutroux, des Ravaisson ou des Fouillée, que des chefs historiques de la gauche et de l'extrême gauche, – qu'il faut de nouveau, mais sur ce
point précis désormais, aller l'interroger.

Car enfin, de quoi parle-t-on quand on parle, à
droite comme à gauche, des « sources françaises » du
socialisme scientifique ? A qui songe-t-on surtout, à
quels brillants hérauts quand, dans les histoires officielles, on campe la silhouette de ses précoces pionniers[31] ?
On pense à Jules Guesde d'abord, Savonarole en lor-
gnon et adversaire de Jaurès, qui passe presque toujours pour le fondateur du premier parti français à se
réclamer du *Manifeste*. Or Guesde, on l'oublie un peu
vite, a tout de même un lourd passé pour un marxiste
orthodoxe : il est de souche bakouniniste, rallié à
Bakounine contre Marx dans les débuts de l'Internationale, allié aux anarchistes plutôt qu'aux marxistes en
1879 encore au Congrès de Marseille. Il a un sérieux
défaut aussi pour un « internationaliste prolétarien » :
patriote et chauvin, xénophobe et tenté, un moment,
par le boulangisme, il tient volontiers, on s'en souvient,
face à l'invasion de la main-d'œuvre étrangère, des discours du type de ceux que tiennent les politiciens d'extrême droite. Il a un singulier handicap encore, rédhibi-
toire, on en conviendra, pour l'éloquent vulgarisateur
qu'on a voulu, depuis, en faire : il n'a tout simplement
pas lu les textes, il se refuse plutôt à les lire, et clame à
qui veut l'entendre qu'il est seul, et par science infuse,
parvenu aux conclusions du trop savant *Capital*[32]. Son
matérialisme ? il en convient lui-même : rien d'autre
que la bonne vieille « philosophie du ventre »[33]. La
théorie de la valeur ? il la confond allégrement avec
« la loi d'airain des salaires », d'origine lassallienne, et
que Marx, en son temps, avait combattue sans la moindre réserve[34]. Le politique ? la prise du pouvoir ? c'est

un mélange de blanquisme et de jacobinisme ouvrier, un pittoresque pot-pourri de réformisme et de messianisme révolutionnaire. On trouve, autrement dit, dans le guesdisme toutes les nuances qu'on veut du fonds socialiste français, – mais du marxisme guère qu'une poignée de slogans sans grand rapport avec la doctrine.

On y trouve également, et entre autres merveilles, l'*Abrégé du Capital* que Karl Marx en personne avait pris soin de commander à Gabriel Deville et qui devait contribuer, comme il disait, à « inonder la France de ses lumières » matérialistes. Or, si Marx conçut le projet, il ne connut pas l'enfant et mourut assez tôt pour n'avoir pas à le reconnaître. Engels, par contre, lui survécut et ne se priva pas de dire, lui, la piètre estime où il tenait ce monument de poncifs, de naïvetés et de contresens. Il faut lire les lettres[35] où il dit son effroi à la seule idée que cet indigne compendium puisse, comme le suggérèrent imprudemment ses amis français, être traduit en langue allemande et introduire ici, dans la patrie du socialisme, une version aussi « gravement dénaturée » des thèses de son vieux compagnon. En France, passe encore, dit-il en substance, car il a fait son deuil de la France et de la clique de benêts qui prétendent l'y représenter. Mais en Allemagne, jamais ! Jamais n'entrera dans le saint des saints un tel tissu d'âneries et de vulgarités françaises. Jamais, lui vivant, un seul de ses disciples ne donnera la moindre estampille officielle à une telle bouillie de mots. Il faudra lui passer sur le corps avant que les élucubrations, fausses « jusque dans les termes », des sous-développés parisiens puissent prétendre, aussi peu que ce soit, à la dignité d'orthodoxie... Un siècle après, il faut bien admettre que la gauche française l'a pris au mot et a gaillardement passé sur le corps du cher Engels. Car l'*Abrégé* de Deville n'est pas seulement le premier canal par où elle a prétendu s'initier aux arcanes du marxisme[36]. Elle ne se contente pas, régulièrement, d'y reconnaître l'une de ses plus sérieuses contributions au grand œuvre commun. Mais elle n'a cessé, surtout, côté socialiste autant que communiste, de le rééditer, sans la moindre modification, et de former à ses écoles des générations de militants[37]. En sorte que le manuel, le *bréviaire,* sur lequel des dizaines de milliers de Français ont cru, jusqu'à une date récente, apprendre les rudiments du marxisme était un faux, une escroquerie intellectuelle que les fondateurs de la doctrine avaient explicitement désavouée.

Le tableau n'est guère plus réjouissant du côté du troisième larron de cette fine équipe de précurseurs. Le plus pittoresque assurément, mais aussi le plus fantaisiste et leur maître incontesté dans l'ordre du canular involontaire. Je veux parler de Paul Lafargue, c'est-à-dire Monsieur Gendre, qui a fait, lui, mieux que nul autre pour disqualifier les principes dont il se prétendait le légataire. Voilà un homme en effet à qui la seule fortune d'avoir épousé Laura Marx suffit à valoir, depuis un siècle maintenant, une solide réputation d'authenticité théorique. Un père fondateur légendaire dont tous les titres tiennent en une petite série de conférences prononcées en 1884[38] et dont l'écho, à l'époque déjà, mettait en joie tout ce que l'Allemagne comptait de socialistes militants. Le plus classique de nos « classiques du peuple » dont le classicisme allait jusqu'à prouver par la théorie de la marchandise la vérité du panthéisme, de la transmigration des âmes ou de l'Immaculée Conception[39]. Le « plus grand et le plus profond propagateur des idées marxistes » – le mot est de Lénine – qui a contribué mieux que quiconque à l'enterrement des textes originaux, qui laissa dormir *le Manifeste* par exemple dans la poussière d'une obscure librairie du Palais-Royal et qui, lorsque parut enfin *le Capital,* se soucia comme d'une guigne d'œu-

vrer à sa diffusion. Le verdict du maître, on s'en doute
– mais il faudrait s'en souvenir – tomba vite et sans
équivoque : c'est en songeant à ce « grand et profond
propagateur des idées marxistes » qu'il dut prononcer
un jour sa protestation fameuse : « Je ne suis pas marxiste[40]. » Le verdict des masses avait été plus rapide et
plus radical encore : devant tant d'ineptie mêlée d'une
telle arrogance, elles avaient depuis longtemps pris
l'habitude d'entendre l'épithète même de « marxiste »
comme une injure ou, pour le moins, un qualificatif
désobligeant. Les voilà, les sources françaises du
marxisme : vingt ans de propagande guesdiste dont on
nous chante sur tous les tons qu'elle implanta en terre
française les semences de la doctrine, n'auront servi
finalement qu'à en tarir les sources avant même qu'elles n'aient commencé de jaillir.

A les tarir ou, peut-être, à les détourner. Ailleurs,
plus loin, aux antipodes de ces lieux-dits de légende.
Par d'autres canaux, autrement forés, et par d'autres
hommes empruntés. Et c'est toute la signification de la
surprenante entrée en scène – sur cette scène désertée
par les « socialistes français » – de notre vieille
connaissance : Georges Sorel... Car c'est lui, on le sait
peu, qui, dans la grande jachère du temps, vient occuper la place vide et le créneau vacant. Lui, le syndicaliste d'action directe, qui, au parlementarisme mou,
mâtiné de blanquisme, des guesdistes, vient opposer les
rudes principes d'un matérialisme conséquent. Ce n'est
pas un marxisme imaginaire, cette fois, mais un marxisme bien réel, puisé aux meilleurs livres, souvent de
la meilleure qualité, et qui prétend « se purger de tout
ce qui n'est pas spécifiquement marxiste ». Près d'un
siècle avant Louis Althusser, ce Sorel-là publie un arti-

cle retentissant où il écrit que le socialisme scientifique
pose « des problèmes spécifiquement philosophiques
qu'il faut affronter selon les règles » et des problèmes
« scientifiques » dont il convient d'« examiner la prétention »[41]. A l'heure où Lénine lui-même s'enlise dans
une théorie de la « perception reflet », il publie un
autre article, étonnant de modernité, où il jette les
bases d'une philosophie marxiste de la connaissance
que n'auront qu'à reprendre tels ou tels épistémologues
d'aujourd'hui[42]. Il fonde même une revue, *le Devenir
social,* qu'il dirige en personne pendant trois ans, et où
il publie, outre ses propres articles, les inédits de Marx
et Engels que les guesdistes tenaient si obstinément
sous le boisseau. En clair, cela veut dire que s'il y a,
aux parages de l'affaire Dreyfus, sur cette scène primitive où se trament les fils où nous sommes encore pris,
un penseur marxiste sérieux, un commencement de tradition marxiste solide, ce n'est pas du côté de l'auteur
de l'*Abrégé* ou des dirigeants du Parti ouvrier français
qu'il faut aller les chercher, – mais du côté du philosophe maudit, et ô combien douteux, des *Réflexions sur
la violence.*

Mieux, cela veut dire que s'il y a une ébauche de
tradition marxiste en France, elle est indissolublement
liée à un homme, à une pensée, à des livres dont on a
vu qu'ils constituent l'un des pans proprement fasci-
sants de la pensée française. Ce Georges Sorel qu'un
Labriola tient en si haute estime qu'il le prie de préfa-
cer tel de ses livres, c'est le même qui, au même
moment, s'initie aux travaux de Lombroso dont on sait
la parenté avec le fascisme italien en gestation[43]. *Le
Devenir social* où, presque seul au milieu du philisti-
nisme ambiant, il a l'audace de publier l'*Introduction à
la philosophie du Droit de Hegel,* c'est la même revue
où, on l'a vu, il accueille Gustave Le Bon et ses nauséa-
bondes élucubrations raciales. L'éblouissant philoso-

phe de *la Fin du paganisme,* cet essai où la dialectique matérialiste vient rendre compte de la chute de l'Empire romain et de la naissance du christianisme, nul n'ignore qu'il a derrière lui ce sinistre *Procès de Socrate* où il confirmait en appel la sentence qui, jadis, frappait le philosophe. L'Action française est encore à venir bien sûr, et la main qu'il lui tendra : mais le dispositif est là déjà, avec le vitalisme, l'anti-intellectualisme, l'antiparlementarisme qui assureront bientôt la rencontre mais qui, pour l'heure, servent de contexte au premier marxisme français. On est loin du cercle Proudhon également, qui ne naîtra que vingt ans plus tard : mais le cercle Proudhon, en revanche, sera tout près de ce Sorel-ci et il mêlera souvent son nationalisme, son antisémitisme, son monarchisme d'une intransigeance, d'un dogmatisme marxiste, qui laissent loin derrière tous nos gauchistes modernes[44]. Bref, la France d'avant 14 n'a pas le choix : c'est chez les inspirateurs ou les futurs disciples de Mussolini, sur les fonts baptismaux du national-socialisme en gestation, que naît et se formule la seule pensée marxiste cohérente dont elle puisse se targuer.

Ou plus exactement, elle a le choix. La gauche française, depuis un siècle, a le choix. Mais un de ces choix cornéliens qui ne permettent de balancer qu'entre le désastre et le désastre inverse. D'un côté, une généalogie creuse qui remonte au guesdisme et l'abreuve donc aux sources sèches, toujours déjà taries, d'un marxisme fantomatique et mort avant que d'être né ; de l'autre une généalogie pleine qui, remontant à Sorel, la ramène aux sources vives, mais toujours déjà infectées, d'un marxisme réel mais réellement empoisonné. Là, un grand vide qu'elle ne cesse, depuis cette époque, d'emplir fébrilement de ses pauvres productions comme pour en dissimuler aux regards la parfaite vanité ; ici un grand plein, une histoire dense, qu'elle

ne peut, depuis cette époque encore, que déréaliser à
toute force, refouler avec horreur, comme si elle pres-
sentait les monstres qu'il lui faudrait assumer si elle le
regardait en face. D'une part, le marxisme des imbéciles, dont elle ne se défera jamais tout à fait et qu'on
retrouve aujourd'hui chez tels « socialistes de gauche »,
d'autant plus dogmatiques qu'ignorants, terroristes
qu'analphabètes, exactement comme leurs maîtres
guesdistes autrefois ; de l'autre, le marxisme des canailles, dont elle ne s'est jamais vraiment non plus défaite,
et qui pourrait bien être une des clés de cet éternel
retour des revenants dans le Parti communiste français
des années 70. Lafargue ou Sorel. Le néant ou l'infamie. Un « marxisme introuvable »[45] ou un marxisme
inavouable. Pas de marxisme du tout ou un marxisme
insupportable, L'indigence théorique ou la matrice de
notre fascisme. D'une naissance comme celle-là, on se
remet difficilement. Un héritage de ce genre est bien
lourd à assumer. La gauche stalinienne ou parastali-
nienne l'assume pourtant vaille que vaille. Elle vit
avec, depuis soixante ans maintenant, au rythme d'une
compulsion permanente. Et il est difficile de ne pas
songer alors que c'est par là aussi que s'expliquent
quelques-unes de ses hallucinations les plus opiniâtres.

Mais n'anticipons pas. Ce qui ressort pour l'instant de
ces quelques remarques c'est qu'au-delà de Marx, on
peut très sérieusement douter de l'influence réelle qu'a
exercée la pensée allemande sur la France contemporaine. C'est que si elle a fini, cette pensée allemande,
par tracer ses chemins parmi nous, c'est tard, très tard,
au terme de longues décennies où se sont amoncelés
sur sa route tous les obstacles imaginables. C'est qu'elle
n'a pu franchir ces obstacles qu'en passant chaque fois

sous les fourches caudines d'un étrange discours, en acceptant de parler une drôle de langue, en adoptant un très bizarre accent, bref en se faisant ventriloque, bien souvent, de l'idéologie française elle-même. Hegel, gardien de camps ? Nietzsche, père de nos antisémites ? Marx, maître à penser de nos totalitaires ? Encore faudrait-il que Hegel, Nietzsche, Marx il y eût, au paradis des camps, de l'antisémitisme et du totalitarisme français. Encore faudrait-il qu'on les entende, qu'on les entende *vraiment eux,* et non pas derrière eux, en voix de basse, d'autres musiques dont ils constituent l'alibi. Resterait à expliquer par quels mystères une culture qui s'est si longtemps donné pour but de contenir leur invasion en eût pu être si profondément, si organiquement contaminée. Par quel miracle une *Grande Logique* qui n'eut guère en un siècle plus de quelques milliers de lecteurs serait davantage présente dans nos consciences que ce péguysme par exemple qui a formé dans le même temps des générations de professeurs. Par quels prodiges encore, des textes dont la lettre même, en 1980, n'est pas toujours accessible, seraient comptables d'œuvres dont d'autres textes, immensément diffusés, seraient a priori innocents. La vérité, on commence de le comprendre, c'est que le fascisme français parle français, toujours et constamment français, – même, et surtout peut-être, quand il a l'air de parler allemand...

4

LE ROUGE ET LE BRUN

On le comprend, mais il est surtout possible de commencer de le vérifier. De la mettre à l'épreuve, cette idéologie française, de l'histoire la plus concrète de notre modernité. D'en éprouver la cohérence sur un exemple au moins, que je crois, de nouveau, éminemment significatif. Je veux parler de ce P.C.F. dont on a vu comment, une fois déjà, il aspira à devenir le premier parti pétainiste de France, – et dont on va voir à présent pourquoi il est, de bout en bout, et jusqu'aujourd'hui, le plus digne fleuron de notre pensée réactionnaire.

Car recommençons par le commencement. Demeurons un instant encore sur la scène des origines. Et rappelons d'abord de quoi il retourne quand, en 1920, au congrès de Tours, apparaît la « section française » de l'Internationale communiste... Est-on bien certain en effet que l'affaire se joua sur une rupture doctrinale opposant doctrinalement marxistes et non-marxistes ? Est-il bien sérieux d'imaginer surtout, aux sources du communisme français, une majorité de congressistes soudain touchés par la grâce et convertis comme un seul homme au léninisme ? Ce qui frappe au contraire quand on lit les souvenirs d'un Frossard et le compte rendu de son voyage en U.R.S.S., c'est son insistance à le placer « sous le signe de Jaurès » et de la continuité française. Ce qui est caractéristique dans le récit de Cachin – qui l'accompagnait dans l'aventure – c'est un portrait de Lénine tout de même assez saugrenu qu'il nous montre passionné d'affaires françaises, disciple des socialistes français et converti, lui, pour le coup, aux vieilles traditions de la France profonde[1]. L'idée la plus courante, dans les rangs de cette gauche qui s'engage dans la plus tragique impasse de son histoire, c'est celle d'un Kremlin tricolore où, déguisés en bolcheviks, seraient revenus rôder les héritiers de Babeuf, les fantômes des sans-culottes ou les mânes des communards. Pourquoi pas, dira-t-on ? Oui, pourquoi pas. Mais il faut savoir alors de quoi on parle. Savoir que devenir communiste, en 1920, ce n'est pas admirer en Octobre 17 une révolution sans pareille et une aube des temps nouveaux, – mais la reprise plutôt, la répétition réussie, presque le crépuscule, de la bonne nouvelle qu'adressaient jadis au monde les soldats de l'an II. Se rappeler que le soviétisme, pour ces hommes et ces femmes qui décident d'y consacrer leur vie, ce n'est pas un monde nouveau qui du passé ferait table rase, – mais un monde très ancien, un très ancien régime, un régime d'Ancienne France, eût peut-être dit Péguy s'il avait survécu jusque-là. Prendre conscience, en un mot, qu'en quittant la « vieille maison », ils ne sortent guère de ces archaïques demeures discursives dont les architectes s'appellent Blanqui, Proudhon, Fourier, Guesde ou Sorel, – et dont j'ai essayé, plus haut, de dresser l'inventaire[2].

Et d'ailleurs qui adhère ? D'où viennent-ils, à Tours et après Tours, ces militants de la première heure ? Et avec quel bagage surtout, quel viatique intellectuel pour le grand voyage qui s'annonce[3] ? Il y a là des anarchistes, comme Victor Serge, qui n'attendent rien de leur nouveau parti qu'une nation sans État, des usines sans patrons et les ateliers au pouvoir. Des huma-

nistes classiques, dont Barbusse est le prototype, et qui
ont foi, simplement, en sa capacité à rompre avec le
règne du mensonge, de la compromission morale, de
l'intrigue politicienne. Des pacifistes, innombrables,
qui, tels Péri, Lefebvre ou les animateurs de *Clarté*,
n'ont qu'un souci, en se ralliant, qui est de ne plus
jamais revoir les charniers de Verdun ou les abattoirs
de la Marne. Des syndicalistes révolutionnaires encore,
comme Martinet, Dunois ou Guilbeaux qui, s'engouf-
frant dans l'appareil, vont le saturer d'ouvriérisme,
d'antiparlementarisme, bref de sorélisme. Des antimar-
xistes convaincus, du coup, beaucoup plus nombreux
qu'on ne le croit, et qui, comme Rosmer et Monatte,
s'étaient illustrés avant 14 par leur résistance farouche
aux maigres et dérisoires infiltrations de matérialisme
historique dans le tissu syndical. Des antisémites
même, je veux dire des antisémites militants, dont le
meilleur – mais point le seul – exemple est cette Caro-
line Guebhard, mieux connue sous le nom de Séverine,
qui apporte en dot l'héritage de Chirac, de Toussenel et
de Drumont. Bref, le meilleur et le pire. Tout et le
contraire de tout. Tous les rameaux entremêlés de l'arbre d'avant guerre. La foire aux traditions du socialisme national. Mais peu, bien peu de traces de ce
loup-garou marxiste dont on aime à imaginer qu'il
aurait, très tôt, investi le P.C.F. naissant. Mais peu, si
peu de marxisme, que ses rares adeptes restent plutôt,
et paradoxalement, aux côtés de Léon Blum et de la
social-démocratie continuée. Au point que lorsque,
trente-cinq ans plus tard, *l'Humanité* publie les résultats d'une enquête auprès des dirigeants du Parti sur les
raisons qui, jadis, motivèrent leur engagement, on peut
lire d'édifiants récits à la Vallès ou à la Zola ; l'évocation d'enfances pauvres ou d'adolescences paysannes,
qu'on croirait tirées d'un *Cahier* de Péguy ; le souvenir
ému de l'antique préhistoire du socialisme français ;

mais, chez la plupart, chez Frachon comme chez Thorez, dans la réponse de Duclos comme dans celle de Waldeck Rochet, un absent de taille, et de marque : l'influence de Marx et de la lecture du *Capital*[4].

Car 1956, de ce point de vue, c'est encore 1920. 1980, même, c'est encore à bien des égards 1956. Le temps a beau passer, le P.C.F. n'oublie rien, n'apprend rien, et reste pour l'essentiel prisonnier de ce baptême manqué. Et il n'est que de voir, pour s'en convaincre, ce qu'il advint des malheureux qui, parfois, de loin en loin, tentèrent d'opposer à l'inculture du Parti leurs plans quinquennaux de marxisation accélérée. Je songe à Souvarine et Rappoport déjà, qui se risquèrent à former les premiers cadres de l'appareil, avant que l'appareil ne les recrache comme des noyaux de cerise[5]. A un Georges Politzer, qui n'était pas un mince philosophe, mais qu'un bureau politique analphabète préféra affecter d'office au front de l'économie politique, où il n'entendait pas grand-chose. A Paul Nizan bien sûr, l'homme des *Chiens de garde* et de *la Revue marxiste,* dont toute la vie de militant ne fut qu'une longue mortification, un lent mais acharné avilissement de l'intelligence, et, pour finir, l'ignoble calomnie qui le poursuit jusqu'au tombeau[6]. A un Althusser, plus près de nous, plus près de moi, qui eut entre autres mérites celui d'être un des très grands philosophes de notre époque, un de ceux qui portèrent le plus haut l'exigence et la passion de penser, – et dont le Parti a choisi, une fois de plus, de bafouer le pari de théorie*. Étrange non,

---

* A l'heure où ces pages sont sous presse (novembre 1980) survient l'atroce fait divers qui voit s'allonger encore le calvaire de nos intellectuels communistes. Qu'on me permette de redire à cette occasion tout ce que je dois à un homme qui fut mieux que mon maître puisque j'ai bien failli tout lui devoir et qu'il m'apprit, le premier, ce qu'on appelle penser. Et de rappeler, aussi, au gang des charognards qui, si vite – avant les juges – ont décrété son indignité, que Louis Althusser *demeure*, quoi qu'il advienne, l'un de nos quelques théoriciens qui tentent, depuis trente ans, de penser l'après-pétainisme.

cette route jalonnée de cadavres, d'exclus, ou de désespérés ? Curieux, vous ne trouvez pas, cette procession d'intellectuels savamment, méthodiquement abattus ? D'où vient-il, cet acharnement à briser des hommes qui, aussi différents soient-ils, ont au moins ce point commun d'être tous d'authentiques intellectuels, et, de surcroît, marxistes ? Il vient de ce que le P.C.F. n'a que faire de l'authenticité de ses intellectuels. Il vient de ce qu'un spectre hante le P.C.F., et que ce spectre c'est, comme jadis, la « pensée allemande ». Il vient de ce que Duclos, Thorez et Marchais sont peut-être finalement moins proches d'Engels ou de Gramsci que de Boutroux et Ravaisson, – éternels pygmées coupeurs de tête ou pères Ubu décerveleurs.

Ont-ils d'ailleurs jamais prétendu à autre chose ? Ont-ils jamais eu l'arrogance ou l'impudence de se situer autrement ? Quand Duclos, dans un discours puant de démagogie, évoque la sainte trinité des libérateurs du genre humain, ce n'est pas Marx, Engels et Lénine qu'il cite, mais Copernic, Galilée et Pasteur[7]. Dans la bibliothèque idéale de Thorez, ce ne sont ni le *Manifeste* ni *Que faire ?* que l'on trouve, mais Descartes – auquel il rend hommage sous les lambris de la Sorbonne –, Napoléon – à qui il semble vouer une admiration sans borne –, Péguy enfin – qu'il charge Aragon d'aller repêcher dans les marais de la pensée « bourgeoise »[8]. Quant à Aragon lui-même, poète officiel, et factotum du Prince, celui dont aucun « Biafra de l'esprit » ne parviendra à effacer quarante ans d'« hourrah l'Oural », il se moque plus encore du marxisme ou du paramarxisme : et quand il choisit d'« abattre son jeu » – c'est le titre d'un recueil d'articles qu'il publie en 1954[9] – on y découvre des atouts maîtres, qui en valent bien d'autres assurément, mais qui sont plutôt étranges chez un intellectuel « léniniste », – Barrès, Claudel, Péguy encore. Et j'ose à

peine parler des productions littéraires et théoriques du
P.C.F. des années 70 qui oscillent généralement entre le
crétinisme satisfait et la volonté d'« assumer », comme
on dit, l'ensemble de l'« héritage », la totalité du
« patrimoine » national, toutes tendances confondues,
et de préférence nationalistes et cocardières. Faut-il
s'en réjouir, ou au contraire le déplorer ? Y voir la
preuve d'un éclectisme louable ou d'une insupportable
prétention ? La question n'est pas là. La question, du
reste, n'a jamais été là. Et si je rappelle ces quelques
évidences, c'est simplement pour en finir avec un qui-
proquo tenace. Pour indiquer qu'on perd probablement
son temps à pourfendre dans le P.C. un « marxisme-
léninisme » dont il se moque plus que quiconque. Pour
suggérer qu'on fait peut-être fausse route quand on
espère en entamer la cuirasse avec les armes d'un anti-
marxisme théorique qu'il n'est pas très loin, finalement, de partager. Bref, pour tâcher de le voir comme
il est, de l'atteindre où il est, de l'entendre comme il
parle, – l'une des figures centrales, la figure centrale
sans doute du national-socialisme à la française.

Car alors tout devient clair. Son histoire tout entière
s'éclaire. Des pans entiers de *notre* histoire réapparais-
sent au grand jour. Et on comprend notamment pourquoi c'est au sens strict, pas du tout par abus de langage, pas le moins du monde en jouant sur les mots,
qu'il est, notre P.C.F., *un authentique parti d'extrême
droite.* Tout se joue, une fois de plus, au tournant des
années 30. Dans le grand délire nationaliste qui, à la
veille du Front populaire, sur fond d'éloge de Jeanne
d'Arc, de culte du drapeau, et de mythologies celtiques,
nous renvoie l'écho des accents les plus chauvins de la
droite d'avant 14. Dans les appels du comité central à

« continuer la France », à défendre la « France éternelle », à demeurer « attaché à cette sélection de grâce et de mesure qui s'appelle la politesse française »[10]. Dans la xénophobie qui imbibe les textes de Vaillant-Couturier, responsable aux intellectuels, chantant les rudes vertus de militants « profondément enracinés au sol » et dont « les noms dit-il, ont la saveur de nos terroirs »[11]. Dans la singulière conception du « service de l'esprit » qui commande sa croisade – je le cite encore – contre la littérature « pourrie et pornographique » et motive ses appels à un « retour à l'art sain »[12]. C'est l'époque où, selon le mot de Koestler, le Parti a ses « aryens » qui pensent la lutte des classes sur le modèle et dans les schémas du vieux discours racial. Où des chefs communistes monnaient leur internationalisme en une volonté de « défendre la famille française » et d'« hériter », le jour venu, d'un « pays fort », d'une « race nombreuse »[13]. Où Maurice Thorez lui-même confie à Aragon, « avec un certain sourire », que si Tolstoï n'a rien compris au grand Napoléon c'est « parce qu'il était Russe » et qu'« il y a des choses qu'un Russe ne peut pas comprendre »[14]. Pourquoi « refouler », ajoute-t-il, selon Aragon toujours, « l'amour de notre merveilleux pays » ? Qu'il se rassure, il est là, le refoulé. Il est tout entier là, le refoulé pestilentiel. Le racisme, la xénophobie, la cocarde et la connerie. Le travail, la famille, la patrie et la France profonde. Les germes de ce qui va venir et les fruits de ce qui a été semé. Le P.C.F., a-t-on dit, n'est pas à gauche mais à l'est ; je dirais plutôt, moi : *le P.C.F. n'est pas à l'est mais à droite.*

A l'est ? A droite ? Prenons un autre exemple. Le cas le plus fameux, le plus incroyable, de délire. Celui où on a pris l'habitude de voir la marque même du dogmatisme léniniste. Je veux parler de l'affaire Lyssenko qui, née à Moscou, gagna très vite Paris et valut au

P.C. ces quelques années d'obscurantisme culturel qui restent parmi les taches les plus sombres de son histoire. Or, ce qui est étrange, c'est qu'il y eut au même moment à Paris, mais sans intervention soviétique, une autre crise de folie et d'obscurantisme culturel, tout à fait analogue dans ses formes, mais venue par de tout autres voies. Une non moins incroyable affaire qui, dans le droit fil de l'esprit des années 30 et de la ligne Vaillant-Couturier, lança le Parti[15] dans une nouvelle croisade contre « l'art décadent, dégénéré, cosmopolite, antinational » et, en un mot, étranger. Une campagne par exemple, dont Aragon se fit le héraut, en faveur du « vers français », du sonnet « traditionnel », de la poésie « propre et classique », menacés, à l'en croire, par les « tenants de la décomposition du vers », les apôtres de l'« anarchie dans la technique » et les fourriers de la « dénaturalisation de la culture »[16]. Des textes, des conférences, où le même Aragon chante les vertus du « roman » parce qu'il porte, dit-il, « un nom de l'ancienne langue française » comme pour mieux affirmer « qu'il est une chose de France, une invention de chez nous » parfaitement harmonique à notre « génie » et à nos « climats »[17]. D'autres encore où, face à l'invasion de l'art abstrait, – bientôt ce sera le jazz – il exalte le regain du « paysage » dans la peinture qui s'explique – je le cite toujours[18] – par un « mouvement profond du patriotisme français, soucieux de l'indépendance de notre pays dans les conditions de l'occupation américaine ».

Tous ces textes – et bien d'autres, signés Thorez ou Casanova par exemple – ne sont pas seulement accablants de nullité et de sottise. C'est peu de dire qu'ils témoignent, chez leurs auteurs, d'une conception douteuse, sinon grotesque, de l'art et de la culture. Il serait presque trop facile de les rapprocher de telles citations de Maulnier ou de Massis, tenant le même discours, mais du point de vue de l'Action française. Car l'essentiel c'est qu'on voit se mettre en place là un barbelé politique qui, opposant la France et l'anti-France, vaut bien l'autre, qui oppose au même moment l'art bourgeois et prolétarien. C'est qu'entre ces deux terrorismes, dont l'un venait de Moscou et l'autre de Paris et qui, parfois, inévitablement, eurent à se disputer la préséance, le Parti, pour finir, a fréquemment opté pour le second[19]. Mieux : que le premier, pour fonctionner, eut parfois à emprunter les sillons déjà tracés par l'autre, comme on voit, par exemple, dans un article où, pour dire la louange d'un tableau de « réalisme socialiste », Aragon croit nécessaire d'invoquer le très français « principe de crédibilité » de Paul Bourget[20]. Et il est dommage alors que l'on parle tant de l'un et si peu, finalement, de l'autre. Que l'on oublie que Lyssenko fut aussi, en France, le nom d'un nom commun dont Aragon fut le synonyme. Que l'on passe sous silence ce lyssenkisme à la française dont l'auteur ne fut pas un obscur savant soviétique, mais l'un de nos plus éminents poètes et romanciers. Qu'on ait si vite effacé cette forme pure, sans mélange, du délire qui jaillissait des terroirs et des cervelles nationales. Car la preuve y est faite que, seul, comptant sur ses propres forces, nourri aux seules ressources de l'idéologie française, le Parti pouvait accoucher d'un stalinisme sans Staline, – dont on peut parier sans risque qu'il a, lui, survécu jusqu'aujourd'hui.

Aujourd'hui ? Parlons donc d'aujourd'hui. De son analyse du gaullisme par exemple qu'il hésitera, vingt ans durant, à qualifier de « progressiste » parce que « national », ou de « réactionnaire » parce que « ami du gros argent » : c'est celle de Barrès, face à la République radicale, opposant, on s'en souvient, le « menu peuple » et le « peuple gras ». Des accents qu'il retrouve, à la fin des années 70, pour décrire la couche

de « parasites » qui sucent le sang du peuple ou pour
opposer « Dassault ou la nation, Rothschild ou le peuple, les barons de l'acier ou les Français »[21] : c'est la
voix de Drumont dressé contre la « haute finance » et
la poignée d'accapareurs, juifs évidemment, qui affa-
ment l'ensemble du peuple. De Georges Marchais,
reprenant à son tour l'antienne de « Jeanne la paysanne », et disant son « souci de la santé morale de
notre peuple » et ailleurs, plus tard, celui de la santé
physique d'une jeunesse musclée dans les « stades »[22] :
il peut bien parler depuis Moscou et au lendemain du
coup de Kaboul, c'est Péguy qu'on croit entendre, ou
Maurras couvrant pour *la Gazette de France* les premiers jeux Olympiques de 1896[23]. Et quand il lance
enfin le thème de ce fameux « communisme aux couleurs de la France » où les naïfs ont voulu voir un
progrès dans la voie du socialisme à visage humain, il
faut être sourd pour ne pas entendre l'écho d'un autre
projet, beaucoup plus ancien, et passablement
inquiétant : celui de Georges Sorel et de ses amis appelant, on s'en souvient, à l'avènement d'un socialisme
gaulois, tricolore et patriote[24]. Sorel, Maurras, Péguy,
Drumont... La famille, décidément, est réunie au grand
complet. Les parrains sont tous là, qui veillent mieux
que jamais sur le berceau du socialisme national continué. Et c'est ici, essentiellement ici, qu'il faut aller
chercher les sources où puisent nos nouveaux communistes.

Dira-t-on qu'il est un domaine au moins, celui de
l'économie, où ils échappent au marécage ? Je ne le
crois toujours pas. Je le crois même moins encore. Et
j'en veux pour preuve le concept dont ils semblent le
plus fiers. Celui qu'une partie de la gauche non communiste – le C.E.R.E.S. notamment[25] – semble leur
envier. Leur production la plus « originale », paraît-il,
en cinquante ans de désert et de jachère intellectuels.

En un mot, la notion de « capitalisme monopoliste d'État » qui leur permet, comme on sait, d'opposer le « grand capital » monopoleur à l'immense majorité du peuple français – artisans, commerçants et « petits capitalistes » compris[26]... Car, cette brillante notion, il se trouve malheureusement, qu'ils ne l'ont pas tout à fait inventée. Qu'avant eux, dans nos plus proches et nos plus intimes traditions, elle fut déjà pensée, proférée, tout armée. Et qu'elle a d'autres parrains, pas très glorieux je le veux bien, mais à qui la plus élémentaire équité voudrait tout de même que ces fins économistes rendissent enfin justice. Le premier s'appelle Pierre Poujade. Le Poujade des années 50. Le Poujade des mouvements poujadistes. Le défenseur des « petits », des « petzouilles », des « gars d'en bas » et de la « tripe » française. L'homme qui, en 1955, menait la bataille contre « l'influence des féodalités occultes dans les institutions de l'État » et qui opposait déjà « trusts » et « gros bonnets » à la « famille de France » tout entière rassemblée[27]. Et l'homme à qui *l'Humanité,* au demeurant, ne dédaignait pas de rendre hommage alors, admettant volontiers que son combat allait « dans le sens de la lutte déjà entreprise par la classe ouvrière, les fonctionnaires, les paysans, pour un changement de la politique française »[28].

Le second s'appelle Édouard Berth. Berth l'inévitable. Berth, le grand Ancien. Mais Berth qui, lui aussi, propose dans ses *Méfaits des intellectuels,* une analyse du capitalisme français qui rappelle singulièrement celle des traités « marxistes » d'aujourd'hui. Une distinction entre « capital industriel » et « capital financier » à quoi l'autre, entre capital « monopoliste » et « non monopoliste », n'ajoute rien d'inédit. Une opposition entre le « bon » argent, national et laborieux, et le « mauvais », apatride et usuraire, qui débouche déjà, soixante ans avant Marchais, sur un programme

d'« Union du peuple de France »[29]. Et enfin, un troisième, un dernier précurseur, plus inavouable encore
peut-être, mais non moins autorisé, hélas ! C'est un
syndicaliste militant cette fois, de bien triste mémoire,
et dont le nom est significativement effacé de la
mémoire du « peuple de gauche ». Il s'appelle Paul
Biétry[30] et, outre le mérite d'avoir fondé, avant 1914, le
mouvement « jaune », outre celui d'être l'idéologue des
éternels briseurs de grèves, il eut aussi celui d'avoir
longuement médité sur la séparation entre « capital qui
spécule et capital qui travaille », – soit, de nouveau,
l'anticipation de la langue de bois version années 70.
Biétry, Berth et Poujade. Le jaune, le préfasciste et le
fasciste tout court. Beau comité de patronage, on en
conviendra, pour les experts du P.C.F.. Fine équipe de
pionniers pour leur « capitalisme monopoliste d'État ».
On est loin du marxisme. Loin du léninisme. Loin du
modèle soviétique. Loin même de l'inféodation à Moscou à quoi l'on a coutume de réduire les égarements
« staliniens », – et dont je suis de moins en moins
convaincu qu'elle en épuise l'explication.

Qu'on m'entende bien. Je ne suis pas en train de nier
les incontestables liens que le P.C.F., comme tous les
partis frères, noue depuis des dizaines d'années avec
ses maîtres de Moscou. Il n'est pas question d'oublier
ce qu'ont pesé ces liens chaque fois que, de Prague à
Varsovie, de Hanoï à Kaboul, de Phnom-Penh à Bue-
nos Aires, le parti de la classe ouvrière a choisi de se
ranger aux côtés des assassins. Trop jeune pour avoir
pu lire, au moment de leur parution, les singuliers messages d'exil que Thorez, en 1940, adressait aux Français, j'ai vu son successeur, en revanche, en direct de
Moscou, nous dire sa certitude obscène d'appartenir
dès aujourd'hui au parti des vainqueurs de demain.

Tout cela donc est vrai. Le P.C.F. est à la botte, c'est entendu. Aujourd'hui comme avant-hier un parti de collabos, c'est entendu aussi. Mais ce que je dis simplement, c'est qu'il ne faut pas entendre *que* cela. C'est que rien ne serait plus faux que de réduire ses dirigeants à de simples pantins, au fond irresponsables, dont on tirerait de loin les ficelles. C'est que rien ne serait plus périlleux, peut-être même, que d'y voir une assemblée d'acteurs, de pures voix de leurs maîtres, dont la parole serait soufflée, le rôle ailleurs prescrit, dérisoires ventriloques d'un texte toujours étranger. Georges Marchais par exemple, quand il se produit à la télévision, me fait rarement rire. Elle ne me fait pas rire non plus, cette classe politique munichoise qui commente ses facéties le lendemain, comme on commenterait un numéro de cirque sans conséquence. Car j'ai tendance à penser plutôt que tout cela est sérieux. Terriblement sérieux. Infiniment plus sérieux qu'on ne veut bien le croire. Et que tant de vulgarité, de bassesse, de fascisme larvé sonnent beaucoup trop juste pour n'être que récités. En un mot, je crois qu'il est trop facile de ne voir en toute cette abjection qu'une forme de « stalinisme » justement.

Car que signifie-t-il ce « stalinisme » dont chacun, aujourd'hui, se gargarise ? J'ai cru devoir rappeler ailleurs[31] que cette notion qui se veut radicale est surtout et d'abord une invention des staliniens eux-mêmes. J'en déduisais alors que ce concept à prétention « scientifique » était un asile d'ignorance, une pure fiction verbale, un simple nom de code pour maquiller de bienséance une bien réelle et bien concrète horreur. Mais je puis ajouter à présent, fort des remarques qui précèdent, que cette épithète qui se veut accablante est aussi formidablement complaisante, quand elle s'applique à un parti comme le Parti français... Elle lui fait tout le crédit du monde en effet, en le supposant étranger,

incompétent de ce qu'il dit et fait. Elle sous-entend
qu'il lui faudrait peu, très peu de chose, un peu de
maturité encore, un sain sursaut de révolte peut-être,
pour devenir un parti comme les autres. Elle implique
nécessairement qu'un parti communiste français est
concevable qui, continuant d'être ce qu'il est, de tenir
le même discours, mais s'émancipant de ses tuteurs et
de ses allégeances anciennes, deviendrait brusquement,
par on ne sait trop quel miracle, un parti démocratique.
L'idée même lui échappe alors qu'il puisse y avoir en
ce que dit Marchais, dans ce que disait Thorez, dans la
lettre de leur discours et la structure de leur pensée,
quelque chose de fondamentalement, d'originellement
inacceptable et qui demeurerait tel jusque dans l'hypothèse d'un improbable schisme du mouvement ouvrier
international. L'antistalinisme, au fond, c'est une
manière d'anticommunisme primaire. La forme la plus
primaire de l'anticommunisme primaire. Mais primaire
en ceci qu'il demeure en surface des choses. Qu'il reste
muet sur l'essentiel. Qu'il nous rend aveugles, je le
répète, à ce vieux fonds fasciste, – qui n'a hélas rien à
voir avec la fameuse « main » de Moscou.

D'autant qu'il y a une question que les tenants de la
main de Moscou répugnent curieusement à poser. C'est
celle de savoir d'où vient que tant de collets, justement,
aient si volontiers consenti à la main diabolique. Ou,
plus exactement, de ce que représente, de ce qu'a représenté Moscou pour les consciences du siècle, – et
notamment pour les plus grandes, les mieux armées
d'entre elles, je veux dire les intellectuels ralliés ou
sympathisants... Je ne referai pas en quelques lignes,
bien sûr, l'histoire des compagnons de route[32]. Mais je
voudrais qu'on se rappelle au moins le cas de ces Clé-
rambault vieillis, s'en allant, après Rolland, retremper

une vitalité chancelante auprès de ces forbans, de ces barbares au sourire que sont les communistes russes. Celui de Gide déplorant moins, à son « retour », une terreur et des camps qu'il avait d'avance acceptés qu'une société de médiocres, de philistins, de bureaucrates, si loin de l'idéal rêvé d'une communauté d'élan, d'ardeur et de mouvement[33]. L'exemple d'Aragon encore, racontant comment, tels les détenus de la colonie pénitentiaire de Bielomorstroï, il avait réchappé aux bas-fonds surréalistes, pour se mettre à l'école du monde réel, de la vie concrète et jaillissante, d'une société régénérée[34]. Tant d'autres encore, jusques et y compris ceux – dont je faillis être – qui, à Pékin, nouveau Kremlin, ne virent rien d'un socialisme réel, mais un mirage de pureté, une illusoire et glorieuse ascèse, et comme un angélisme guerrier enfin tombé du ciel. Ils ne sont pas très loin, les barbares de Rolland, du héros barrésien. Bergson n'eût peut-être pas raisonné autrement que Gide en sa nostalgie de l'élan vital[35]. Péguy eût pu, lui aussi, se comparer à un impur réchappé des bas-fonds et glorieusement régénéré. Sorel surtout aurait eu de la sympathie pour les maoïstes français et leurs mythes de jouvence et d'ascèse. Car Moscou, à Paris, n'a jamais été dans Moscou. Mais dans les têtes. Dans les textes. Dans les fabuleuses et inépuisables cavernes, toujours, de nos ali-baba idéologues.

La meilleure preuve en est d'ailleurs qu'il y a aussi en France un philosoviétisme « de droite ». Et qu'il dit sa fascination, son extase même parfois, exactement dans les mêmes termes. C'est la jeune droite déjà, et la revue *Réaction* des années 30 qui évoquent complaisamment cette « ardente jeunesse nouvelle » qui, dans la Russie des soviets, donne à l'Europe l'exemple de sa résurrection[36]. Ce sont ces articles nombreux qui, on s'en souvient, décèlent dans le communisme russe « une ascèse authentique, des vertus de renoncement et

de courage qui doivent être admirées » et, plus tard,
imitées[37]. Ce sont les déclarations fameuses des Bardèche, des Brasillach, des Drieu, dont on comprend mal
l'aveu maintes et maintes fois répété, d'une troublante
proximité au communisme, si l'on ne se souvient que
ce communisme justement, ils le voyaient dans l'horizon d'un romantisme de la force et d'une haine, surtout, de la dégénérescence démocratique à quoi
l'U.R.S.S., à leurs yeux, remédiait presque aussi bien
que l'Italie ou l'Allemagne fascistes[38]. Plus près de
nous, il y a cette « nouvelle droite » qui, toute à sa
haine des droits de l'homme et du « chantage humanitaire », se retient mal de rendre hommage, parfois, aux
réalisations soviétiques, sinon même au marxisme[39].
Ces dignitaires giscardiens qui, quoique convaincus
que « l'avenir n'est écrit nulle part », observent, d'un
air songeur, l'ordre qui règne à Moscou et qui, peut-
être, préfigure les disciplines de demain... Raymond
Aron a eu raison d'insister, depuis trente ans, sur
l'étrange cécité qui ferme la classe politique française à
l'irréductible spécificité du totalitarisme rouge[40] : mais
je crois qu'il faut ajouter que cette cécité n'est pas de
hasard ; qu'elle est structurée comme un regard ; et que
ce regard c'est celui, encore une fois, que n'a cessé,
depuis bien plus longtemps, de la droite à la gauche, de
porter sur le monde le grand œil cyclopéen de l'idéologie française.

De là aussi – et pour terminer – qu'on peut se
demander si la piste est vraiment bonne, que nous suivons depuis quelques années, et qui fait chercher dans
le marxisme et dans le marxisme seulement la raison
qui, comme dit Soljénitsyne, nous a rendus sourds et
aveugles à la terreur concentrationnaire... Est-on sûr
par exemple qu'en 1921 déjà, c'est le matérialisme historique qui, dans sa polémique avec Rolland, dictait à
Barbusse ses obstinées dénégations[41] ? Y eut-il tant de

lecteurs du *Capital*, dans les jeunes revues non conformistes des années 30, qui, elles aussi, dédaignaient avec
superbe les classiques et trop vulgaires objections
démocratiques à Staline ? Jurerait-on qu'à *Esprit* où
l'on se déclarait proudhonien, et, en tout cas, spiritualiste, il se soit trouvé assez de matérialistes pour que
s'explique l'ostracisme, après la guerre, de Serge, de
Koestler ou de Kravchenko[42] ? Quand Camus, au
même moment, eut l'insigne audace de poser qu'un
camp est un camp, n'en déplaise aux savants, n'eut-il
vraiment contre lui que des socialistes scientifiques[43] ?
Plus récemment encore, ne vous dit-elle rien, cette
tonalité légèrement xénophobe, antiaméricaine plus
que prosoviétique, antidémocrate en tout cas et parfois
antisémite, qui marqua tant de discours de bienvenue
aux dissidents réchappés de la maison des morts brej-
nevienne ? Ce qui est sûr, c'est que le débat du Goulag
ne date pas d'hier et qu'il a très exactement l'âge de la
naissance du Goulag lui-même. Qu'il n'a, depuis, pas
cessé d'être ouvert, pas cessé d'être refermé, en des
termes singulièrement récurrents, et lors même qu'il n'y
avait en France ni marxistes authentiques ni antimar-
xistes militants. Et que, devant ces yeux qui s'ouvrent
et qui chaque fois se cillent, devant cette volonté de ne
pas savoir et cet acharnement dans la torpeur, on est
bien obligé de se dire qu'il a fallu d'autres soporifiques,
autrement plus puissants que ces textes avantageux
dont on a vu, plus haut, l'absence à nos mémoires...

Car ce qui est sûr, également, c'est qu'on voit mal ce
qui pouvait faire défaut à la patrie des « mythes » soréliens, de l'« erreur utile » barrésienne, du « faux patriotique » maurrassien pour que puisse s'élaborer la thèse,
par exemple, du « ne pas désespérer Billancourt ». A
notre bergsonisme, pour prêcher à tant d'hommes de
gauche l'adoration du monde comme il va, la sanctifi-
cation de l'ordre des choses, la communion quasi mys-

tique avec les commandements de l'Histoire et l'obéis-
sance aveugle à ses décrets providentiels. Au maurrassisme encore, pour convaincre des générations et des
générations de Français que l'individualisme ne vaut
rien, que le libéralisme est une superstition dépassée et
que la « démocratie » c'est le « mal », la « mort », face
à la rude réalité des mondes qui se construisent, des
histoires qui se renouent et des nations qui se redres-
sent. Le marxisme, c'est vrai – et c'est grave – a toujours manifesté un souverain dédain pour ce qu'il
appelle les « libertés formelles » : mais l'idéologie française, c'est non moins vrai – et c'est plus grave encore –
a toujours affiché une haine de la « forme » en tant
que telle, de la « liberté » en tant que telle et, donc, de
la forme en soi de la liberté en soi. L'orthodoxie marxiste, c'est indéniable, porte une lourde responsabilité
dans la disqualification des droits de l'homme, cette
séquelle de la « pensée bourgeoise » : mais la vulgate
française, c'est également indéniable, y eut sa part de
responsabilité en instruisant le procès du Droit, de
l'Homme, et de tous leurs corrélats d'anémie et de
décadence. Toutes ces valeurs au nom desquelles les
dissidents par exemple se battent aujourd'hui et qui
sont toutes les armes qui leur restent au fond de leur
malheur, un Marx ou un Lénine les ont certes décrétées
obsolètes, dialectiquement dépassées par leur socialisme scientifique, même si, une fois, jadis, elles eurent,
disent-ils, leur positivité : mais nos maîtres à penser
nationaux ont fait mieux, ont fait pire, pour en étouffer
la voix puisqu'ils les ont décrétées ontologiquement
insensées, métaphysiquement condamnées, et qu'ils
tiennent, à peu près tous, qu'elles n'eurent jamais, en
aucun lieu, en aucun temps, de valeur que négative et
ruineuse pour la « vie ».

Encore une fois, il ne s'agit pas de disculper les uns
pour accabler les autres. Il est hors de question de faire

vertu aux premiers des égarements des seconds. Il est évident surtout – et malheureusement – que ce ne sont ni Péguy ni Maurras qui règnent à la Kolyma ou à Phnom Penh, mais bel et bien des lecteurs de Marx et des héritiers de Lénine. Mais ce que je dis, c'est qu'il est tout aussi évident que Paris n'est pas Phnom Penh. Que si la France fut – et demeure encore souvent – sourde à l'horreur de la Kolyma, c'est la faute à la France, pas à la Kolyma. Que le totalitarisme est une chose, si l'on préfère, et que son acceptation en est une autre, qui emprunte d'autres voies et se formule en d'autres lexiques. Bref, que si le fascisme n'a jamais qu'un visage, il a toujours des relais, en revanche, par où il pénètre les cervelles, adhère dans les consciences et travaille à se légitimer. Et toutes les analyses qui précèdent n'avaient d'autre but que d'isoler ces relais, ces légitimations, ces travaux de la barbarie dans les têtes, – dont je crois le temps venu, simplement, d'admettre, à l'égal du marxisme par exemple, la *haute teneur en totalitarisme.*

Le marxisme, il est vrai, nous facilitait la tâche, qui donnait pour se faire battre les verges d'un système total justement, où se lisaient en clair les machineries de sa terreur. Il suffisait de lire, d'arpenter ses cohérences, de suivre dans leur ordre ses régularités bavardes, pour y voir poindre innocemment ses logiques assassines et mortifères. Mais raison de plus pour aller encore de l'avant. Pour tenter de retrouver l'autre logique, l'autre système, latents sans doute, mais dont on a vu l'efficace. Pour scruter, dans nos discours nationaux, des cohérences mieux déguisées mais apparemment tout aussi opératoires. En un mot : s'interroger maintenant sur ce que signifie proprement *idéologie,* – dans ce que j'ai appelé jusqu'ici « idéologie française ».

TROISIÈME PARTIE

LE FASCISME
AUX COULEURS DE LA FRANCE

Qu'est-ce donc, derechef, que cette idéologie française ? Comment s'organise-t-elle, autour de quelles cohérences, de quelle charpente, de quelles solives théoriques ? Qu'est-ce qui rassemble vraiment, au-delà de leurs échos de surface, tous ces discours disparates, parfois même antagoniques, que nous avons vus naître et croître dans le désordre ? A supposer qu'ils aient une unité, une structure réelle et commune, en quoi nous concerne-t-elle, par où nous menace-t-elle surtout, hommes de la fin d'un autre siècle, témoins d'autres enjeux et engagés dans les combats d'une autre modernité ?

C'est à ces quelques questions que je voudrais maintenant tenter de répondre. En adoptant une nouvelle démarche : plus logique, plus déductive, plus linéaire peut-être et à l'estime conceptuelle. En faisant choix d'une méthode aussi, dont j'annonce d'emblée la couleur : reprendre tous les textes, toute la brassée d'énoncés que nous avons croisés jusqu'ici pour en faire le corpus, maintenant, de cet essai de reconstruction. Et cet objectif alors, au terme idéal du parcours : commencer de tracer, sinon le contour, du moins les axes du dispositif où, aujourd'hui comme hier, et comme peut-être demain, s'enfante, dans les limbes, le fascisme à la française.

1

LES AMPHIBOLOGIES
DU DÉLIRE POLITIQUE

D'abord donc, le désordre. La cacophonie des énoncés. La pluralité des axes, des pôles, des crêtes discursives. Le jeu des contradictions même, des oppositions, des antinomies – un logicien dirait : des amphibologies – qui déchirent visiblement la trame de notre corpus. Et dont je voudrais, sans plus de détour, donner quelques exemples simples, courants, présents à tous les esprits. Pour montrer qu'en réalité, et pour peu qu'on les examine de plus près, elles sont souvent plus feintes qu'effectivement contradictoires. Qu'elles reposent chaque fois sur un malentendu, une confusion, une homonymie patente. Que lorsque l'idéologie française semble pouvoir tenir, avec une identique assurance, deux thèses apparemment adverses, c'est souvent qu'il y en a une troisième, silencieuse mais besogneuse, tacite mais décisive. Et que c'est elle, cette tierce thèse qui, même si elle n'est jamais explicitement proférée ni ouvertement affichée, gouverne les deux autres, préside à leur écart, distribue leurs positions et, incognito dans la coulisse, appose le sceau de leur unité.

Ainsi, pour commencer, de ce paradoxe simple, le plus simple de tous assurément, et qui est celui, comme on dit, de la « gauche » et de la « droite »... Qui se

risquerait à affirmer en effet qu'un Barrès est plutôt
« de droite » et un Péguy plutôt « de gauche » ? Faut-il
tenir la thèse national-socialiste psalmodiée à deux
voix par le gauchiste Sorel et le monarchiste Maurras
comme un produit « réactionnaire » ou un effet de
« progressisme » ? Comment lire à *Esprit,* à *Ordre
nouveau* et ailleurs la folle circulation de ces énoncés
qu'on a vus si aisément passer d'un bord à l'autre, de
ce cours-ci à ce cours-là, et puiser indifféremment aux
deux sources de la religion politique moderne ? Vichy,
notre Vichy national, où tant de « révolutionnaires »
vinrent rejoindre, on s'en souvient, les ombres les plus
notoires de la mémoire « réactionnaire », de quel côté
faut-il le placer de la classique et fatidique barrière ?
Aujourd'hui encore, que penser de ces troubles convergences, tantôt discrètes, tantôt claironnées, entre une
« nouvelle droite » qui renaît spectaculairement de ses
cendres et une nouvelle gauche qui, parfois, vient présider à son baptême ? D'où vient même, de quelle obscure ruse de la raison, de quelle fabuleuse erreur de
calcul historique, que ce soit dans les rangs de certaine
ultragauche que se recrutent, au même moment, les
« historiens » les plus empressés à « réviser » l'histoire
du nazisme et celle de l'holocauste ? On s'en tire généralement en invoquant de commodes palinodies par
quoi de tristes sires changeraient soudainement de
camp. On nous brosse de belles typologies des tempéraments politiques, tracées au cordeau de la logique,
avec, à tout hasard, ici ou là, quelques improbables
gués pour rendre compte des migrations. Pis, on nous
ressert périodiquement les banalités d'usage sur les
extrêmes qui se rejoignent et la mystérieuse attraction
qu'exerceraient l'un sur l'autre les antipodes de la pensée. Et il y a une chose, étrangement, que presque personne ne semble vouloir envisager : c'est que le problème n'est tout simplement pas là ; que, face à des

phénomènes de ce type, c'est la manière même de poser les questions qu'il faut savoir réformer ; que cette géographie consacrée, c'est très exactement ce qui vole en éclats au premier contact, au premier choc totalitaires ; qu'on reconnaît le fascisme, autrement dit, à ceci précisément que sa première manifestation est peut-être de brouiller ces signes politiques et d'invalider d'un seul coup leurs partages institués.

Pourquoi ? Parce qu'on le reconnaît, si l'on préfère, à ceci qu'il commence toujours par dénier le propre sol où ces signes politiques s'affrontent et se déploient. Parce qu'il y a une obsession commune, chaque fois, où s'inscrivent tous ces énoncés divers et qui est, elle, absolument invariante. Et que ce sol qu'il dénie, cet invariant absolu, cette cible mille et une fois visée, c'est ni plus ni moins que ce que, depuis les Lumières, on appelle l'idéal démocratique... Car là, pas de quartier. Pas d'ambiguïtés. Plus de clivages surtout. Barrès peut discuter tel ou tel point du mystère de la Charité de Jeanne d'Arc : il est un point au moins dont il ne débattra jamais, c'est la juste haine péguyste des valeurs démocratiques. Les soréliens peuvent bien, jusqu'à la fin des temps, énumérer tous les désaccords de leur maître avec Maurras, ce ne sont que broutilles, au regard de l'accord, que les deux saints patrons eux-mêmes tenaient pour essentiel, sur la nécessité d'abattre l'ordre parlementaire. Mounier, c'est évident, n'était pas un fanatique de Vichy, et l'on pourrait citer abondance de textes marquant l'écart et la distance : reste qu'il se rallia au régime et que, s'il s'y rallia, c'est qu'il tenait pour fondamentale la critique du libéralisme qui était, de fait, au fondement de l'aventure pétainiste. Je n'insiste pas. Je ne multiplierai ni répéterai les exemples. On n'en a que trop vu déjà, tout au long de notre enquête. Mais la conclusion qui s'impose, en revanche, et dont j'aimerais que l'on se décidât à prendre enfin la mesure, c'est que nous pensons dans une culture où il est devenu, ce libéralisme, le parent pauvre de la pensée. C'est que nous avons une cléricature qui n'a pas cessé, depuis un siècle, d'en battre les principes en brèche et de dresser inlassablement leur acte de décès. C'est que nous vivons dans un pays qui, contrairement à la légende, n'a plus, depuis longtemps, d'authentique *doctrine* démocratique et où cette doctrine s'est lentement enlisée dans un désert de déshérence et de pathétique jachère. Zola ? Ce n'est pas lui, hélas, le « prince de la jeunesse ». Camus ? Oui, parlons de Camus, du couperet si vite tombé et de l'infamante couronne d'épines qui le sacre, depuis vingt ans, « philosophe pour classes terminales » et roi fainéant de la pensée molle. Blum ? Jaurès ? Je doute qu'on puisse citer plus d'un ou deux grands intellectuels qui se soient risqués à réfléchir sur leur « social-démocratie », sans être aussitôt mis au rang des benêts, des imbéciles et des pauvres hères. Car l'évidence est là, terrible, – et la menace, à mes yeux majeure, que nous héritons d'un lustre d'idéologie française : la France n'est plus que sur les marges, par accident ou par habitude, la patrie des droits de l'homme.

Cela ne veut pas dire bien sûr qu'elle soit mûre pour le fascisme. Mais cela veut dire, par contre, que le temps de la vigilance est peut-être revenu. Et qu'il faut reprendre de toute urgence les chemins de la mémoire et de ses anciennes leçons... Dresser l'oreille par exemple quand, d'un bord à l'autre du spectre politique, recommence de se dire que les « droits de l'homme » précisément sont une « mode » ou un « leurre » : et se souvenir que c'est ainsi que l'on parlait, d'un bord à l'autre déjà, à l'aube du national-socialisme à la française. Se tenir en alerte quand on voit un secrétaire général du P.C.F. marcher main dans la main d'un prince élyséen dont chaque année de règne semble marquer un pas de plus sur les pistes du passé : et savoir que ce qui se joue là, c'est, bien au-delà de telle machination électorale, le retour, la persistance, la tragique pérennité d'un consensus qui veut que la voix de la liberté – en l'occurrence celle des dissidents – ne vaut pas celle de la Puissance – quelques minutes de conversation avec Brejnev, le tsar rouge. Trembler encore quand, au lendemain d'une série d'attentats qui endeuillent atrocement Paris, de bons apôtres nous somment de serrer les rangs, de fermer les bouches, d'oublier le Goulag pour mieux songer au retour d'Auschwitz, et d'emboîter ainsi le pas à une vieille gauche soudain muée en championne de la nouvelle « résistance » : car il faut se rappeler, de nouveau, le piège fatal où s'enferrèrent nos aînés quand ils acceptèrent de sacrifier Boukharine à la cause de Dimitrov, de se rallier à Staline pour mieux combattre Hitler, de mettre l'antitotalitarisme en berne pour lever plus haut l'étendard de la lutte antinazie, – et de marcher droit, de la sorte, à la catastrophe finale. Bref, ce piège, tous ces pièges, je crois que les hommes de mon temps ne sauront les conjurer que s'ils consentent à ce premier constat : l'idéologie française contre laquelle ils ont, eurent et auront à lutter n'est ni premièrement de gauche, ni premièrement de droite, mais premièrement, simplement, massivement hostile, je le répète, aux valeurs démocratiques.

Je dis les valeurs démocratiques. Mais je pourrais dire aussi bien les valeurs tout court et en général. Et je voudrais, pour l'illustrer, m'attarder à une seconde amphibologie, centrale également à l'idéologie française et non moins centrale, hélas, aux débats d'aujourd'hui : la question, le dilemme, de la

« Guerre » et de la « Paix »... Car là non plus, nous le
savons, les choses ne sont pas simples. On ne peut pas
dire, par exemple, comme font parfois les démagogues
que le bellicisme soit par nature un indice et un pro-
drome du fascisme : c'était l'inverse avant 39, quand la
résistance à l'hitlérisme commandait de s'armer et d'envisager, comme Malraux et quelques autres, une action
préventive contre le Reich. On ne peut pas dire pour
autant, comme inciterait à le croire l'expérience de
Vichy, que ce soit dans le pacifisme que gisent toujours
les forces de l'abandon : c'était le contraire avant 14,
quand la résistance à la barbarie ordonnait de penser la
paix et de faire échec, avec Jaurès, au torrent d'hystérie
collective qui inondait la France d'alors. On ne peut
toujours pas dire que le fascisme ne soit ni l'un ni
l'autre, ou à mi-chemin des deux attitudes extrêmes : il
fut l'un et l'autre, l'un puis l'autre, un délire extrême
succédant à l'autre délire extrême dans l'intervalle des
deux conflits, où l'on vit la droite française passer sans
coup férir du bellicisme le plus germanophobe à un
pacifisme ouvertement, complaisamment germano-
phile. Ce sont des exemples, bien sûr. Ce ne sont que
des exemples, tributaires de leur histoire. Mais ils indi-
quent que, là aussi, le choix est indifférent. Que ce type
de partage, proclamé dans l'absolu, n'a pas grande
signification. Que le fascisme réel, comme dans le cas
de la « gauche » et de la « droite », puise indifféremment aux deux sources. Et qu'il faut se déshabituer de
chercher là, dans le face-à-face de ces deux « ismes »
aussi creux que ronflants, de quoi se repérer dans les
énigmes du siècle comme peut-être dans les apories et
les incertitudes du jour.

Car le problème, en réalité, quand on regarde les
textes, n'est pas « guerre » et « paix ». Mais « guerre »
et « guerre ». « Paix » et « paix ». Et de singuliers jeux
croisés entre les quatre termes. D'un côté en effet il y a

la guerre pour la guerre, « sans autre idée » ni idéal[1] :
c'est, dans la tradition de Péguy ou Psichari, l'idéal
d'un Drieu, idolâtre de l'« épée » et des vertus martia-
les[2], ce luxe infructueux, cette vaine religion ; et, de
l'autre, la guerre hors la guerre, suspendue à d'autres
horizons, asservie à d'autres exigences : c'est, au Collège de sociologie par exemple, le parti pris de ceux
qui, dans les mêmes années, la mort dans l'âme et sans
joie, se résignèrent à la lutte, comme à une morne
nécessité, une indigente obligation, dictées simplement
par une situation d'urgence[3]. D'un côté, symétriquement, la paix pour la paix, sans autre souci ni
impératif : c'est Giono par exemple dont toute la philosophie – toute la religion encore – tient en cette unique
conviction que mieux vaut vivre couché que risquer de
mourir debout et endurer paisiblement la barbarie que
s'efforcer à se battre pour en conjurer l'horreur[4] ; et, de
l'autre, la paix toujours, mais la paix hors la paix,
inestimable bien, à coup sûr, mais qu'il faut parfois
interrompre quand l'horreur, discrète encore, menace
d'en ruiner les bienfaits : c'est le pacifisme critique de
ceux qui, contemporains de Giono, sans rien renier de
leur serment ancien de ne plus jamais endosser
l'« abjecte capote bleu horizon », s'avisèrent, tels Breton ou Crevel, qu'il ne suffisait plus, pour faire la paix,
de « se mobiliser contre la guerre »[5]... Ce sont ces hommes-là curieusement qui, pacifistes critiques et bellicistes d'une heure, constituèrent le jour venu les plus luci-
des foyers de l'esprit antimunichois. Ce sont les autres
en revanche qui, bellicistes à tout crin confondus aux
pacifistes à tout prix, se rallièrent, le jour venu aussi, à
la version française de la révolution fasciste. Car c'est
là, en fait, qu'est le véritable partage : entre ceux qui,
ne sacralisant aucune des deux fausses valeurs ânon-
nées par l'idéologie française, ne voient dans les armes
prises ou déposées que des recours de provision, – de

simples moyens par exemple de défendre la civilisation ; et ceux qui, concurremment mais indifféremment
mystiques, adorateurs aveugles de la guerre ou de la
paix peu importe, s'avisent toujours, au bout du
compte, que rien, comme le disait Péguy déjà, ne ressemble davantage à une mystique qu'une mystique
adverse, – et que rien n'est plus naturel, du coup,
quand on adore la paix, que de céder devant la force
triomphante ou, quand on adore la force, de pactiser
devant la paix armée.

Nous n'en sommes plus là, bien sûr. Les temps ont
changé, cela n'est pas douteux. La menace qui pèse sur
l'Occident libéral s'est elle-même éloignée, au moins
géographiquement, qui nous vient à présent de l'Empire soviétique. Mais qui ne voit que le schéma, lui,
s'est à peine modifié ? Qu'il perpétue dans les consciences les mêmes lignes de clivage ? Et que le même
dispositif, scellé par un siècle d'idéologie, persiste à
fonctionner ? D'un côté il y a – et il y aurait, je le
crains, aux jours du péril revenu – la grande cohorte de
ceux qui, tenant pour la paix coûte que coûte, s'emploient d'ores et déjà à la payer son prix de chair
afghane, comme autrefois espagnole ; mais aussi, tout
auprès d'elle, la petite troupe de ceux qui[6], vouant une
identique ferveur aux « soldats allemands » et aux
« parachutistes français », aux « héros du Japon éternel » et aux « cadets soviétiques », seraient parmi les
premiers, exactement comme Brasillach et Drieu
avant-hier, à rendre hommage aux valeureux et à pres-
tement prendre leur carte du parti des soldats triom-
phants. Tandis que de l'autre côté, en revanche, du côté
de l'antimunichisme et de la résistance ressuscités, se
tiennent – et se tiendraient probablement – la foule de
ceux qui, refusant les vertiges de l'une et l'autre mystique, adorent d'autres dieux et marchent sous d'autres
bannières ; qui, passionnés de liberté plutôt, de droits

des hommes et des peuples, refusent avec une égale vigueur l'infamie d'une paix bâtie sur les charniers et l'horreur d'une guerre d'esclaves et de bagnards ; qui, plaçant l'idéal et ses transcendantes valeurs au poste de commandement, ont pu à la fois par exemple, pour les mêmes raisons, sans la moindre contradiction, militer pour une assistance militaire aux Afghans immolés sur l'autel du pacifisme fanatique, et contre l'intervention militaire au Vietnam, sacrifié à la gloire d'un bellicisme sans loi ; la foule de ceux qui, en un mot, savent prendre chaque fois le contrepied d'une idéologie française dont on aura compris qu'avant d'être belliciste ou pacifiste, elle est surtout impuissante à penser en termes de valeurs : à opérer, en d'autres termes, la distinction, essentielle à tout antifascisme conséquent, des guerres justes et injustes, – de la paix des collabos et de celle des résistants.

Ainsi, une troisième amphibologie, qui se résout de la même façon et qui concerne le dilemme très ancien, mais qu'on aurait tort de croire pour autant dépassé, de la Nation d'un côté et des rêves qu'on y oppose de supranationalité... Le nationalisme en effet est-il toujours et nécessairement, comme on a un peu vite tendance à l'affirmer, générateur de fascisme ? En un sens oui, si l'on songe à sa fortune aux temps du pétainisme ; à son indéniable insistance dans les textes de Barrès, Maurras et les autres ; à ses douteuses résurgences, à gauche comme à droite, dans le discours cocardier de nos partis les plus évidemment réactionnaires. Mais en un autre, non, puisque c'est au nom de la Nation que se battait aussi Zola, au moment de l'affaire Dreyfus ; au nom de la France que tant de partisans, en 40, marchèrent au combat et parfois au sup-

plice ; derrière le drapeau tricolore que d'autres partisans, demain, pourraient avoir à se rassembler et à
résister à nouveau. L'internationalisme, inversement,
est-il toujours, obligatoirement, et presque par vocation, suppôt d'antifascisme ? Assurément oui, quand il
vient contrarier chez un Benda le chauvinisme et la
xénophobie ambiante[7]. Quand, chez Breton de nouveau, il permet de faire figurer à l'exposition surréaliste
de 1938 des proscrits allemands et italiens que rejette et
condamne l'essentiel de la presse et de la classe politique du moment[8] ; quand, dans le Paris de 1968 encore,
il inspire le magnifique « Nous sommes tous des juifs
allemands », lancé comme une gifle à la face de l'autre
France, celle des crétins et des canailles qui préféraient
crier, eux, « Cohn-Bendit à Dachau ». Mais non, en
même temps, assurément et paradoxalement non, puisqu'il est là aussi, cet internationalisme, dans le patrimoine de cette autre France ; que c'est au nom de l'Europe par exemple, et de « l'Europe contre les patries »,
que Drieu, dès la fin des années 20, engage explicitement son combat[9] ; et que c'est à l'Europe de nouveau,
jamais à la nation, qu'en appellent, dans le Paris de
1980, les nouveaux tenants de l'internationale noire et
les nostalgiques de l'empire hitlérien[10]... Le fascisme,
autrement dit, est indifféremment nationaliste et antinational. Également, tour à tour, cosmopolite et anti-
cosmopolite. Comme s'il s'agissait, de nouveau, d'un
faux débat et d'un clivage illusoire. Ou mieux : que,
sous le pavillon des mots, circulaient des valeurs et des
contenus différents.

Car prenez le mot de nation d'abord et la façon dont
il s'entend chez Pétain et de Gaulle par exemple... Quel
rapport entre celle du premier, liée au sol et à la terre,
au territoire où elle est sise et aux frontières où elle
s'abrite[11], – et celle du second, privée de toute assise et
de toute géographie, terre dans la tête aussi bien et de

quasi fantasmagorie qui, comme la Jérusalem biblique, se fortifie de son exil et de ses attaches expatriées ? Peut-on comparer la petite patrie pétainiste, concrète et charnelle à souhait, pétrie de sang et de morts, dont on peut fouler le sol, humer les odeurs familières, contempler les cimetières et entendre les angélus, – et la pure Idée gaullienne, abstraite et désincarnée, tissée d'ombres et de songes, hallucination d'un visionnaire qui en déchiffre le destin moins dans ses pierres et dans ses champs que dans la lettre des livres et le mirage de légendes d'un autre âge ? Ne sont-elles pas strictement antonymes même, cette nation substantielle, accrochée à ses racines, confondue à son limon et qui est perçue, du coup, comme un a-priori du temps, donné une fois pour toutes, et dont rien ni personne n'entameront jamais l'ontologique éternité, – et l'autre, irréelle, proprement déracinée, âme séparée de son corps et être sans étance, qui se perd et se conquiert, s'éclipse et se restaure, chimère de lumière en même temps qu'évanescente, dont seuls le Verbe et l'Éthique peuvent maintenir, consacrer, éterniser la valeur quand d'aventure elle défaille ? L'Histoire, comme on sait, ne s'y est pas trompée qui conduisit très logiquement les nationalistes de la terre à ne pas imaginer d'autre solution que de demeurer sur la terre justement, rivés à leur place, et fixés à leur glèbe, – et donc à trahir. Le parti inverse, celui de la Résistance, ne s'explique pas autrement non plus, puisque seul un nationalisme de l'Idée rendait possible cette folle, cette insensée, cette inconcevable prétention à incarner depuis Londres, c'est-à-dire du dehors, si ce n'est même de l'« étranger », la vérité et l'honneur perdus de la France. Pour ma part – faut-il le dire ? – c'est de cette France-ci, de cette vérité rêveuse, que je me sens le fils : de cette France des nuées et de langues haut gravées, de cette France de papier et de lettres si fragiles, de cette France sans odeur qui parfois

sut défier le ciel, – de cette France, en un mot, dont
Malraux disait, je crois, qu'elle n'est jamais aussi
grande que lorsqu'elle l'est pour tous les hommes.

Voyez alors, et parallèlement, le thème supranational
et la façon dont raisonnent les hommes qui, à la veille
de cet affrontement, aux heures du pré-vichysme, l'opposent aux thèmes patriotes... Croit-on que Drieu par
exemple, quand il joue « l'Europe contre les patries »
et qu'il se retire, comme dit *Gilles*[12], « de l'ordre des
nations », rêve d'un monde de nuées, d'une communauté sans odeur et d'une humanité réconciliée, par-
dessus la glaise, en une république des esprits ? Ce qui
frappe, dans *Gilles* justement ou dans *Genève ou Moscou,* c'est qu'on y retrouve au contraire, rigoureusement inchangés même si étendus maintenant au cadre
européen, tous les fantasmes majeurs – la race, la force,
le sang – du nationalisme de la terre. S'attend-on à ce
que Thierry Maulnier et la jeune droite, quand ils rom-
pent avec le nationalisme périmé de leurs parrains
d'Action française, lui reprochent ses identités réductri-
ces et étroitement empiriques ? C'est l'inverse plutôt ;
c'est à son abstraction qu'ils en ont, et à sa froide
irréalité ; c'est parce qu'elle n'est pas assez concrète,
pas assez substantielle encore, qu'ils veulent en excéder
le cadre ; et c'est à une communauté mieux que jamais
pétrie de leurs vieilles obsessions qu'ils aspirent, dans
leurs nostalgies du Saint Empire médiéval d'autrefois[13].
Mounier et ses amis d'*Esprit* enfin, vont-ils, quand ils
instruisent à leur tour le procès de la nation classique,
instruire aussi du même coup celui de l'esprit de terroir ? Las ! c'est d'un excès d'« abstraction »[14] toujours,
que crève à leurs yeux cette nation ; ils y voient un
désert, un effroyable « cimetière logique »[15], où s'égare
et se mutile la chair de leurs sujets ; et c'est pour mieux
le terrer, mieux l'enterrer, mieux l'enraciner encore
qu'ils envisagent parfois de déborder le cadre « sclé-

rosé » de l'État-Nation traditionnel[16]... Si j'insiste sur ces trois exemples ce n'est certes pas pour insinuer qu'à cela se réduit tout le discours européen de l'époque. Ce n'est pas que j'y attache plus d'importance qu'au cosmopolitisme génialement subversif des surréalistes déjà cités. Mais c'est pour indiquer justement qu'il y a, là aussi, Europe et Europe et qu'on peut fort bien brandir le mot sans rien modifier d'essentiel au dispositif nationaliste classique. Pour rappeler, à l'intention de nos débats présents et futurs, que le fascisme, de nouveau, s'abreuve aux deux sources, pour peu qu'il irrigue l'une des fantasmes de l'autre et que, dans le cas par exemple de tel ou tel groupuscule néonazi contemporain, il ne coule rien, dans le creuset européen, qu'une myriade d'ethnies agglomérées. Pour marquer, en résumé, qu'il importe toujours aussi peu à l'idéologie française de choisir entre les deux termes considérés en tant que tels, – dès lors que son fin mot, en quelque langue qu'elle le décline, est en fait celui-ci : le choix du concret contre l'abstrait, de l'immanent contre le transcendant, des valeurs particularistes contre les grands signifiants d'universalité.

De là, alors, qu'il ne lui importe pas davantage – et pour des raisons analogues – de choisir entre ce nationalisme et le régionalisme mythique qu'on lui oppose souvent et qui nous arrive ces jours-ci paré de toutes les vertus de la « recherche d'identité »... Faut-il rappeler que le mythe apparaît chez Mistral, poète et chantre de Provence, qui fut aussi le seul personnage, hormis Jeanne d'Arc, à qui le Maréchal Pétain ait fait l'honneur d'un bref mais entier Message[17] ? Qu'on le retrouve un peu plus tard chez Hippolyte Taine, dont il nourrit la nostalgie des provinces d'ancienne France,

arbitrairement découpées, dit-il, en arbitraires départe-
ments par les « ciseaux » meurtriers des « géomètres »
napoléoniens[18] ? Qu'il passe à travers le barrésisme, le
maurrassisme, le péguysme et leurs peuples d'autochtones, attachés à leurs collines, enchaînés à leurs clochers
et enfouis dans les tréfonds de ces « unités naturelles »
où s'arrête et abdique, selon eux, le Léviathan étatique ? Qu'*Esprit* – toujours présent, décidément ! –
s'orne en janvier 1941 d'un vibrant éloge des folklores
et des danses populaires où excellent, dit-on, les bien-
heureux qui conservent « par atavisme » le « souvenir
cellulaire de leur milieu ethnique »[19] ? Tout le
vichysme, de fait, fut imprégné de cette thématique et
en tira même, sous l'influence de Charles-Brun et
Joseph de Pesquidoux, sa réforme régionale d'août
1941 qui, prétendant enjamber la parenthèse de 1789,
retrouvait les vieilles divisions de la France monarchiste[20]. Et c'est toujours le même vieux cheval de
retour idéologique, enfin, qu'enfourche actuellement la
« nouvelle droite » avec son culte des ethnies, des
microcultures populaires, des identités collectives res-
taurées... Cela ne veut pas dire, bien entendu, qu'il
faille réduire à cela toutes les justes révoltes, modernes
ou anciennes, des minorités opprimées. Cela ne signifie
pas que le régionalisme soit, par nature et nécessairement, imprégné de ces héritages. Mais cela signifie simplement – et c'est déjà beaucoup – que le fascisme, ce
n'est pas seulement la musique martiale des dévots de
l'État-Nation : mais qu'il peut, lui aussi, parler patois,
danser au rythme des bourrées, marcher au son des
binious[21].

Pourquoi ? Par quel prodige ? En vertu de quelle
contradiction ? Aucun prodige là-dedans. Toujours pas
de contradiction. Car il suffit de lire les textes pour
s'apercevoir que si les deux discours sont également
tenables, c'est que, de nouveau, et au fond, ils disent

strictement la même chose... N'allez pas imaginer, aver-
tissent les mistraliens par exemple, que l'amour de la
« petite patrie » écarte du culte de la grande : il en
rapproche au contraire, y invite, y éduque, – providen-
tielle propédeutique à la dévotion patriote. N'allez pas
croire, ajoute Taine de son côté, que mes provinces
remodelées soient des nations dans la Nation : elles en
sont les moellons plutôt, les vives et réelles meulières,
les seules vraies fondations où s'arc-boutent ses monu-
ments. Pas davantage Péguy et Barrès avec leurs terroirs et leurs terriers ne visent à décomposer la forme
étatique existante : ils sont l'un et l'autre républicains,
héritiers de la république une et indivisible, et n'ont
souci que de recomposer cette unité sur les bases saines
de la pluralité des mondes de Lorraine, de Beauce et
d'Ile-de-France. Maurras lui-même a beau être monarchiste, et Vichy antirépublicain : le schéma est le même
d'une France une encore, également indivisible, identiquement entée sur des unités premières qui, loin de
l'émietter, lui font comme une hiérarchie de socles qui
l'épaulent et la soutiennent. Et quant aux responsables
du numéro d'*Esprit* sur les folklores ou aux tenants
modernes – la « nouvelle droite » – de la restauration
des identités collectives, il serait absurde de les soup-
çonner du moindre dessein séparatiste, puisque c'est à
souder qu'ils s'emploient eux aussi, c'est-à-dire à organiser, c'est-à-dire à articuler les grands membres épars
d'un être social toujours au bord de se défaire. Est-ce
assez clair ? Le régionalisme, pour tous ces hommes,
n'est pas l'antidote du nationalisme, mais son plus précieux, son plus efficace contrefort. L'antijacobinisme
n'est pas le contraire du jacobinisme classique, mais
son envers, son pastiche et son double parodique. Le
rêve décentraliseur, en ce sens, n'est pas un remède aux
excès du centralisme, mais leur ruse la plus sournoise et
leur dénégation imaginaire. Avis aux amateurs de

France profonde et de micrologies sociales : elles ne
nous préparent bien souvent que des macrosociétés qui,
loin de réduire la cohésion du lien de servitude, le
tendent comme jamais et en décuplent ainsi la puissance.

Le nationalisme de la terre, tout à l'heure, était-il
xénophobe ? Le régionalisme l'est aussi, il l'est même
davantage et plus radicalement, – et il n'a pas son
pareil pour resserrer les frontières à l'abri desquelles
l'autochtone peut se séparer de l'étranger et l'exclure
désormais sans appel de son espace de convivialité. Le
racisme se nourrissait-il de racines, s'abreuvait-il aux
sources du sang français et se crispait-il sur un sol
propre, farouchement identitaire ? Il n'est pas de plus
propre sol, de sang plus identique, de plus loquaces
racines qu'en ces lieux étrécis, frileusement clos sur
eux-mêmes, que sont les minilocalités régionales. Le
chauvinisme est-il une tare qui s'attache volontiers au
nationalisme traditionnel ? Il ne s'y attache pas toujours, on l'a vu ; il y est parfois même mal à l'aise ; il y
a dans l'idée même de Nation un reste d'universalité
qui y résiste sourdement ; mais la petite nation, elle, en
revanche, s'y prête sans ambiguïté, l'accueille sans réti-
cence aucune, et constitue le meilleur repaire de son
fanatisme. Qu'y a-t-il de plus imbécile enfin, de plus
bêtement obscurantiste, qu'un nationaliste qui, dans les
œuvres de l'esprit, dans un livre ou dans une toile,
s'attache à retrouver la trace d'un hypothétique « génie
français » ? C'est un régionaliste qui, dans les mêmes
œuvres de l'esprit, dans le même livre ou la même toile,
ne hume plus que les parfums de Lorraine, des grasses
terres de Beauce ou des embruns bretons... Car ce qui
se perd alors, plus radicalement que jamais, c'est cette
essentielle rupture que consomme, nous le savons,
toute œuvre de culture avec les conditions de sa genèse.
C'est le dialogue, le concert, l'oraison croisée des

œuvres par-delà les frontières et les désinences ethniques. C'est la liberté même des hommes dont Moïse, saint Paul et tant d'autres après eux, nous ont appris qu'ils n'accèdent à leur vérité qu'en tranchant et en renouant les liens qui les arriment à leurs lignages d'origine. De tout cela, donc, le régionaliste n'a cure. Il se conçoit, il nous conçoit, comme des théories de limaces fixées au ras des champs dont elles balbutieraient sans fin la sèche et muette langue. Bref, ils enferment le sujet dans sa définition la plus grêle, la plus calamiteuse et finalement la plus asservissante.

C'est peu dire alors qu'il est une parodie de jacobinisme : il en est le multiplicateur, expert à ficher dans les têtes ses plus lourdes semonces. Peu dire également qu'évoquer sa connivence avec le discours pétainiste : c'est un pétainisme achevé, un pétainisme au carré, plus inquiétant même que l'autre parce que plus efficace. Point assez encore que de dénoncer le leurre, l'illusion qu'il constitue : il a sa vérité, son poids de réalité qui est de porter à l'extrême, à leur incandescence maximale, quelques-unes des plus hideuses tentations de la modernité. Dirai-je que, face à cela, face à tant d'épaisse sottise, j'ai presque envie, parfois, d'entonner l'hymne à la France une et éternelle ? Qu'en face d'un Corse en armes ou d'un Breton déguisé en druide, je suis presque tenté de me ranger aux côtés des partisans inconditionnels de la cohésion territoriale du pays ? Ce qui m'en retient, en fait, c'est que tout cela revient finalement au même. Qu'infra, supra ou simple nationalistes pensent au fond de la même façon qui, dans tous les cas, m'écœure. Qu'ils manquent tous l'essentiel de ce qui fait une communauté vivable et qui est la transgression permanente, continuelle, continuée, de toutes les unités, de tous les groupes, de toutes les identités. Qu'ils oublient tous que les hommes, quand ils sont libres, se rassemblent sur une idée, sur des images,

sur des symboles, et non sur les sites obscurs où la
nature les a fait advenir. Que le régionalisme, en un
mot, partage avec le nationalisme et avec les projets
européens de tout à l'heure un même préjugé qui est
bel et bien, sur ce point, le commun dénominateur à
l'idéologie française : dans les trois hypothèses, il n'est
de communauté que naturelle, donnée une fois pour
toutes et où il suffit, pour survivre, de sagement s'enraciner.

   Je reviendrai très bientôt à ce thème naturaliste et au
désastre qu'il induit dans les têtes contemporaines. Je
m'expliquerai davantage sur le parti pris antinaturaliste
que d'autres penseurs surent d'emblée lui opposer et
dont il reste, aujourd'hui encore, à réinventer les
leçons. Mais je voudrais d'abord – et pour en finir avec
cette série de remarques – m'attarder un moment sur
une cinquième amphibologie, liée aux précédentes, et
qui concerne les deux visages, « archaïque » et
« moderniste », du modèle fasciste français... Car revenons, une dernière fois, aux instructions du pétainisme.
Est-on bien certain d'en avoir fini avec lui quand on y
a vu, comme on fait presque toujours, la nostalgie pas-
séiste et réactionnaire de la France paysanne, artisanale, pré-industrielle ? Quand on y a dénoncé le culte
du travail bien fait, de la famille prolifique et vaillante,
des patries en tous genres et de leur cortège de vieille-
ries ? Quand on a recensé tous les hommes qui, au
cabinet du Maréchal, dans les mouvements de jeunesse,
dans l'appareil universitaire ou à la une du *Figaro* et
du *Temps* chantèrent les vertus du retour à la terre et
de la morale catholique d'avant-hier ? Quand on ne
distingue, somme toute, en toute cette aventure, qu'un
obscur combat d'arrière-garde mené par une poignée

de notables contre les forces de progrès, l'irréversible tendance à l'urbanisation et le souffle de « décadence » qui menacerait, sans eux, d'emporter la France loin de ses vérités profondes et de son ordre pastoral ? Les choses seraient simples, bien sûr, si elles se réduisaient à cela. Elles sont simples, de fait, depuis quarante ans que l'on réduit le régime à cette caricaturale et finalement inoffensive image. Tout va pour le mieux dans le meilleur des mondes puisque Vichy n'aurait rien été d'autre qu'une coalition de barbons, au discours défraîchi et presque grotesque, qui auraient rêvé d'une impossible France, magiquement reconduite, en plein XXe siècle, à ses très anciens états. Le malheur, c'est qu'on oublie ainsi *l'autre* Vichy, *l'autre* dimension de Vichy, au moins aussi importante, même si opposée à celle-ci, – et qui, elle, par contre, nous concerne de très près.

Cet autre Vichy, plus mal connu[22], ce sont des hommes d'abord, qui s'appellent Bichelonne, Lehideux ou Bouthillier et qui se moquent éperdument des douces mélancolies qui hantent tel ou tel fidèle du Maréchal. Ce sont des mots ensuite, toute une batterie de mots nouveaux, qui envahissent la coulisse, puis l'avant-scène du régime, et ne parlent plus aux Français que l'étrange langue de la « croissance », du « rendement », de la « productivité », de l'« efficacité économique », et de la « rationalisation des choix ». Ce sont des actes du coup, une bien concrète politique – il faudrait dire, pour être précis, et fidèle à cette langue, une réaliste « administration » – qui aboutit, en fait de retour à la terre, à la cartellisation de l'agriculture et, en guise de retour à l'artisanat, à une concentration inouïe de l'appareil industriel[23]. C'est une tradition enfin, moins ancienne assurément, mais qui a déjà ses lettres de noblesse, avec, dans les années 30, la naissance du planisme, les travaux du groupe « X-crise »

fondé par Jean Coutrot[24], l'activité d'un Philippe
Lamour, animateur d'un éphémère « Parti fasciste
révolutionnaire », puis directeur plus heureux de cette
petite revue *Plans* où l'on trouve – outre Le Corbusier,
Fernand Léger, Arthur Honegger et André Cayatte –
de jeunes polytechniciens penseurs de la technique[25].
Oui, Vichy ce fut aussi ce modernisme résolu. Ce
Vichy-ci n'est plus conservateur, mais vigoureusement
activiste. Cet activisme, cette révolution, il ne les pense
plus comme un retour, une restauration de l'origine,
mais comme l'avènement d'une logique nouvelle et
futuriste. Cette logique elle-même n'a apparemment
plus rien à voir avec celle de la terre, du sang, de la
race, de la nation d'antan puisqu'elle se construit dans
le béton, les statistiques et de grands bruits de ferraille.
Et s'il fallait à tout prix une image pour la définir, ce
serait moins celle de la France mélinienne, où s'attarde
encore le clan des traditionalistes, que celle d'un clan
d'experts, de techniciens, de technocrates qui préfigure
déjà, pour l'essentiel de sa démarche, celui qui triom-
phera plus tard, à l'heure de la Vᵉ République.

Deux Vichy donc et deux idéologies ? Deux clans
rivaux qui se seraient disputé le pouvoir ? Ou bien
deux courants successifs dont le second, peu à peu, et à
mesure notamment des besoins de l'industrie de guerre
allemande, l'aurait emporté sur le premier ? Ou bien
encore la preuve d'un pétainisme bifide, écartelé d'avec
lui-même, déchiré en son milieu et par conséquent
hétérogène ? Rien de tout cela n'est faux, bien sûr.
Mais rien, non plus, réellement satisfaisant. Car toutes
ces explications, qu'on avance généralement, demeurent aveugles à un certain nombre d'éléments qui sont
pourtant troublants. L'étrange cohabitation par exemple, dans la revue *Plans* déjà, du thème de l'« homme
réel », concret, revitalisé, avec celui d'un monde abstrait, machinisé, hyperrationalisé[26]. Cet énergétisme, ce

juvénisme, souvent même ce nationalisme diffus, qui persistent, telles de vastes poches de barrésisme sous le masque froid et volontiers apathique des jeunes et austères planistes des années 30. Ce fait aussi, que les « experts » que Vichy porte au pouvoir ne sont pas n'importe quels experts, mais des experts de la chose, des spécialistes du terrain, des professionnels, si l'on veut, avant que des généralistes, et des hommes de métier, toujours des hommes de métier, plutôt que d'abstraits théoriciens. Cette singulière manie qu'a le Maréchal, alors, de nommer des médecins à la Santé, des ingénieurs aux Travaux publics, des officiers à la Défense, des médaillés de 14 aux Anciens Combattants ou des pères prolifiques à la Famille[27]. Comme si, là encore, jusque dans sa facette technicienne, le fascisme était hanté par la même obsession de concrétude et de naturalisme. Que technicien comme paysan, technocrate comme traditionaliste, moderniste comme tout à l'heure archaïque, il concevait la société comme un grand corps aux multiples fonctions qu'il suffirait de savoir faire *fonctionner,* justement. Que les nouveaux délogent les anciens, que les compétents prennent le pas sur les notables, ou les notables au contraire sur les futuristes, le même fantasme demeure, autrement dit, – que Pétain exprime assez bien lorsque, çà et là, il définit l'État de ses rêves comme un *organisme.* Et le concept clé, cette fois, est bel et bien celui d'un *organicisme,* qu'on retrouve aujourd'hui encore, d'ailleurs, au centre des textes « théoriques » de la « nouvelle droite ».

Clair à partir de là qu'instruire le procès de l'archaïsme en tant que tel n'a pas très grand sens : on peut parfaitement concevoir des archaïsmes qui, parce qu'ils sont des lieux de dissidence et non d'intégration, parce qu'ils fissurent les fantasmes organicistes au lieu de les souder, constituent des appels à la résistance, –

voyez là-dessus Soljénitsyne et quelques autres. Clair
également que l'éloge symétrique et sans nuances du
modernisme serait tout aussi frivole et risqué : le fascisme, on vient de le voir et on pourrait le revoir, s'y
est trop souvent risqué lui-même pour que le thème
puisse avoir quelque signification que ce soit. Urgent
alors de savoir de quoi on parle et comment parle,
surtout, la menace éventuelle : ceux qui renvoient à la
République giscardienne l'infamante accusation de
pétainisme perdraient leur temps à tenter de l'étayer
sur une nostalgie des folklores ou de l'Auvergne éternelle, qui manifestement n'y est point ; mais ils vise-
raient beaucoup plus juste s'ils se décidaient à l'analyse
qui nous manque de sa conception des élites, de sa
définition de la planification ou de ce qu'elle entend au
juste par technocratie*. Archaïsme ou modernisme ?
Ce peut être l'un. Ce peut être l'autre. Ce peut être l'un
et l'autre. Éventuellement même ni l'un ni l'autre. Car
nos traditions fascistes marchent sur les deux jambes.
C'est-à-dire là encore sur une troisième, qui commande
silencieusement au mouvement, au déplacement, à l'articulation des premières. Et qui est donc cet « organicisme » dont il reste maintenant à épeler la définition.

Organicisme. Naturalisme. Refus des valeurs universalistes. Déni des valeurs tout court. Et haine de la
démocratie... Tout cela, dira-t-on, n'est finalement pas
bien terrible. Pas de quoi s'émouvoir, murmurent
peut-être les amateurs de grand-guignol, devant cette

* Je ne songe pas là au procès convenu, et qui n'a pas grand sens, de la
« technique », de la « technocratie » ou de la « bureaucratie » en tant que
telles. Pas davantage aux éternelles complaintes contre la « société bloquée », les « raideurs » de la machine étatique et autres tartes à la crème, en
honneur dans les années 60. Mais plutôt à cet élitisme, à ce culte des
« meilleurs » qui imbibent le discours giscardien. Aux métaphores « organicistes », insistantes dans un livre comme *Démocratie française*. Au thème
même de la « décrispation » dont on verra aux chapitres suivants qu'il est
au cœur de la problématique pétainiste.

cascade de concepts sévères et parfaitement incolores. Quelle déception, songeront d'autres, qui jouent à se faire peur avec des monstres sur mesure, couteau entre les dents et bombes à portée de la main... Et pourtant, c'est ainsi. C'est là-dessus, sur ces mots d'ordre familiers et apparemment inoffensifs, que peut croître le reste, tout le reste, et le grand vacarme que l'on connaît. C'est sur ces bases, sur ces pilotis muets que se déploient les nappes plus sombres, et infiniment plus bruyantes, de l'horreur. C'est légèrement qu'elle s'avance du coup et à demi-mot qu'il faut l'entendre, lors même qu'elle n'a pas déployé encore toute sa bimbeloterie. Et j'aurai atteint mon but quand j'aurai commencé de convaincre que le fascisme ce n'est pas d'abord la barbarie. Que ce n'est pas essentiellement et premièrement l'apocalypse. Que ce n'est pas toujours et forcément les orages de fer et de sang. Mais que c'est d'abord, premièrement, forcément, un type de société, un modèle de communauté, une manière de penser et d'arranger le lien social.

LA FÊTE DES MÈRES

Un lien social ? Le mot est fort, je ne l'ignore pas. Il place terriblement haut, c'est sûr, l'ambition de ce fascisme. Il le range au rang suprême, qui est celui du légiste, de l'archonte, de l'architecte. Il en mesure le dessein à l'aune la plus éminente, qui est celle des théories, des utopies de la Cité. Et, de fait, c'est bien ainsi qu'il se compte et se toise lui-même. C'est bien de cela qu'il s'est agi, une fois déjà, au zénith de Vichy. C'est de cela, et de rien d'autre, que nous entretiennent les grands et les menus textes de notre corpus. Nous pourrions dormir tranquilles, surtout, s'il n'était question, en cette affaire, que d'une vague et improbable menace de « terrorisme » ou de « subversion ». Et c'est pourquoi il faut tenter de mener plus loin le fil de la déduction ; remettre sur le métier le concept d'« organicisme » auquel nous nous sommes arrêtés ; en travailler l'extension, en disperser la compréhension et le faire parler davantage ; pour tenter, à partir de là, de répondre à cette question dont je ne me cache pas qu'elle ressortit pour l'instant à la philosophie-fiction, – mais dont je pense, pourtant, qu'elle est la seule qui vaille : étant donné notre culture, nos traditions, notre mémoire, à quoi diable cela pourrait-il ressembler une société totalitaire en France ?

Je crois, tout d'abord, que son premier geste serait
d'une approche avenante et presque séduisante ; qu'il
apporterait moins la guerre que la paix et sèmerait
moins la terreur, justement, qu'il ne prêcherait à perdre
haleine la réconciliation des Français... Car que dit-il
d'autre le fantasme d'organicité, que le rêve d'une
société une, unie, parfaitement homogène et rigoureusement articulée – Péguy dirait « transparente » – où
tout ne serait qu'ordre, calme et fonctionnalité ? Que
signifie-t-il sinon le songe d'une France massive, agglo-
mérée à elle-même, repue de cohésion – Maurras dirait
de « hiérarchie » – où se tairait enfin l'absurde clameur
que font les hommes quand ils disputent, s'affrontent
ou font cliqueter leurs chaînes ? Si la France est cet
« organisme » que dit l'idéologie française et l'« organicisme » cette hygiène à quoi ses idéologues aspirent,
quel meilleur traitement que d'intimer silence à ce
tohu-bohu, cette foire aux contradictions – Pétain
dirait aux « dissensions » – qui lui font ce corps
informe, souffrant, raviné de failles et de blessures et
tout couturé des cicatrices que lui a faites depuis des
siècles la guerre des égoïsmes. Oui, cela serait avenant.
Oui, cela serait même reposant. Mais, comme savent
tous les libéraux, cela serait surtout le commencement
des pires et des plus sombres déchéances. Comme
disait déjà Montesquieu, c'est « du jour où nous ne
percevons plus dans l'État le bruit d'aucun conflit »
que « nous pouvons être sûrs que la liberté n'y est
plus ». Et je ne puis m'empêcher de songer, quant à
moi, que l'heure est venue de trembler pour ma simple
peau d'homme libre, chaque fois que revient cette insi-
dieuse semonce : « Halte à la discorde, paix aux cœurs
dispersés, vous êtes faits, vous les hommes, pour vous
entendre et vous conformer. »

Cela peut se dire dans plusieurs ordres et d'abord,
bien entendu, dans celui de la discorde civile. On

reconnaît un démocrate à ce qu'il estime que la cité se divise, quoi qu'il en ait, entre opprimés et oppresseurs, et que, les premiers ne désirant rien simplement que de ne pas être opprimés[1], cette division est essentielle, coéternelle à la société, proprement inconciliable : et j'ai tout lieu de trembler alors – parce que la Charte du travail n'est pas loin – chaque fois que me revient, de droite comme de gauche, l'écho de ces compétents murmurant qu'il y a erreur, simple faute de calcul, et qu'ils sauront bien vite la corriger, eux les très savants experts en solutions finales au malheur. Il n'est pas de démocratie qui tienne non plus sans l'acceptation d'une bonne dose d'opacité, de poches d'ombre, d'accidents de terrain, qui émaillent le tissu social, lui font un relief tourmenté, semé de « lobbies » par exemple, de « groupes de pression », de partis politiques ou parfois, comme on dit, de « partis de l'étranger » : et j'ai peur alors – parce que je devine aussitôt la vieille obsession barrésienne du « parasite » qui boulotte et grignote la guenille sociale – quand je vois un P.C.F. réduire sa politique, depuis trente ans, à une lutte contre les « féodalités », les « bastilles », le « gros capital » et autres « corps étrangers » à la famille française. Croire à la démocratie, c'est prendre son parti enfin – troisième exemple – du pluralisme politique, de la pluralité des visions et des conceptions du monde, de leurs affrontements sans merci et souvent même sans fin ni recours, fût-ce au risque de voir le tissu social tiré encore à hue et à dia, effrangé de toutes parts et complètement disloqué : et on commence de ne plus y croire – et de voguer déjà vers de tout autres horizons – quand on geint, comme fait ce Président, sur le sort de la République « coupée en deux », absurdement crispée en cette artificielle coupure, et que de mauvais bergers entretiennent à plaisir dans ce ruineux état. Le fascisme, en un mot, n'est pas loin chaque fois que, de quelque bord que cela vienne, on rêve d'un « accord social » – c'était le titre d'une petite revue liée à l'Action française avant 14[2] – fondu dans la toute lumière d'une communauté neutralisée et tout entière présente à soi.

Mais aussi, et inévitablement, dans la pénombre d'une humanité absente à son passé et à la part que prit ce passé à ses déchirements d'aujourd'hui... Car encore faut-il, pour que les hommes s'accordent, que puissent s'estomper ces autres divisions, de plus ancienne date, qu'une Histoire entêtée charrie encore jusqu'à eux et dont ils portent les marques dans leurs clivages d'aujourd'hui. Encore faut-il, pour que commence le travail du neutre, que le travail du deuil, lui, ait achevé sa course et que se puisse dire, de plus en plus hardiment, qu'il y a méprise de nouveau, qu'il ne s'est rien passé dans le passé, qu'il ne s'est rien joué avant-hier, dont nous persisterions, dans nos têtes, à transporter les sédiments. Et le fait est que les maîtres en amnésie sont toujours les premiers là, empressés sur la brèche, tels d'horribles croque-morts au chevet de la Liberté, qui viennent préparer le terrain aux experts en harmonie et chuchoter aux futures victimes l'infernale tentation : « Oubliez, braves gens, oui, oubliez ces querelles d'un autre âge, chassez ces démons qui vous hantent et vous tiennent ainsi en alerte, car nous entrons à ce jour, sachez-le, dans la douce saison du sommeil... » Dois-je redire ici combien elle est pernicieuse, cette parole de bon sens qui, aveuglant les hommes aux blessures de la veille, les rend soudain si vulnérables aux armes du lendemain ? pourquoi elle est l'antichambre de toutes les démissions, cette irrépressible torpeur qui nous saisit quand, les prunelles finalement lasses de s'être si longtemps usées à tenter de fixer l'horreur, nous cédons à l'injonction et consentons à baisser la garde ? comment le racisme par exemple a toujours joué de cette lassitude et comment, de nos jours encore, c'est le voile jeté sur Auschwitz, comme hier sur l'affaire Dreyfus, comme demain sur la guerre d'Algérie, qui rend possible l'éternel retour de la peste refoulée ? Ce qui est sûr c'est que l'œuvre d'infamie se joue aussi sur ce tableau-ci. Que non contente de neutraliser l'espace de société, elle neutralise aussi celui de la mémoire. Qu'elle n'émousse jamais mieux les arêtes du premier que lorsqu'elle a comblé les crevasses du second. Que le fascisme, en un mot, cela commence encore, cela commence toujours, mais dans le temps cette fois, avec la même haine de la division, le même délire unanimiste.

Mieux peut-être, et en un troisième sens : avec la haine de la dissonance jusque dans l'ordre de la vie, je veux dire des rapports les plus quotidiens, mais aussi les plus fondamentaux, entre les hommes. Nous savons par exemple, nous autres juifs et chrétiens, le défaut de toute langue, sa défaillance à tout dire, et l'inévitable manque qui la structure en même temps qu'il nous sépare, irrémédiablement, les uns des autres : et le totalitarisme achevé est toujours à cet égard le projet d'une langue commune, d'un alphabet collectif, où puissent enfin se taire ces longs silences que produisent entre les hommes les paroles de liberté. Nous savons tous aussi, nous autres êtres de souffrance, l'horreur de cette souffrance, son absolu non-sens, sa singularité forcenée et presque indéchiffrable, qui, non contente de creuser, entre celui qui l'endure et le monde, la plus colossale béance, fait de ce monde lui-même un immonde capharnaüm dont l'ordonnance vacille d'un seul coup au seul effet de tant d'horreur : et c'est une autre méthode du fascisme alors, bien connue des staliniens, que d'enjoindre les corps de se taire, les âmes de se résigner, les douleurs de s'intégrer, vu qu'il y a un sens à toutes choses, une raison à toutes les déraisons et

jamais de plaie si sanglante qu'elle ne puisse, si elle y
travaille, s'enchâsser dialectiquement dans le creuset de
l'harmonie future. Nous savons enfin – nous ne savons
même hélas que trop – nous autres êtres de chair, voués
à la guerre des sexes et marqués au fer du tabou, rivés à
la ronde du symbolique et absents à l'immédiateté du
réel, que tous ces désirs qui se cherchent, se tâtent,
s'ébattent, s'épuisent à se trouver et échouent finalement à se conjoindre, que tout cela, donc, est irrémissi-
blement séparé et que nul n'aura jamais puissance ni
compétence à le totaliser : et rien n'est plus redoutable
à l'inverse – ce fut de Hitler à Pétain le projet récurrent
de tous les fascismes réels – que la sommation faite aux
bègues de parler, aux ébauches de s'achever, à cette
frêle poussière de désirs de produire à la chaîne du
vivant, et de travailler gaillardement à l'œuvre de collectivité.

Arrêtons-nous un instant à cet exemple du désir. Je
me souviens avoir été choqué un jour[3] par un texte qui
émanait d'un groupe de « femmes en mouvement » et
qui se terminait par ces mots, justement : « La production du vivant nous appartient. » Je ne pus m'empêcher, ce jour-là, de songer que c'étaient les termes
mêmes par quoi le nazisme, autrefois, justifia ses
visions les plus démentes et par quoi d'autres, aujour-
d'hui encore, légitiment l'eugénisme. Et je me deman-
dai, alors, par quel mystère un mouvement de « libération », comme on dit, pouvait ainsi retrouver, presque
intact, un pur fragment du discours le plus mortifère
dont s'est illustrée la modernité. Eh bien, je crois que
ce mystère, je le comprends mieux aujourd'hui. Je crois
qu'il s'entend parfaitement à partir de ce que je viens
de dire du rêve fasciste de conciliation. Je crois qu'un
grand écrivain antifasciste, Georges Bataille, l'avait
admirablement percé à jour déjà, – qu'il est urgent et
qu'il suffit de relire. Car que dit Georges Bataille ?

Primo que, sans « interdit », il n'est pas de « vie humaine » possible et que le nier, nier sa malédiction, prétendre le rejeter, c'est nécessairement mourir et faire mourir autour de soi[4]. Secundo, qu'il n'est pas d'« interdit », pourtant, qui ne soit fait pour être « transgressé », non plus « nié » mais bravé, non plus rejeté mais désespérément défié, et que l'oublier, renoncer à cette transgression, se priver de cet affrontement, c'est également mourir et identiquement faire mourir autour de soi[5]. Tertio alors, que le désirant et le puritain, le libidinal et l'ascète, l'idéologue de la jouissance et l'apôtre de l'ordre moral, celui qui refuse d'admettre l'interdit comme celui qui refuse le risque de le transgresser, tiennent au fond le même discours : ils occultent de deux manières convergentes, l'un par excès, l'autre par défaut, cette *impossible articulation* qui structure le désir des humains. En d'autres termes, on peut dire : « vive la jouissance, à bas la Loi » ; on peut dire : « fini de jouir, vive l'ordre » ; ce sont les deux façons rivales et finalement concourantes de contraindre les désirs à se rejoindre ; c'est la même visée, dans les deux cas, qui est d'en finir avec cette malencontre, cette malentente, ce *propre malentendu* qui est la meilleure définition, au fond, de la liberté ; et on ne fait rien, toujours, par les deux voies, dans les deux langues, qu'affouiller le même ventre où gronde la bête immonde.

On est loin, dira-t-on, de l'idéologie française. Je crois, au contraire, que nous sommes en plein dedans. Car ce projet, tous ces projets de conjonction, s'ils ne veulent pas demeurer des vœux pieux, doivent se soutenir d'une ontologie. Il leur faut, pour s'assurer d'eux-mêmes et du monde où ils opèrent, un postulat sur l'Être en général et l'Être des sociétés en particulier. Et c'est la fonction qu'assure cette thèse, à quoi nous nous étions arrêtés, au terme de notre quatrième amphibologie, et dont il est temps, maintenant, d'expliciter le sens : « il y a des communautés naturelles »... Cette thèse n'a l'air de rien en effet, mais il faut se souvenir qu'elle était inconcevable par exemple dans l'antique ordre biblique où l'idée même de communauté était si profondément antagonique de celle d'une « nature » qu'il fallait rien moins pour la penser qu'oublier les sortilèges, s'arracher au prestige de ladite nature. Elle n'était guère plus familière à l'univers de la chrétienté où dominait la conviction qu'il n'est point de collectivité qui ne doive, pour s'assembler, pour demeurer en cet assemblement, et pour conjurer surtout en son sein les récurrences de barbarie, se plier au faix, à la férule, à la rude discipline de cette universelle commune mesure que constituait l'Église. Elle était plus étrangère encore, s'il se peut, aux systèmes des premiers démocrates qui croyaient si peu, quant à eux, à la sociabilité naturelle des hommes qu'ils s'obligeaient, pour rendre compte de leurs établissements passés, présents ou futurs, à forger la fiction d'un contrat originaire et à bâtir leurs cités de pierre sur de très fragiles, de très improbables fondations de mots et de papier. L'organiciste, alors, est bien le premier, à l'âge moderne tout au moins, qui prétende faire ainsi fi de tous ces difficiles artifices ; qui, non content de grouper les sujets et de gérer leur groupement, croit toujours bon d'ajouter que cette gestion est nécessaire, spontanée, fidèle à l'ordre des choses ; qui ne se suffit plus, en un mot, de mener sous sa houlette le troupeau si divers des êtres socialisés puisqu'il assortit toujours son geste de cette glose décisive : « Ce lien qui vous rassemble et dont je tiens le fil n'est pas fait de hasard, de votre volonté ni même de mon industrie, car il renoue en réalité avec des connections plus profondes, plus anciennes peut-être, en tout cas plus authentiques, dont je ne fais présentement que redire l'impérieuse vérité. »

Cela peut, derechef, se dire en plusieurs formes. La forme pétainiste stricte, bien sûr, avec son thème d'une « révolution » pensée comme le retour et le regain d'une origine commune dont les forces de décadence ont égaré la trace. Toute la problématique, qu'on a vue, de la Terre, du Sang, de la Race et du reste, signifiants simples et réels de l'immédiate connivence de la communauté à elle-même. Mais une image, un pur imaginaire peuvent parfaitement remplir le même office dès lors que, comme chez Le Bon par exemple, ils dotent la foule d'une « psychologie » massive, qui nous réduit justement à notre vérité de foule. La psychanalyse, elle aussi, a parfois son mot à dire là-dessus, comme l'atteste ce jungisme dont le retour s'annonce avec fracas[6] et qui ne dit rien, lui non plus, que l'océanique unité d'un genre humain enté sur les grands mythes d'un inconscient collectif. Ces mythes collectifs ne sont pas nécessairement inconscients d'ailleurs, ils peuvent être construits, artificiellement montés, ouvertement, culturellement historicisés : ils font l'affaire encore, pour peu que, comme chez Sorel, ou chez nombre de ses fils naturels inavoués, ils fonctionnent comme une machine à coaguler les volontés, à catalyser les énergies et à fondre les voix dispersées dans la même grégaire oraison... Il n'est pas indifférent, bien sûr, que Sorel ait aussi été un antisémite notoire. Ce n'est pas un hasard si Le Bon, on s'en souvient, figure en bonne place au panthéon des fondateurs du racisme français. On ne saurait trop rappeler non plus comment le sinistre docteur Jung s'illustra dans la théorie comparée des psychanalyses « juive » et « aryenne »*. Mais tout cela, en

---

* On trouvera, sur ce point, bizarrement controversé, nombre d'éléments

même temps, n'est pas déterminant. Ce n'est pas pour
ces raisons que je choisis ces trois exemples. Le fascisme y serait encore, même si le racisme n'y était pas.
Le fascisme est déjà là même quand ses obsessions les
plus spectaculaires n'y sont pas. Il faut et il suffit, pour
qu'il soit là, tout entier, tout armé, qu'advienne cette
conviction : si les hommes se lient, ce n'est pas parce
qu'ils le décident ; ce n'est pas parce qu'ils prétendent,
de leur propre chef, trouver un compromis à leur
malentendu ; ce n'est pas parce qu'ils se plient, par
exemple, à des lois et à des principes éthiques ; mais
c'est parce qu'il y a, indépendamment de leur vouloir,
en amont de toute décision, un *fonds commun à l'humanité* dont l'organicisme ne fait rien que défricher et
déchiffrer la vérité.

Cette conviction peut se dire d'une autre façon
encore. Elle peut prendre une forme plus métaphysique, presque théologique. Elle se dit alors en ces termes
où l'on touche bel et bien au nœud du délire : « si les
hommes sont frères c'est parce qu'ils sont fils de la
même mère »... La formule est chez Péguy, présentant à
la Mère Nature : « l'immense armée de ses fils »,
« pendus » à ses innombrables « pis » et communiant
bestialement dans la même orgiastique adoration[7]. Elle
est chez Pétain, évoquant dans l'article du 1er janvier
1941[8], cette « société nourricière et maternelle » qui est
comme une mamelle encore d'où l'individu ne peut
« se détacher » sans « mourir » et se « dessécher ». Elle

dans *le Mythe aryen* de Léon Poliakov (Calmann-Lévy, pp. 298-304).
Edouard Glover (*Freud ou Jung*, P.U.F.) et Marthe Robert (*Histoire du
mouvement psychanalytique*, Payot) font par ailleurs le point sur l'affaire
de l'« Association allemande de psychothérapie » dont Jung assura la prési-
dence dans les années 30 aux côtés du Dr Goering. On consultera enfin
l'article de Jean-Louis Houdebine (« Jung et Joyce », *Tel Quel*, n° 8, Seuil)
citant entre autres ses édifiants propos sur « la police métaphysique imagi-
née originairement par le tyrannique chef de horde qu'était Moïse [...] et
qu'un bluff habile imposa ensuite à l'humanité ».

est chez les jungiens de nouveau, invitant les rescapés du nihilisme moderne à risquer le grand voyage – le grand naufrage – dans le sein, maternel toujours, volontiers utérin, d'une mythologique « femme essentielle »[9]. On la trouvait chez Hitler, que dis-je ? au cœur de l'hitlérisme et de ses appels à une race née des œuvres de la Mère, de la seule Mère, sans les œuvres du Père, au terme d'une monstrueuse et sanglante parthénogenèse[10]. Elle revient régulièrement, explicite ou non, chaque fois qu'un homme, un groupe, une société veulent donner un nom au sans nom, un signe à l'insignifiable, une marque à ce gouffre infini où ils rêvent de s'engloutir et dont toutes les sociétés, jusqu'à ce jour, par les rites ou le discours, ont prétendu séparer leurs sujets[11]. C'est toujours la même conviction, disais-je, d'un fonds commun à l'humanité. Mais c'est une conviction renforcée, aussi bien, d'une onction de sacralité. C'est un pas de plus, surtout, dans le rêve de fusion et d'organicité. Et si je dis qu'on touche là au nœud même du délire, c'est que ce qui disparaît en ces fantasmes « matérialistes » ce n'est plus seulement la singularité des désirs, l'irréductible écart des langues, les opacités dans le tissu social, les clivages et les affrontements politiques : mais l'individu tout entier, le contour même du sujet, l'exstance qui le constitue, et l'intraitable nuque raide qu'il oppose, tant qu'il demeure, au projet totalitaire.

Mais ce qui disparaît aussi, ce qui disparaît surtout, c'est, du coup, ce que, plusieurs fois déjà au long de ce livre, j'ai appelé le nom, le principe, la médiation du Père. Ce qu'un matérialisme conséquent se doit de mettre en pièces, c'est un dispositif qu'on peut symétriquement appeler « patérialiste » et qui, seul, est en mesure d'assurer à ce sujet honni son lignage et sa filiation. L'obstacle que le projet communautaire rencontre inévitablement sur sa route c'est ce monothéisme dont nous savons qu'il est, en Occident, la forge obligée de l'individu libre, autonome, souverain[12]. Il peut le rencontrer, cet obstacle, sous les traits du Dieu juif appelant les hommes à déserter les miasmes de la terre, les forces sourdes de la matière, les nids de « serpents » qui grouillent au fond de la zone du bas[13]. Sous les traits du Dieu chrétien façonnant les hommes « un à un », dans « un face à face avec chacun », ravis par la grâce de la Foi à l'orbe matriciel où ils se confondaient avant lui[14]. Sous les traits du symbolique freudien induisant, comme on sait, et à l'inverse du symbolisme jungien, des inconscients dont la propriété première est d'être strictement individuels. Sous ceux de la Loi, même, telle que la conçoit le démocrate et qui est seule garante, selon lui, de la singularité des citoyens. Mais, dans tous les cas, le débat, le duel, sont d'ordre religieux. La guerre fasciste est chaque fois, et en dernier ressort, une guerre de religion. Et ce n'est pas un hasard, alors, si tant de staliniens enragés vécurent à l'heure de ce drame, plus théologique que politique, dont j'ai donné ailleurs quelques exemples. Si Péguy et Barrès chantaient un si étrange christianisme, tout bruissant d'échos venus de loin et puisant aux sources glauques des grands Baals d'autrefois. Si la « nouvelle droite », aujourd'hui encore, nous invite à une révolution religieuse et fait du monothéisme, sous toutes ses formes, le principal de ses adversaires. C'est que le fascisme français ne peut assumer et assurer jusqu'au bout son rêve d'organicité, tenir ferme la conviction qu'il y a des communautés naturelles, garantir que ce qui attroupe les hommes est plus fort que ce qui les divise, bref, bétonner le rassemblement auquel il aspire, qu'en prenant le parti d'un *paganisme politique*.

Mais là, soudain, les choses basculent. Le dispositif
tout entier doit pivoter sur son axe. Et repartant de ce
paganisme politique, il va être contraint de rebrousser
chemin, d'inverser presque son discours et de remettre
paradoxalement au poste de commandement cette division, cette séparation, ce principe de disjonction qu'il
s'est tant employé, jusqu'ici, à supprimer... Ce sera
d'abord la disjonction entre ce rassemblement qu'il a
bâti et le rassemblement voisin, qui le côtoie : car le
propre d'un paganisme est d'être polythéiste ; le propre
d'un polythéisme de croire en un dieu qui vaut pour ce
lieu-ci mais pas pour ce lieu-là ; le propre de ce dieu de
sacraliser cette communauté, mais pas les autres communautés ; le destin de cette communauté, du coup, de
se structurer contre, de se constituer en face, bref de se
séparer d'autant mieux de l'Étranger qu'elle aura elle-
même atteint au comble de la propriété ; et on peut dire
alors, logiquement, nécessairement, que rechercher un
« fonds commun » c'est toujours tracer, fermer une
frontière. Voyez, du reste, les jungiens et la rapidité
avec laquelle leur discours se retourne : pas un qui, un
jour ou l'autre, ne finisse par avouer, cynique ou parfois penaud, que ce ne sont pas vraiment *tous* les hommes qui sont fils de la même mère, mais ceux-ci de
celle-là, ceux-là de celle-ci, ces autres encore de cette
autre, selon que, « juifs », « aryens » ou « chinois », ils
disposent de tel ou tel patrimoine mythologique[15].
Voyez la grande mère sanguinolente de Péguy le
nigaud : consentant bien volontiers à accueillir autour
de ses pis les plus éminents représentants de la faune et
de la flore, elle fait la « mijaurée », la difficile, la
redoutable, dès lors qu'il s'agit d'agréer tout ce qui
n'est pas français, « abtronqué » de la race française.
Voyez celle de Pétain, la maternelle, la nourricière
mère patrie à laquelle il ordonne de s'arrimer : elle est
synonyme d'exclusion encore, d'expulsion, de particu-

larisme échevelé et, pour parodier la belle formule de
Malraux, elle n'est jamais aussi grande que lorsqu'elle
l'est pour très peu d'hommes. La Mère ? Non, les
mères. Les mères en guerre. La guerre des mères. La
multiplication des mères. Et la fête plurielle des mères.
Le fascisme français, parce qu'il est un matérialisme,
est un tribalisme politique.

La tribu, pourtant, il ne suffit pas de l'isoler, il faut
encore la purifier. Il ne suffit pas d'assurer sa propriété, il faut aussi et surtout assumer sa propreté. Et
c'est pourquoi, du même mouvement, vont se déduire
d'autres disjonctions, mais au sein même de la communauté cette fois : en clair, le racisme ; mais le racisme
français ; et ses éminentes particularités nationales...
Première particularité : ce sera un racisme propre justement, sans chambres à gaz, sans crématoires, sans
anges exterminateurs, où de braves et bons ministres
feront parfaitement l'affaire, vu qu'en bon matérialisme il suffit pour avoir la paix de renvoyer chaque fils
à sa mère, chaque sujet à son fonds, les juifs à la synagogue et les Arabes à leur djebel, – chacun chez soi et
bonjour chez vous. Seconde particularité : le raciste
français ne sera pas un mauvais bougre, il n'est pas
égoïste pour deux sous, il interdit même à quiconque
de voir malice en son délire, attendu que, matérialiste
jusqu'au bout encore, c'est pour toutes les mères du
monde que son cœur saigne en vérité et que, respec-
tueux des différences, il souffre tout autant, dit-il, de
voir ce Sénégalais déraciné que ce Corrézien contaminé, – égaux mais différents. Troisième particularité :
il est volontiers ouvert, presque généreux, cœur sur la
main et ventre à l'air, vendant à la criée la potion
magique du salut racial : car après tout, clame-t-il,
puisqu'il n'y a rien dans tout cela qu'une affaire de
matries, il y a un moyen simple d'échapper à la fatalité
du sang, c'est de l'offrir à la matrie justement, de l'en

irriguer abondamment, de s'oindre du sien en retour, en un mot comme en cent, de périr au champ d'honneur, – Barrès, Maurras, Pétain, et tant d'autres après eux, aiment les juifs, mais morts ou tout au moins décorés[16]. Et j'oubliais la dernière enfin qui, pourtant, ne va pas de soi car elle nous est, elle aussi, hélas ! particulière : c'est que cette collection de sournoiseries, d'infamies discrètes, est probablement, depuis un siècle, la chose de France la mieux partagée, – où, aujourd'hui encore, une majorité du pays, de la gauche à la droite, de l'extrême gauche à l'extrême droite, persiste gaiement à se vautrer...

Car enfin est-on bien sûr que notre pays ait depuis quelques décennies tant changé qu'on le dit ? N'est-il pas troublant que lorsqu'un hebdomadaire[17] commande, en 1980, un sondage sur le racisme des Français, on retombe peu ou prou, concernant le racisme anti-arabe, sur les mêmes chiffres que ceux de l'enquête conduite par Vichy, en 1942, sur le racisme antijuif[18] ? Faut-il tenir pour rien qu'il se trouve, au pays de Giscard et de Marchais, plus d'un citoyen sur deux pour estimer que les métèques y sont démesurément nombreux, et qu'il s'en trouvait un sur deux déjà sous Laval et Pétain, pour répondre « non » à la question « aimez-vous les juifs » ? Mieux, quand on découvre que c'est dans les rangs du Parti communiste que se recrutent le plus volontiers ces nouveaux xénophobes[19], peut-on s'empêcher de songer que les traditions ont décidément la vie dure qui, enjambant le pétainisme lui-même, nous reconduisent au bon vieux temps, dont j'ai parlé plus haut, où le racisme naissait aussi à gauche ? Les situations, bien entendu, sont largement incomparables. Les juifs, quant à eux, ont toutes raisons, paraît-il, de pavoiser, puisqu'il ne se trouve plus – selon le même sondage toujours – qu'un Français sur huit pour souhaiter qu'ils disparaissent du paysage.

Tous ces chiffres, au demeurant, – ceux d'aujourd'hui comme ceux d'hier – sont à manier, je le sais bien, mais comme toujours en pareil cas d'ailleurs, avec la plus extrême prudence. Mais il n'empêche. Oui, il n'empêche qu'ils ne font malheureusement que confirmer les propos tenus au même moment par tels maires communistes jugeant que, passé un certain seuil, le nombre d'étrangers présents sur le sol communal, constitue une menace à son intégrité[20]. Qu'ils ne font que corroborer le fait que la première, et longtemps la seule condamnation prononcée en application de la loi antiraciste de 1972, ait frappé, en 1973, un élu communiste encore. Qu'ils sont la juste réplique, pour l'autre bord, aux déclarations de ces ministres qui invitent les travailleurs immigrés, l'un à cesser de porter la « vérole » dans nos universités[21], l'autre à plier bagages et à ne plus voler leur travail aux vrais Français[22], le troisième à se faire une bonne tête pour éviter, sans doute, qu'un policier à la gâchette un peu facile ne soit tenté de tuer[23]. Car ces fines déclarations ne sont pas, elles, inscrites dans les sondages. Elles ont été proférées de vive voix, à ciel ouvert, presque innocemment. Elles sont souvent tenues pour anodines, ordinaires, acceptables. Et le fait est qu'il faut être sourd pour ne pas y entendre le très ordinaire écho, effectivement, d'un très ancien héritage dont le fin mot n'est pas forcément, je le répète : « Ces hommes sont haïssables parce qu'ils sont inégaux » ; mais, beaucoup plus subtilement, et plus efficacement : « Les hommes sont séparables parce qu'ils sont tous différents. »

Je dis bien *tous* différents. Car on ne comprend rien au procès de multiplication des mères si l'on ne voit qu'une fois lancé, il est presque interminable. Qu'il n'est jamais assez propre, jamais assez homogène, jamais assez commun, le fonds commun où poussent les hommes. Et que la machine ne trouve de repos que

dans un univers craquelé, émietté, littéralement pulvé-
risé, où c'est la tribu elle-même, la tribu pourtant puri-
fiée, le groupe purgé déjà de ses métèques et de ses
parasites, qui se monnaie en une véritable mosaïque de
particularités. Tout le péguysme est là, dans cette
découverte dont ne cesse de s'émerveiller le « poète
inalphabet » : plus le fonds est profond, plus la race est
raciale, plus la mère est naturelle, – et plus est petit le
dénominateur qui me conjugue à mes voisins. Tout le
barrésisme également : et c'est la clé de l'apparente
contradiction, du déchirement de surface, qui font de
ce nationaliste, de ce soldat de l'unité, de cet apôtre de
la communauté indivisée, le chantre, en même temps,
d'un « moi » enfoncé dans le culte de sa plus étroite
lignée. Le sorélisme encore et son équation majeure :
pour mobiliser les travailleurs, coaguler leurs volontés,
les relier aux grands mythes collectifs de tout à l'heure,
et faire de leur soudaine foule une plèbe vouée à la
langue du plébiscite, il faut toujours commencer, explique Édouard Berth[24], par « les prendre à l'atelier », les
réduire à cet atelier, les amputer de toute espèce de
dimension citoyenne. L'esprit des années 30 plus tard,
et ce slogan d'un « retour au concret » qui scandait le
discours de tant de proto-pétainistes : l'urgence, écri-
vait par exemple Lagardelle[25], disciple de Berth et futur
ministre du Maréchal, c'est de réinventer, contre
l'« utopie démocratique » et l'« homme théorique »
dont elle se prévaut, un homme de « chair et d'os »,
enraciné en sa région, défini par son métier, rendu à
ses « qualités sensibles ». Et au bout du parcours, il y a
Pétain, bien sûr, dont on se souvient qu'il ne s'adressait
jamais aux « Français », jamais aux « citoyens »,
jamais même à ses sujets pris dans leur généralité :
mais aux artisans, aux paysans, aux vieux, aux jeunes,
aux femmes, aux ouvriers, aux pères, aux mères, ou
aux anciens combattants, – bref, toujours à des collec-

tions, à des collectifs, à des microcollectivités, à des êtres ramenés à la plus pauvre, la plus congrue, la plus indigente des *catégories*.

Ce lien social n'est plus une communauté de sujets, c'est une communauté de communautés. Il ne parvient à se nouer vraiment que lorsqu'il a pu tracer autour de chacun un cercle bien bouclé qui le circonscrit tout entier. Il ne sait nommer ses membres que lorsqu'il les a enfermés dans une cellule, aussi petite qu'il est possible, assez petite surtout pour que puisse s'y épuiser sa définition. Elle n'est pas seulement différente, la différence, mais tout entière différente, rien que différente, prisonnière de sa différence. Le résultat est atteint, alors, quand une société peut se décrire de bout en bout comme un réseau serré de ghettos, impénétrables les uns aux autres, qui quadrillent son tissu. Lorsqu'un juif par exemple n'est plus rien que le membre d'une « communauté juive », corps dans le corps, espace muré et repérable, avec ses devoirs, ses privilèges, et ses « représentants ». Lorsqu'un Noir n'est plus rien d'autre que le total de sa négritude, le reclus de sa culture, le geôlier, en même temps, de sa spécificité. Lorsqu'une femme peut être tout entière fixée à sa parole de femme, à sa sensibilité de femme, à sa matrice de femme, — et foin de son visage, de son expression d'humanité. Du coup il n'est plus seulement, ce lien social, un tribalisme. Il n'est pas seulement non plus le racisme que j'ai dit. Il est aussi, il est surtout un particularisme sans limite ni rivage. Il est maintenant, au sens étymologique du terme, un « idiotisme » généralisé et un empire d'« idiotie ». Et il faut conclure, dans ce cas, que son dernier mot devient, à l'inverse exactement de celui de tout à l'heure : « Ce qui divise les hommes est plus fort que ce qui les attroupe, — et ils se séparent les uns des autres avant que de se conjoindre. »

Pourquoi cette inversion ? D'où vient-il, ce retourne-
ment ? Qu'est-ce qui, au juste, a fait ainsi pivoter l'axe
du dispositif ? Et d'où vient que, partis du projet de
réconciliation, on en arrive finalement à cet idiotisme
généralisé ? C'est, on le devine, que le duel religieux
qui était au cœur de tout ce débat se jouait sur une
autre scène encore. Que le parti pris matérialiste
consommait une autre révolution que celle de l'anti-
individualisme. Et que le patérialisme aboli n'était pas
seulement la forge que j'ai dite, et dont on a vu la mise
à sac, de cet individualisme... Car il était aussi, en fait,
ce qui enseignait et enseigne encore aux juifs que,
même d'« origine diverse », séparés par le souffle ou la
souche, ils participent de la même alliance et sont fils
d'un même principe. Aux chrétiens que, quoique
façonnés « un à un » dans un « face à face avec chacun », c'est d'abord dans la même chair, à l'image du
même visage, dans l'ombre portée du même regard,
qu'ils ont été créés. Aux démocrates que, nonobstant la
terre où ils s'attachent, les morts qui les relient, le
métier à quoi ils s'occupent, l'âge ou le sexe même qui
les tiennent sous leurs jougs, ils sont tenus néanmoins
par une transcendante Humanité, présente en tous les
hommes, tout entière présente en chacun et qui, tout
autant, les enfante. Aux freudiens, qu'ils sont ainsi
faits, voûtés, structurés, qu'il leur faut tenir, certes,
pour le caractère singulier de leur inconscient, individuel de leur désir, divisé des paroles mêmes où ce désir
et cet inconscient se disent, – mais pour leur assigna-
tion néanmoins, pour l'inscription de tout ce manège
de langue, à l'horizon d'une universalité fondatrice. A
tous, autrement dit, cette identique leçon où il faut
réapprendre à lire la règle d'un identique antifascisme
et où il n'est pas de fascisme, en tout cas, qui ne sache
voir, lui, à coup sûr, instruction pour sa gouverne :
penser l'individu, le singulier, la division, c'est toujours

et nécessairement penser aussi l'*universel,* – et oublier les premiers, s'obliger, toujours aussi, tout aussi nécessairement, à faire l'impasse sur le second.

Cela veut dire que le jeu était en réalité plus complexe qu'il n'y paraissait et qu'il se jouait – se joue – non point à deux seulement mais bien à quatre termes. « Diviser » se dit en deux sens, exclusifs et antonymes, selon que l'on songe à l'« individu » patérialiste gommé par le matérialisme ou à la « différence » matricielle que subsumait le nom du Père. « Rassembler » se dit en deux sens aussi, symétriquement antonymes et exclusifs, selon que l'on entend l'« universalité » paternelle brisée par le retour du refoulé maternel ou la « généralité » matérialiste que refoulait la médiation de la Loi. Ces quatre sens, du coup, se mêlent et se croisent deux à deux puisque « universalité » est toujours corrélat d'« individu » et que, l'un aboli, l'autre s'effrite aussitôt, – tandis que « généralité » est toujours corrélat de « différence » et que, sitôt l'une scellée, l'autre pullule sans attendre. Nulle contradiction, en ce sens, à ce que le chrétien, le juif, le démocrate, le freudien, fixant leurs singularités au ciel de la Loi, en fassent des machines à traverser l'espace communautaire, – mais des étais, en même temps, pour une unité du genre et des tribus humaines. Mais pas de contradiction non plus, on le comprend désormais, à ce que le païen, le jungien, le fasciste, fichant leurs différences au centre de la terre, en fassent comme un cancer qui ronge cette unité du genre humain, – en même temps que les cellules de leur fonds commun retrouvé. Et nul paradoxe finalement à ce que les premiers, mécréants du lien social et sceptiques, on s'en souvient, quant à la spontanéité de ses nœuds, soient les prêcheurs convaincus de l'égalité entre les frères humains ; et pas davantage de paradoxe, réciproquement, à ce que les seconds, dévots de ce lien social et acharnés, on l'a vu aussi, à prouver son indivise naturalité, nous mènent tout doucement aux portes du désert, de l'enfer et de l'inégalité entre les loups humains...

« Un » ou « multiple », alors ? L'antifasciste, quand il coupe, cimente une communion : c'est très exactement ce que les anciens Hébreux appelaient une « Alliance ». Le fasciste, quand il groupe, dessine des exclusions : c'est très précisément ce que d'autres appellent des « sectes ». Où l'on voit qu'on ne sort décidément pas, en ce débat d'extrême modernité, de la plus ancienne histoire des religions.

FASCISME ET ONANISME
POLITIQUE

Faut-il en sortir alors ? Je crois au contraire que nous ne faisons en un sens qu'y entrer. Que nous commençons à peine de mesurer tous les enjeux de cette histoire, de ce débat religieux. Que toute une nouvelle chaîne de conséquences peut s'en déduire encore qui, au-delà du monothéisme comme tel, concerne quelques-uns de ses représentants laïcs les plus éminents. Et que, de ces jeux complexes de l'Un et du Multiple, on passe vite, comme on va voir, aux jeux non moins complexes – et non moins cruciaux pour ce qui nous occupe – du Haut et du Bas.

Mais n'anticipons pas. Procédons par ordre. Dans l'ordre de la preuve. Prudemment et pas à pas... La première conséquence, d'abord, c'est que dans un dispositif comme celui-ci il n'y a plus la moindre place pour une définition de l'Individu qui, au-delà de leurs particularismes, vaudrait pour tous les individus. Que si nous ne sommes rien que ces « idiots », tout bigarrés de spécificités et essentiellement atypiques les uns aux autres dont parle l'idéologie française, l'idée n'a plus lieu d'être qui, à chacun, imposerait des règles et des valeurs qui vaudraient pour tous les autres. Que dans un univers de ce genre où le sujet est tout entier l'effet des conditions de sa genèse et où cet homme-ci est toujours radicalement homonyme de cet homme-là, il n'y a pas plus de sens à dire par exemple « l'homme jamais ne doit tuer un autre homme » qu'à soutenir que l'homme jamais ne doit meurtrir la pierre, la puce, ou le limaçon. Et que, en d'autres termes, lorsqu'un sujet en torture un autre, lorsqu'un groupe en opprime un second, lorsqu'un régime fait profession de mutiler et de mortifier, ce n'est pas, comme on dit trop souvent, que, du haut de je ne sais quelle arrogante généralité, ils n'auraient que dédain pour l'autre, le différent, le particulier, – mais parce qu'ils ne pensent qu'à cela au contraire, qu'ils ne pensent plus qu'en termes de différences, qu'ils ne voient plus partout que de la radicale altérité, et qu'aveugles désormais à ce qui les conjoint à leurs victimes, ils n'ont plus le moindre interdit pour retenir la machine à tuer. En bref, il n'y a pas d'éthique possible sur la base d'une idéologie de la différence ; et dire que nous sommes tous essentiellement, substantiellement, de part en part différents, c'est toujours et inévitablement prendre le risque du fascisme.

De même, et corrélativement, pour ce que j'appellerais l'idéologie de la Vie et qui – on l'a vu dans l'élaboration du concept moderne de race – fait généralement cortège à la première. Car le fascisme, paradoxalement, commence toujours, avant de donner la mort, par proclamer sa foi en la Vie. Avant d'être l'appareil mortifère que l'on sait, il est toujours et premièrement une grande et bruyante célébration vitaliste. Il ne peut tuer, plus exactement, et tuer de sang-froid, qu'après qu'il a décrété que je ne suis, moi, sa victime, rien que du vivant. Ou, plus exactement encore, c'est parce qu'il tient que je ne suis rien que ce vivant qu'il peut, sans le moindre remords, me traiter comme il traiterait n'importe quel autre amas de cellules, de matières ou de poussières organisées. Ce n'est pas un hasard en ce sens si, comme le note très bien Sartre dans sa préface aux *Damnés de la terre*, le discours raciste et colonial a toujours cette singulière tonalité « zoologique ». Si, dans la littérature d'extrême droite – Rebatet – ou parfois d'extrême gauche – le texte de Thorez sur Blum –, le vocabulaire de la haine est si volontiers, si spontanément naturaliste et animalier. Si la revue d'Henry de Jouvenel où s'exprimaient dans les années 30 des anciens du Faisceau et de jeunes précurseurs du pétainisme technocratique, s'appelait la *Revue des vivants* précisément[1]. Si, quarante ans après encore, un philosophe qui se vante de n'avoir rien à renier des égarements du stalinien qu'il fut et qui les redouble au même moment d'autres, à peine moins périlleux, ne trouve point d'autre slogan pour orner son « programme » qu'un *Appel aux vivants* toujours[2]. Car ce qui est sûr en tout cas c'est que si cet appel n'est pas nécessairement la voix de la barbarie, il n'a rien à voir en revanche avec celle de la résistance ; que si je suis vénérable et qu'il n'est pas permis de m'assassiner, ce n'est pas parce que je « vis » et que « la vie » comme telle est sacrée ; mais que la seule façon de conjurer la mort reçue, donnée ou échangée c'est, comme faisait déjà Spinoza[3], de postuler en chacun, « au-delà de la circulation du sang et autres fonctions communes à tous les animaux », une étincelle de « raison » et « surtout » de « vertu »...

En clair, et en termes modernes, qu'est-ce que cela signifie ? Cela signifie par exemple qu'il est rigoureusement impossible, à partir du simple « respect de la vie », de prêter la moindre attention au sort d'un Afghan, à la misère d'un Timorais, à la famine d'un Ougandais. Qu'il n'y a rien dans le bric-à-brac théorique des apôtres de la différence qui permette d'aller effectivement – c'est-à-dire au-delà d'un éphémère calcul politicien – tenter de porter secours à un Vietna-

mien en perdition. Plus précisément encore, qu'il n'y a
rien, strictement rien, dans les photographies qu'étale
ce magazine, dans le spectacle bouleversant que diffuse
cette séquence télévisée, qui ait en soi assez de force
pour me bouleverser justement, pour simplement même
m'émouvoir et pour, demain peut-être, parvenir à me
mobiliser. Car ces documents et ces séquences, aussi
insoutenables soient-ils, ne produiraient guère plus
d'effet qu'un reportage sur la vie des bêtes ou sur celle
de la flore dans les abysses de la mer de Chine, si
quelque chose ne me disait, avant eux, que ce passager
sur ce radeau est autre chose qu'une bête ou qu'une
algue précisément. Aucune image, aussi épouvantable
soit-elle, ne parviendra à me convaincre que ce damné
est mon prochain si je n'ai dans la tête, déjà, la conviction de sa proximité et du fait que, de son sort, dépend
en dernier ressort celui de l'humanité tout entière. Et ce
que j'ai dans la tête alors, ce n'est pas le film de sa
détresse. Ce n'est même pas la conscience de sa chair
réelle et réellement souffrante. C'est une idée, une idéalité, un idéal de chair et un concept désincarné[4]. C'est
le *concept* d'une Humanité aussi peu souffrante, finalement, que le concept d'eau, comme on sait, n'est
humide, – et qui, pourtant, est très exactement ce qui
en lui est bafoué...

Assez, en ce sens, de ces appels à l'« homme réel »,
dont on a vu l'insistance tout au long de l'idéologie
française et qui prétendent de nouveau, aujourd'hui,
faire échec à je ne sais quel terrorisme théoricien des
bourreaux et des fascistes : leur terrorisme, en effet,
parle toujours cette langue-là précisément ; s'ils ont une
théorie, elle a toujours la forme de ce réalisme-là ; et ce
n'est peut-être point par excès mais par défaut d'« idéalisme » qu'ils peuvent se prévaloir de l'efficace que l'on
sait. Assez, également, de ces appels au « concret », de
ces « retours » au concret, de ces apologies des « cho-

ses mêmes » où se lancent encore, à la fin des années 70, les échaudés de l'idéal et dont je crains qu'ils ne soient le plus sûr moyen, justement, de traiter les êtres comme des choses : les hommes concrets, nous ne les rejoignons que lorsque nous tournons le dos aux mirages de cet « homme concret » ; nous ne les retrouvons concrètement que lorsque nous acceptons le détour, la médiation, la fiction de ce qu'il faut bien appeler un « homme abstrait » ; et cet homme abstrait il faut bien convenir qu'il est nécessairement conceptuel, introuvable dans le réel, à la lettre inexistant et, donc, pure chimère de l'esprit. La meilleure manière, autrement dit, de lutter pour les droits de l'homme et de résister à cette vague récurrente qui, tous les dix ou quinze ans, dans ce pays, vient tenter de les submerger, d'en ridiculiser l'intention, d'en humilier la démarche, ce n'est pas de se replier sur une plate morale de Croix-rouge, une pure redondance de la souffrance ânonnée, un minimalisme politique si vulnérable, au bout du compte, aux sarcasmes des salauds : mais c'est de penser au contraire ; de penser à nouveau ; de recommencer de spéculer ; et d'élaborer, en un mot, la philosophie du droit, la métaphysique de l'homme, la politique des droits de l'homme qui, en cette fin de siècle encore, nous font si cruellement défaut. Pour l'heure, et en attendant ces travaux qu'il faudra bien un jour mener à terme, je crois que l'on peut dire, par provision, qu'il n'est qu'une façon sérieuse de contrecarrer le dessein fasciste et de lutter en tous temps, en tous lieux et en toutes circonstances pour la liberté et la justice : c'est, à l'inverse de ce que nous dit depuis plus d'un siècle maintenant l'ensemble de l'idéologie française, d'abolir tous les lieux, d'oublier tous les temps, de faire fi de toutes circonstances, – et de poser, quoi qu'il en coûte, qu'il y a des valeurs tout à la fois éternelles, universelles et catégoriques.

Universelles ? Je veux dire par là que la question centrale de notre temps est de savoir si, comme l'affirment les disciples anciens et modernes de Gobineau, le fait d'être de ce pays, de grandir sous ce climat, d'avoir la peau, peut-être, de cette teinte, suffit à justifier un calvaire qui serait partout ailleurs injustifiable, – demandez ce qu'ils pensent, ces « peuples de couleur » persécutés, des étranges « progressistes » qui expliquent gravement que la démocratie par exemple serait naturellement rebelle au génie, à l'âme, aux traditions de leurs lieux de damnation. Éternelles ? si l'on peut soutenir, comme faisaient les bergsoniens d'hier et ceux, moins avoués, qui peuplent les rangs de la gauche contemporaine, qu'il n'est de valeurs que d'histoire, fluctuantes au gré du temps qui passe, vil plomb de la veille perpétuellement mué dans l'or fin d'un lendemain qui, hélas, est toujours pour demain : il est dommage que – hors Soljénitsyne, bien sûr – l'archive soit si mince pour témoigner si les millions d'hommes et de femmes que le socialisme concentrationnaire naissant traînait dans les camps de Sibérie avaient ou non le sentiment que, n'en déplaise à « nos compagnons de route », on violait en eux le sentiment, l'essence d'une justice éternelle[5]. Catégoriques ? la question est de savoir, de nouveau, si nous nous déciderons un jour à en finir avec ce barrésisme impénitent dont on a vu plus haut quelques avatars récents et qui continue de se survivre dans la tête de ceux qui ne conçoivent de vérité qu'en situation, de principes qu'en perspective, de morales qu'hypothétiques et d'échelle du permis et de l'interdit qu'au long d'une autre échelle qui est celle de la conjoncture : et j'aurais scrupule à rappeler cet axiome simple que l'antisémitisme par exemple est a priori, en toutes conjonctures, en toutes hypothèses, injustifiable si je n'avais entendu, dans la France de 1980, tant de bonnes gens se demander si tels ou tels

excès dans la riposte, l'auto-affirmation, la provocation
« juives » ne portaient pas la lourde responsabilité
d'un réveil possible de l'infamie.

Ce triple sophisme, il se trouva un homme dans les
années 20 pour tenter de le pourfendre et pour résister,
désespérément seul, à ce prestige du Faux où il voyait
la nouvelle et terrible religion de son temps : il s'appelait Julien Benda et on sait ce qu'il lui en coûta d'outrage, de haine, de calomnie, – et la légende tenace de
« raideur », de « stérilité », de « ratiocination » qui le
poursuit sans relâche, et à quelques exceptions près,
jusqu'à nos jours. Il s'en trouva un autre, un quart de
siècle plus tard, pour vouer l'essentiel de sa vie à prouver, face aux défis totalitaires de son temps, qu'il y a
une essence du Vrai, une universalité du Juste, une
idéalité du Bien dont aucune histoire, aucun préjugé,
aucun calcul même ne sauraient entamer les
impératifs : il s'appelait Albert Camus et on se souvient
de la meute à ses trousses, de la troupe des ricaneurs à
nouveau, beaux esprits le défigurant à belles dents, –
Camus le gourd, Camus la morgue, Camus le péremptoire. Ces deux hommes, ces deux grands hommes, ne
sont pas seulement de ceux qui honorent de leur nom
et de leur vie l'histoire des lettres et des idées françaises. Si je les cite ainsi ce n'est pas seulement pour leur
rendre hommage de tout ce que je dois, personnellement, à leur exemple et à leur œuvre. Mais c'est aussi
parce qu'il y a dans les termes mêmes du procès qui
leur fut à tous deux intenté quelque chose qui ne peut
manquer de faire dresser l'oreille. Qu'il est éminemment significatif, cet acharnement de l'idéologie française, côté droit pour l'un, et côté gauche pour l'autre,
à ne voir que morgue, raideur, ratiocination dans des
textes qui, face à elle, tentent simplement de prendre le
parti des esclaves et des corps martyrisés. Qu'il est
capital, le fait que ce soient Camus et Benda, les Justes,

qui apparaissent comme des « doctrinaires » et leurs
adversaires au contraire, staliniens là, et maurrassiens
ici, comme de sémillants intellectuels aux idées « larges » et à l'esprit « ouvert ». Et je crois que, du coup, il
faut prendre conscience de ceci : le totalitarisme n'est
pas toujours le « dogmatisme » qu'on dit ; il est le
contraire de l'« esprit de système » qu'on lui prête
volontiers ; il se présente même, le plus souvent, et
dans l'ordre de l'Éthique au moins, comme un parti
pris d'indécision, un scepticisme de principe, un sens
aigu, incroyablement dégourdi, pas le moins du monde
péremptoire, de la relativité de toutes choses. Le fasciste ne dit pas : « Vive les dogmes » ; mais plutôt, et
plus radicalement : « Tout – à commencer par les
valeurs – est relatif. »

C'est la raison pour laquelle, en ce qui me concerne,
fort donc de ces exemples, de l'exemple du siècle tout
entier, et de celui, notamment, du « relativisme » sans
précédent qui me paraît marquer l'époque où je vis et
écris, je crois qu'il y a urgence à réhabiliter, sinon le
« dogmatisme », du moins une forme de *sectarisme*...
J'entends le mot au sens propre cette fois. En un sens
adverse maintenant de celui où nous nous étions arrêtés au chapitre précédent. Au sens de son étymologie, si
l'on veut, qui, signifiant couper, trancher, séparer, me
semble le meilleur nom possible de l'intransigeance en
matière d'éthique[6]... C'est ainsi – pour prendre d'autres
exemples – que je crois qu'il fallait couper court à cet
obscène débat qui, quarante ans après l'holocauste,
devait porter sur l'existence et la forme des douches au
plafond des chambres à gaz. Qu'il fallait vite trancher
dans tout ce hideux tapage, qui n'eut nulle part ailleurs
qu'en France autant de publicité, sur le nombre de
millions de cadavres partis en cendres et en fumées
dans les crématoires nazis. Qu'il fallait fermement
séparer, au même moment, cette fameuse « nouvelle

droite » dont on savait bien alors qu'elle était aussi ignare qu'immonde mais qui, du jour où d'aucuns crurent bon de consentir à entrer dans ses voies, entra elle-même pour de bon dans la voie de la respectabilité intellectuelle. Car que croit-on qui se passe donc quand, par la grâce d'un libre échange d'idées, des idées aussi singulières que l'eugénisme, le racisme, ou le darwinisme social de Georges Vacher de Lapouge[7], deviennent des idées comme les autres, ni plus ni moins soutenables que d'autres, auxquelles on peut adhérer à demi, aux trois quarts, pas du tout, ou complètement, et à quoi il est tout juste possible, alors, d'opposer des arguments de raison ? Que croit-on qui se passe quand la revue *Esprit*[8], fidèle à elle-même en un sens, publie en 1980 le texte d'un historien qui s'emploie à réfuter – oh ! certes magistralement et sans la moindre ambiguïté – des thèses auxquelles nul avant lui n'accordait la moindre créance, qui n'ont pas plus d'intérêt que celles d'un géographe qui prétendrait démontrer que la France est une île du Pacifique, mais qui, réfutées point par point, consacrées dans leur ambition, admises au cercle des idées assurément fausses mais dignes de dispute, acquièrent une dignité intellectuelle proprement hallucinante ? Eh bien, il se passe simplement que le fascisme repasse et qu'on lui rend, d'un seul coup, le seul hommage auquel, pour l'instant, il peut oser aspirer : celui de la banalité de ses crimes, de la familiarité de son discours.

Car en un sens nous y sommes. Oui, nous sommes désormais au point où la question de savoir si on peut ou non nier le génocide de six millions d'hommes, de femmes et d'enfants est devenue une question d'académie. Nous sommes dans un pays qui peut voir, jour après jour, des docteurs débattre sur la place pour décider si un hebdomadaire qui compare allègrement les bombardements de Dresde par les Alliés au spectacle des camps hitlériens[9], est oui ou non une feuille néo-fasciste. La France de 1980 est ce lieu tout de même très particulier où un communiste libéral peut collaborer à cette même feuille en arguant que, propriétaire privé de ses idées et de son style, il saura toujours les faire surnager à la surface du marécage[10]. A cet homme-là et aux autres, je crains qu'il n'arrive très bientôt l'aventure dont Platon conte qu'elle survint à Socrate lorsque, prétendant avoir raison des raisons de Calliclès, il découvrit à ses dépens qu'on n'a jamais raison du pervers. Je crains que nous ne tombions tous avec eux à la trappe que le prophète biblique, déjà, signalait à l'attention du Juste, quand il l'adjurait de ne point « entrer dans les voies du méchant de peur qu'elles ne deviennent un piège au milieu de lui »[11]. Et qu'on ne vienne surtout pas alors justifier ce naufrage par je ne sais quelle exigence de dialogue qui serait, comme on nous le serine ici et là, l'obligé corrélat d'une éthique démocratique bien comprise : car si la démocratie est une pensée de la tolérance, elle n'a jamais été pour autant une invitation au dialogue sans rivage ; si elle exige que parole soit laissée à quiconque prétend pouvoir l'assumer, elle n'a jamais exigé qu'à cette parole la cité tout entière prenne part ; si la liberté commence avec l'imprescriptible droit pour chacun d'exhiber son lot d'ordure, elle périclite dès lors que, recyclée par les soins de nos dialogueurs professionnels, elle est miraculeusement changée, cette ordure, en métal d'idéologie ; et tout cela parce que, je le répète, on ne comprend rien au fascisme, aux cheminements qu'il emprunte, si l'on ne voit cette sourde, cette souple, cette fluide volonté qu'il a de faire la plaine toujours plus rase où, en démocratie justement, s'opposent irrémédiablement le côté du bien et le côté du mal.

De là aussi qu'on n'y comprend rien non plus, et rien cette fois à la cité dont il rêve, si on ne pressent la non moins sourde, la non moins souple haine qu'il ne peut que vouer, à partir de prémisses de ce genre, à cet autre discours sectaire, à cette autre machine à diviser, à cet instrument, laïc cette fois, de séparation du bien et du mal qui, en démocratie toujours, et dans la tradition judéo-chrétienne encore, s'appelle le Droit... Car qu'a-t-il à faire, l'homme fasciste, de cette suffisante prétention à juger, à trancher, à rétribuer chacun selon son dû, à condamner chacun selon son crime, et cela selon des règles constantes, égales pour tous les hommes, identiques pour toutes les conditions ? Comment ne verrait-il pas le comble de la raideur dans ces arrêts, ces décrets, ces statuts, ces règlements, bref ces textes et ces lettres qui bourdonnent dans les prétoires et dont l'infini buissonnement prétend s'interposer aux sources de la vie et venir quadriller les maquis de l'idiotisme ? Ne commet-il pas le crime suprême à ses yeux, le juriste, ce phraseur, qui, même quand il ne châtie pas, n'en finit pas de définir, de recenser, de formaliser, en un mot de nommer ce mal qu'il tient, lui, pour innommable, indéfinissable, informalisable ? Hitler, de fait, le savait bien[12] qui excluait de sa cité les « avocats » et « enfileurs de paragraphes » dont « l'erreur est de croire qu'on crée la vie avec des codes ». Les staliniens de même qui, si l'on en croit les admirables analyses de Zinoviev[13], règnent sur une société « ivanienne » sans codes, sans droits. Mais Berth, avant eux, partait en croisade déjà, dans les *Méfaits des intellectuels*[14], et à partir d'une problématique ouvertement bergsonienne, contre le « légalitarisme » et le « formalisme raide des règlements administratifs ». Et quant à Maurras, aux maurrassiens, aux jeunes camelots du roi qui sillonnaient les rues de Paris en scandant qu'ils « se fichaient des lois »[15], c'est toujours la même haine du formalisme, le même souci vitaliste, naturaliste et organiciste qui leur dictait leurs dénonciations hystériques des « majestés usurpées du droit et de la loi »[16].

D'autant qu'il a, ce formalisme, un autre sens, une autre portée encore. Qu'avant de séparer le bien et le mal, il sépare la loi elle-même du monde et de l'expérience. Et qu'un juriste démocrate est quelqu'un qui commet généralement ce nouveau crime, plus impardonnable s'il se peut, de prétendre à une manière de *transcendance*... Car s'il est clair qu'il n'est pas de code qui ne trouve son origine – en même temps bien entendu que son champ d'application – dans les désordres réels de la vie civile réelle, il est non moins clair que son premier geste est toujours, curieusement, de s'affranchir de ce réel. Tout se passe comme si, à peine donné le branle au procès qui le constitue, il ne savait rien de plus urgent que de s'en émanciper, de trancher en toute hâte le lien qui le rattache à sa roturière origine, et de camper seul alors, en une sorte d'empyrée logique qu'il ne veut plus voir peuplé que de ses seules et très logiques créatures. Il n'est pas de système juridique, si l'on préfère, qui, en régime démocratique, ne fonctionne comme un système justement, un cercle bien bouclé, où d'une loi s'engendre toujours une autre loi, où il n'est d'autre limite à un droit que la limite d'un autre droit, et où on peut voyager ainsi, circuler à l'infini, sans jamais croiser rien qui ressemble à la rude matérialité d'un fait. Cette clôture, comme on sait, n'est ni de hasard ni de caprice. Elle est le corrélat de cet « homme abstrait » dont je parlais en commençant et qu'on peut aussi bien appeler le « citoyen ». Elle est le seul moyen connu de fonder et de garantir l'égalité des citoyens, de *tous* les citoyens, devant la même loi. Elle est comme une survivance moderne du vieux principe biblique de ne point faire, face à la justice, acception des personnes et de leur idiotisme[17]. Et c'est cela qui, derechef, est à l'évidence intolérable aux sourciers de la vie et de la terre. Cela qui interdit le Droit au séjour des soutiers de l'énergie, des élites et de la race. Cela qui le fait proprement impensable aux yeux des dévots du réel et de sa bigarrure de matière. Quand Barrès s'autoproclame « ennemi des lois », il faut l'entendre à la lettre ; y entendre une invitation à cesser de fredonner la vieille rengaine de la « dictature des lois », enserrant les corps et les âmes dans ses réseaux de disciplines ; y écouter plutôt la définition d'un fascisme qui, en France comme ailleurs, est d'abord, foncièrement, essentiellement *illégaliste*.

Illégaliste ? Écoutons mieux encore. Écoutons Péguy par exemple se déclarant à son tour[18] « ennemi des lois », indifférent aux « craties » comme il dit, à ces « démocraties », « ploutocraties », « aristocraties », « autocraties », qui ont toutes pour point commun, à ses yeux, de croire que c'est le type de « régime » qui fait la « force d'une race ». Écoutons Vacher de Lapouge, avant lui, écrivant dans *l'Aryen*[19], que les lois sont des « fictions », de simples « transactions entre puissances » et qu'en un monde où il n'y a que des forces et des races, seules comptent et valent les lois qui ont été « sanctionnées » par la « force collective ». Écoutons Pétain surtout déclarant aux ouvriers de Saint-Étienne[20], presque dans les mêmes termes, que « la loi ne saurait créer l'ordre social », car « elle ne peut, insiste-t-il, que le sanctionner » une fois que « les hommes l'ont établi ». Ce qui est visé là c'est l'idée d'une loi, entendue en un nouveau sens, qui, ivre de son abstraction et folle de son universalité, s'en fait brusquement vertu et prétend maintenant à la plus sublime magistrature civile. Ce qui est désigné, c'est la « fiction » d'une loi qui, vidée à la limite de toute prescription, de tout contenu particulier, voit dans cette vacuité même son titre à susciter, à structurer, à engendrer le lien social lui-même. Ce qui est dénié c'est l'arrogance inouïe d'une Forme qui, de haut, depuis les cimes où elle trône en majesté, depuis les « nuées », dirait Maurras[21], où elle « flotte entre deux airs », aspirerait à rien moins qu'à nouer, à rassembler le fil qui tient uni le troupeau humain. Quoi ! le mort fonder le vif ? l'absent donner sens à la présence ? la forme engendrer, sanctionner la force ? et, au ciel, les racines de la terre ? Ce paradoxe, cette arrogance, essentiels à un dispositif libéral, leur sont à tous trois littéralement incompréhensibles. Ils y opposent tous une ontologie du plein, de l'être bouché et totalisé, d'un tout qui se sature et, de ses propres mains, se suture. Ils y opposent, en d'autres termes, un modèle de société basé sur le fantasme de ce que j'appellerais un « onanisme politique ».

Par onanisme politique j'entends l'idée d'une société qui se veut et se pense autoconstituée. Le rêve d'un lien social rétif à tout ce qui, du dehors, hors la précieuse matrice, pourrait et voudrait en instituer les états. Et la méfiance alors, au sens strict cette fois, et premièrement, de ce que, dans le langage courant, on appelle une « institution ». Le mot, on ne l'a pas assez noté, n'apparaît presque jamais dans le lexique du Maréchal et, par exemple, dans son adresse aux constituants du 8 juillet 1940[22]. Il est rigoureusement absent dans celui de Péguy et n'est pas une seule fois prononcé dans les deux textes – *Marcel* et les *Dialogues* – où il dresse les plans de sa cité d'Utopie. S'il est prononcé, c'est ailleurs, dans d'autres textes, et généralement dans une acception péjorative, comme on voit dans sa polémique avec Brunetière[23] où, en vertu d'un jeu de mots très significatif, il est constamment présenté comme synonyme de « substitution ». Instituer ? Substituer ? Le bon Péguy, en fait, n'a pas complètement tort. Il est exact qu'instituer c'est toujours substituer à l'ordre

archaïque des choses un orbe d'« artifices » et un
« esprit de système ». Que c'est toujours subroger ses
chères communautés de sang et de sol par des communautés de langue, d'éthique et de visages. Que c'est
faire davantage confiance au linguiste ou au légiste
qu'à son fameux « Soldat »[24] pour tailler le « berceau »
où s'éploie une culture et assumer la fonction du berger
de l'être collectif. Que c'est fonder des Églises par
exemple, mais transnationales, internationales, cosmopolites, vaticanes plus que gallicanes, et évangéliques
plus que repues de tourbe paroissiale. Bâtir des villes
également, cosmopolites encore, dont le moindre lieu
est toujours un lieu de traversée, le « coin de la rue »
celui de l'« aventure »[25] et l'aventure suprême celle
d'un défi constant aux ancrages en terroir. Construire
des écoles même, mais où l'on verrait le spectacle
affreux d'étrangers, de métis, de métèques, se prélasser
au soleil de France, entre les « carrés de vignes » et à
l'ombre des « platanes » d'où le poète inalphabet tenait
tant à les exclure[26]. Scandale ! outrage à la race gau-
loise ! péril en la demeure de Péguy le raciste ! La cité
sans institutions c'est celle où l'on se sent chez soi,
entre soi, – et où n'ont droit de cité que les fils du pays,
bien de chez eux, bien de chez nous.

De là, une méfiance corrélative à l'endroit de la
forme État comme telle, machine institutrice s'il en est,
repaire de toutes institutions, instance nodale, surtout,
où elles viennent s'articuler. Et cette deuxième leçon
décisive : l'onanisme politique passe toujours peu ou
prou, à des degrés divers, je crois, avec plus ou moins
d'insistance c'est certain, par ce qu'il faut bien nommer
un anti-étatisme de principe. C'est vrai de Péguy, de
nouveau, qui, contre les monstres « cratiques », a
d'emblée pris le parti de sa microparoisse[27]. Du frin-
gant marquis de Morès, le chef de bande des bouchers
de la Villette, qui, dans les quelques rares brochures

issues de sa cervelle débile, tient à affirmer sa foi en
une société libérée du chancre, de la verrue étatique[28].
De Sorel et de ses amis du cercle Proudhon, plus tard,
dont le but avoué[29] fut de « désarticuler les organes »
de « cette camisole de force qui s'appelle l'État ». De
Maurras même, en un sens, dont Édouard Berth souli-
gnait, pour s'en féliciter, que l'« État » dont « il poursuit la restauration ne ressemble pas plus à l'État
démocratique moderne que le Chien constellation ne
ressemble au chien animal aboyant[30] ». Et c'est vrai
enfin de la « jeune droite » prépétainiste où l'on sera
surpris de retrouver la plupart des thèmes dont se berce
de nos jours la vulgate statophobe d'après mai 68. Où
s'instruit déjà, en des termes étonnamment modernes,
le procès de la bureaucratie, de la société bloquée, de
l'« État envahisseur et tentaculaire » qui étouffe la vie
de la société civile[31]. Où tout est dit de l'horreur du
« monstre froid », du « plus froid de tous les monstres
froids » et de la tyrannie qu'il exerce sur les hommes de
chair et de sang[32]. Anti-étatisme de droite ? Oui, bien
sûr, anti-étatisme de droite. Mais je ne suis pas sûr qu'il
y ait un anti-étatisme de gauche. Je ne suis pas sûr du
tout qu'il y ait moyen, sans État, de fonder et de penser
l'individu par exemple. Je suis certain, même, que nous
n'avons le cnoix qu'entre l'acceptation de l'État comme
tel, quitte, certes, à y résister, à le sanctionner, à le
censurer sans relâche, – et une société désétatisée où ne
nous serait plus proposé que le retour aux puissances
du « sol » et du « sang », dont les statophobes des
années 30 se faisaient déjà les immanquables propa-
gandistes.

De même enfin pour cet antipolitisme de principe
dont la rumeur est là, inévitablement, qui fait toujours
cortège, concert aux deux premières. Car il n'y a pas
mille façons non plus, dans la culture où nous vivons,
de haïr, de disqualifier, ou de prétendre en finir avec la

fatalité politicienne. Il y a la voie d'abord, qu'on pourrait dire « poujado-doriotiste » et dont le parcours,
grâce au ciel, commence à nous être connu : partie du
célèbre « tous des vendus, tous des pourris », elle glisse
en pente douce vers le non moins célèbre « tous des
métèques, pas une goutte de sang français dans les vei-
nes »[33]. Il y a la voie, ensuite, moins bien connue mais
plus subtile, que je dirais, faute de mieux,
« proudhono-sorélienne » : on part cette fois d'une
noble et héroïque « neutralité du point de vue politique » ; on adjure les larges masses de se garder à
droite, de se garder à gauche, de se garder de la « pipe-
rie » libérale[34] ; et, au bout du compte, au terme du
parcours, on touche le gros lot, tous les records battus,
le tiercé du siècle sur une seule mise : le ralliement à
Maurras, puis à Lénine, puis à Mussolini[35]. Il y a la
voie enfin, plus noble et plus magnifique encore, que
les intéressés eux-mêmes baptiseraient volontiers, me
semble-t-il, « péguysto-personnaliste » : elle démarre,
elle, sur l'air de la « mystique » qui doit se préserver de
« dégénérer en politique » ; elle nous fredonne le cou-
plet du « spirituel » à distinguer de l'horrible, de l'impur chaos « matérialiste » ; elle enchaîne insensiblement sur le Pater Noster d'un « Dieu veuille que nos
maîtres soient fermes » pour que nous n'ayons qu'« un
seul chef, un maître et qu'il soit rude »[36] ; et puis, trente
ans plus tard, droit dans le fil, sans dévier d'un pouce
de la juste ligne mystique, l'épopée s'achève, comme on
sait, sur le coda déjà si familier de « Maréchal, nous
voilà ». Trois voies. Trois impasses. Trois atroces culs-
de-sac. Je ne suis pas personnellement un fanatique du
politique. J'ai dit plus souvent qu'à mon tour les ris-
ques d'un « tout est politique » aux incontestables parfums de despotisme. Je me suis surtout essayé, ailleurs[37], à suggérer une formule qui, de ce politique,
réduirait le champ et limiterait l'empire. Mais limiter

n'est pas dévaluer. Dévaluer c'est même le contraire de
limiter. Et cette contrariété c'est, une fois encore, je le
crains, celle du fascisme et de la démocratie.

Je ne me doutais pourtant pas, en écrivant ces lignes,
que j'en verrais, que nous en verrions si vite, une si
éclatante illustration. Et, les relisant aujourd'hui, les
oreilles pleines de ces rires gras qui saluent le trajet de
certain candidat aux présidentielles de 1981, je ne puis
résister à la tentation d'y ajouter quelques remarques.
Car qui dit que « les gens qui font la politique ils nous
font chier » et que « je veux aller jusqu'au bout et fou-
tre la merde » ? C'est notre candidat bien sûr, le 18
novembre 1980[38] ; mais c'est aussi, un siècle et demi
plus tôt, le père fondateur de la voie « proudhono-sorélienne » déclarant que « faire de la politique c'est se
laver les mains dans la crotte »[39] ; et s'empressant aussitôt de pétrir, dans cette crotte, toute l'infernale merde
du monde, soit les juifs par exemple et les parasites en
tous genres. Peut-on entendre sans sursauter qu'« il y a
des mecs qui sont jamais représentés par les partis
politiques : les homosexuels, les chauffeurs de taxis, les
coiffeurs, les agriculteurs » ? Il me semble, moi, qu'il y
a eu une époque de notre histoire où elles étaient bel et
bien représentées, à la réserve près des « homosexuels », ces « catégories » ; un régime où on ne parlait
plus que de cette façon-là et où on ne pouvait s'adres-
ser à un agriculteur qu'en venant le cueillir sur sa terre
et lui parler une langue à l'agriculteur réservée ; un
homme pour qui, déjà, un « chauffeur » ou un « coiffeur » n'étaient rien que ce chauffeur ou ce coiffeur, et
par définition étrangers donc à la langue de bois
citoyenne des « partis » ; et que cet homme, cette époque, ce régime, c'était tout simplement un pétainisme
dont le fond de la doctrine était aussi, on s'en souvient,
exactement comme notre antipolitique d'aujourd'hui,
que la « majorité » n'est rien d'autre que « les minori-

tés mises bout à bout »[40]. Que dire enfin – et surtout – de ces intellectuels, qui accrochés au char d'Ubu couronné, appellent bruyamment à la constitution de « comités de soutien » en sa faveur ? Peut-on continuer de rire quand on les voit, graves comme des papes, s'évertuer à démontrer qu'il s'agit d'une « candidature sérieuse », tout le contraire d'une « intervention marginale ou dérisoire »[41] ? Comment ne pas songer qu'il n'est pas très nouveau dans nos annales le miracle d'un discours dont l'un d'entre eux nous assure[42] que, tout en étant « sincèrement de gauche », c'est « d'un déplacement de voix de droite » qu'il « bénéficiera » ? Je ne sais ce que la postérité retiendra de ce pitoyable épisode. Je veux bien croire qu'il témoigne d'une crise profonde de la chose politique en France. Mais ce qu'il révèle aussi, et d'ores et déjà, c'est que les démons, décidément, sont toujours là. Qu'il y a de nouveau dans ce pays des intellectuels pour rêver d'un mouvement de masse scandant les airs connus du national-poujadisme de France profonde. Qu'on est là, de nouveau, en plein délire, en plein pétainisme larvé, – et au bord de cet onanisme politique dont la bouffonnerie antipoliticienne est la dernière figure.

Mais baste. Laissons là les histrions. Et revenons à l'essentiel. C'est-à-dire au bâti du dispositif. A ce lien social à la recherche duquel ces analyses sont consacrées. A ce mode de constitution de la Cité dont nous scrutons, depuis un moment, le chiffre et les codes. Et dont il est temps, maintenant, munis de ces conclusions, d'achever de boucler la boucle. Car si toutes les remarques qui précèdent sont exactes, elles signifient qu'il faut en finir décidément avec la légende trop simple d'un mal qui viendrait nécessairement des sommets

et qui, tel un vol de vautours, s'abattrait sur le corps
sain de la société en sa vérité. Si l'idée d'onanisme
politique a un sens c'est à nous déshabituer de toujours
guetter le péril au faîte d'un pouvoir lointain, monumental, magiquement diabolique, qui inonderait, acca-
blerait la malheureuse cité de ses grondeuses et fou-
droyantes semonces. Si j'ai cru bon d'insister sur cette
notion d'« auto-institution du social », qui court à travers la plupart des textes de l'idéologie française, c'est
pour tenter de faire comprendre qu'elle est rien moins
qu'évidente l'image d'un ordre totalitaire qui procéderait constamment en renforçant les prestiges du Haut,
et en les décollant toujours davantage de la sphère, de
la zone du Bas. Non pas, bien entendu, qu'il faille en
conclure à l'inverse qu'il procéderait toujours du Bas et
qu'il puisse faire l'économie d'un appareil de coerci-
tion par exemple ou d'une instance de violence légitime. Mais ce qui ressort de ces quelques notations c'est
que cette différence du Haut et du Bas est précisément
ce qu'il conteste. C'est que cette topographie du Haut
et du Bas est précisément ce que, chaque fois, il travaille et remanie. C'est que le fascisme, en un mot, ne
vient ni proprement du Haut, ni proprement du Bas,
puisque sa démarche, sa spécificité, ce qui le distingue
d'un despotisme classique ou d'une démocratie musclée, c'est que, dans chaque cas – celui du Politique,
comme celui de l'Etat, celui de l'Institution, comme
celui du Droit –, il vise à rien moins qu'à résorber,
entre Haut et Bas, le déchirement que maintenait le lien
social démocratique[43].

Comment ? Par quels moyens ? Avec quels outils,
cette résorption ? Je crois que nous touchons là au
nœud du problème. Que nous sommes tout près, maintenant, du terme du chemin. Et qu'il dispose, en bonne
logique, de trois méthodes distinctes qu'il est facile
désormais d'énumérer... La plus expéditive d'abord :

rabattre tout simplement le plus haut sur le plus bas et imaginer une société décapitée, proprement acéphale, sans tête ni chef, et arasée de toute éminence, de toute saillie d'autorité, – un espace plan, unidimensionnel, comme un grand corps sans organes où l'on passerait indéfiniment d'une cellule à une cellule semblable. La plus courte ensuite : maintenir le Haut en haut, conserver le Bas en bas, mais tracer à coups de hache le plus court chemin entre les deux, sabrer sauvagement toutes les entraves à leur court-circuit, faire taire tous les bruits qui font obstacle à ce qu'ils s'entendent, – un espace resserré, bon conducteur d'énergie, vidé de tous les corps intermédiaires qui résistaient au passage des flux et dont on parcourt d'un trait, presque à la vitesse de la voix, le morne et silencieux désert. La plus difficile enfin, mais peut-être la plus sûre : maintenir les deux pôles encore, les laisser à leur place toujours, travailler leur intervalle de nouveau, mais en le meublant cette fois, et à l'inverse, d'une foule de prudents relais, d'une procession de patients et réguliers degrés qui, sans heurt ni cahot, sans risque d'hiatus ni solution de continuité, parviendront à combler l'écart qui les tenait séparés, – un espace dilaté maintenant, commode à gravir, plein de corps intermédiaires, au contraire, où souffler dans l'ascension et dont on puisse parcourir sans peine, au pas du paysan, la parfaite hiérarchie. Trois méthodes encore. Trois solutions possibles. Trois formules et trois procès pensables. Mais trois formules, aussi bien, qui furent, qui sont effectivement et textuellement pensées. Car il n'est pas très difficile de reconnaître dans la première l'esprit du proudhonisme. On ne prendra pas grand risque à subsumer la seconde du nom de Barrès par exemple. Elle est toute proche, la troisième, du schéma maurrassien. Et si l'on convient de les baptiser, l'une « autonome », l'autre « césarienne », la dernière « hiérarchique », il

semble bien qu'on tienne là les trois définitions concur-
rentes du lien social tel que le rêve le fascisme à la
française.

Je dis : « il semble ». Car à regarder les choses – et
les textes – d'un peu plus près, elles apparaissent moins
nettes et légèrement plus complexes... Maurras par
exemple, avec son nationalisme autoritaire et sa haine
des « intérêts particuliers » qui inhibent la libre circulation des semonces entre le prince et ses sujets, n'est-il
pas plus près, parfois, de la solution barrésienne ? Barrès, à cause de sa folie de Lorraine et de son éloge sans
limite des microlocalités, ne se rapproche-t-il pas, souvent, sinon du proudhonisme strict, du moins d'une
mythologie « autonomiste » qui lui ressemble diable-
ment ? Proudhon, quant à lui, n'est-il pas trop fédéra-
liste, trop soucieux d'ordre et d'organicité, trop occupé
à empiler « commune » sur « atelier », « région » sur
« commune », « nation » sur « région », et ainsi de
suite, pour pouvoir se cantonner à ce mirage d'autonomie et ne pas préfigurer, çà et là, les grandes cathédra-
les hiérarchisées du dispositif maurrassien ? On trouve
les trois traditions à la fois, d'ailleurs, chez quelqu'un
comme Péguy qui déclare, d'un côté, à Lotte que « ce
qu'il faut refaire avant tout, ce qui est capital, c'est la
paroisse »[44] ; qui en appelle, de l'autre, dans *l'Argent
suite,* on vient de le voir, à des « maîtres qui soient
fermes » ; et qui ne récusait si fort, enfin, les ruineuses
« craties » que pour leur opposer des modèles qu'il
appelait « archistes », ordres vivants, valables, légitimes, littéralement « hiérarchiques »[45]. On les retrouve
également, toutes trois rassemblées de nouveau, dans
les parages de l'*Esprit* des années 30, quand Mounier et
ses amis réalisent le tour de force – qui n'est pas sans
rappeler celui, quarante ans plus tard, des néo-socialistes du CERES[46] – de combiner la douce anarchie façon
Proudhon, le planisme autoritaire façon De Man, et les

communautés étagées façon Action française[47]. La confusion est à son comble enfin dans le pétainisme lui-même qui, d'une voix, invite à l'autonomie des plus petites communes mesures[48] ; de l'autre se glorifie d'un César seul au sommet du pouvoir s'adressant « directement » au peuple et à qui le peuple, en retour, répond « sans intermédiaires »[49] ; et de la troisième pourtant, en appelle à une hiérarchie de corps, d'élites responsables, d'intermédiaires de fait, qui assureront, de haut en bas, la continuité du circuit[50]. Autonome ? Césarien ? Hiérarque ? Les trois solutions, on le voit, s'excluent moins qu'elles ne se combinent et se renforcent. Les trois voies se croisent davantage qu'elles ne divergent. Et le fascisme réel ne tient plus un, ni deux, mais mystérieusement la triade et le carrefour de ces discours.

S'il peut les tenir à la fois c'est, bien entendu, qu'ils disent fondamentalement la même chose. Qu'il y voit moins des formules alternatives que les étapes, complémentaires, d'un unique procès. Et moins même des étapes que des moments – au sens où on parle du « moment » d'une force en physique – qui conspirent à son travail d'unité... La « solution plébiscitaire », c'est, en fait, le moment du déblai, du craquage, de la mise à feu où volent en éclats les fausses têtes, les faux chefs, les principes postiches – les « corps intermédiaires abstraits » que commence par liquider le pétainisme – qui étouffaient, tel un chiendent, la vie du tissu social. La « solution autonomiste », c'est le moment de la floraison, de l'éclosion, presque de la libération de toutes les micro-unités – les « communautés de base » où Vichy commande de retourner – qui sommeillaient sous l'étouffoir et qui, délivrées de leurs attaches anciennes, deviennent libres tout d'un coup, providentiellement libres, pour d'autres aventures et d'autres intégrations. La « solution hiérarchique » enfin, c'est celui du remblai, de la reconstruction, de ces autres attachements –

la gradation des corps intermédiaires ressuscités – où, dans l'espace ainsi libéré, les têtes peuvent repousser, les chefs se redresser, les principes réaffirmer leur érection et, organes refondus, nouer avec le bas, de haut en bas, de bas en haut, de proche en proche, des liens plus vrais, plus authentiques, en un mot plus organiques. Ces trois discours disent bien la même chose car, déliant ce qui était mal lié ou reliant ce qu'ils ont su délier, ils ne font que monnayer la même exigence de composition. Le travail auquel ils conspirent, tant négativement que positivement, est bien le même travail qui vise à rien moins qu'à redessiner un espace social autour d'autres coordonnées et de nouvelles polarités. Il ne s'agit plus seulement, comme dans chaque hypothèse prise en particulier, de s'efforcer laborieusement à abolir, vider ou, au contraire, combler l'écart qui se creuse d'habitude entre le haut et le bas, mais de redéfinir le Haut. De redéfinir le Bas. De les redéfinir *ensemble,* en sorte qu'ils marquent les repères de la nouvelle topologie. Et en sorte, surtout, que, dans cette topologie remaniée, dans cet espace refondu, dans cet élément pacifié et désormais sans turbulence, il n'y ait plus un atome, un grain de socialité qui ne soit adéquatement, parfaitement, spécifiquement *exprimé.*

Vichy avait un mot pour cela : cet ordre mirifique c'est, à la lettre, ce qu'on y appelait un ordre « corporatif ». Ses idéologues avaient un programme pour cela : une révolution dans la « Représentation »[51], tenue pour le prolégomène à toute « Révolution nationale » future. Elle est là, alors, la clé de la Cité pétainiste : dans cette nostalgie d'une « Représentation » pleine, immédiate, spontanée et absolument pertinente. Là aussi, du coup, le fond de son antidémocratisme : la démocratie c'est un régime qui représente mal, où le représentant ne représente que lui-même, où l'homme réel, lui, par contre, n'est jamais représenté. Là encore, du coup, et en dernier ressort, le lieu commun des aversions qu'on lui a vues à l'endroit de ces grands signifiants qu'étaient l'État, le Politique, l'Institution, la Loi : c'étaient des signifiants justement, rien que des signifiants, des signifiants sans répondants, des signifiants sans signifiés, des lieux de perdition où les mots, toujours, viennent à la place des choses. Des mots au lieu des choses ? Des signifiants qui ne répondent plus ? Un mirage de représentation ? S'il fallait résumer d'un mot, rassembler d'un seul regard, assigner à un horizon simple, les figures du délire et les motifs de la phobie, je crois bien que je dirais : un spectre hante notre fascisme aux couleurs de la France, – et ce spectre ce n'est rien d'autre que la simple, la plate, la pure idée de *Signe*.

PÉCHÉS DE SIGNE

Et pourtant, elle n'est pas si plate, pas si simple, cette pure idée de « Signe ». Elle est riche au contraire, beaucoup plus fertile qu'elle n'en a l'air, toute gorgée de sens, de chimères, d'étranges hallucinations. Et je voudrais, pour terminer, en donner deux illustrations. Deux effets concrets, précis, de cette signophobie politique. Et deux ultimes séries de remarques, du coup, – qui nous reconduiront à des parages plus familiers, cette fois, de nos langues idéologiques.

Car, à bien y regarder, il y a plus grave encore qu'un signe ; plus redoutable, plus dommageable que ces médiations finalement simples qu'étaient l'État, le Droit, le Politique, ou l'Institution ; plus monstrueux, plus intolérable que ces parasites si bien nommés dont on peut toujours se dire après tout que, si ruineux soient-ils, ils demeurent étrangers, superficiels à la texture sociale ; signe pour signe plutôt, ceux-là ne sont pas les plus terribles, qui ont au moins le mérite de demeurer à leur place, pesants mais immobiles, greffés mais extérieurs, et vulnérables par conséquent à la prophylaxie corporatiste. Et le vrai danger, l'imparable péril, songent alors nos idéologues, c'est si le signe, soudain, s'intériorise et qu'il investit par le dedans le corps de la société. S'il déserte sa place et vient à la

place de toutes les places, insaisissable désormais parce
que tournoyant, tourbillonnant, et indiscernable des
choses mêmes. Quand, non content même de s'insinuer
ainsi, il se diffuse, se propage, mieux que greffe, cancer, mieux que parasite furet, circulant à l'infini à la
surface sociale. En un mot, le pire des signes, le comble
du signe, le signe de tous les signes, celui auquel le
signophobe vouera la haine la plus significative, ce
n'est rien d'autre, on l'aura deviné, que celui dont
Péguy disait[1] que « pour la première fois dans l'histoire
du monde il est maître sans limitation ni mesure » ;
dont il ajoutait, plus horrifié encore, que, « pour la
première fois dans l'histoire du monde il est seul
devant Dieu » ; bref, le sournois, l'infâme, le diabolique *Argent*.

Car c'est bien ainsi qu'il raisonne, l'auteur de *Notre
jeunesse,* dans les années d'amertume[2] où, debout sur le
seuil de sa petite boutique de la rue de la Sorbonne, il
voit passer chaque matin ses anciens camarades nor-
maliens en route vers leur « guichet » et songe que cet
argent a détrôné désormais toutes les « puissances
matérielles » et a refoulé à lui seul toutes les « puissances spirituelles ». C'est le raisonnement de ses disciples
des années 30, « jeunes droite » et « non conformistes », quand ils narrent[3] la funèbre épopée d'un
« monde décharné » qui, à la recherche d'un « langage », d'un « signe suffisamment comptable et sensi-
ble », l'a trouvé en cet « Argent » devenu maître
absolu, suprême « usurpateur », installé « à la place
des choses » et instillant « au cœur de l'homme le vieux
rêve divin de la bête ». Même démarche chez Georges
Valois, fondateur du Faisceau et premier homme politique français à se réclamer explicitement du fascisme,
quand, dans la préface à ce recueil de souvenirs qu'il
intitule *l'Homme contre l'Argent*[4] justement, il voit en
ce même argent la clé du monde moderne, le seul obs-

tacle véritable à un véritable fascisme, l'inexpugnable mais omniprésent dragon qui fut, « depuis son enfance jusqu'à ce jour », son « seul ennemi ». Déjà avant lui, du temps de ses débuts, Georges Sorel, Édouard Berth et ses compagnons du cercle Proudhon naissant ne disaient rien d'autre non plus qui voyaient dans l'« Or », dans son ubiquité, dans ses enfantements, la sombre et discrète matrice où s'engendrent toutes les tares du système libéral et qui laisse loin derrière elle le méfait des intellectuels, du politique, de l'État et du reste[5]. Encore après eux tous, Pétain ne parlera toujours pas autrement, qui consacrera un de ses tout premiers « Messages » à pourfendre « l'argent trop souvent serviteur et instrument du mensonge »[6], et l'une de ses toutes premières lois à réduire ces « sociétés anonymes » où il se tapit de préférence, où d'autres se dissimulent à sa suite, et dont l'extrême droite, depuis dix ans, réclamait l'abolition[7]. L'Argent Dieu ? Non, l'Argent Satan, – où toute l'idéologie française s'accorde à reconnaître, et cette fois pour de bon, le plus froid de tous les monstres froids et la plus coriace, la plus maligne, la plus irréductible des résistances à ses desseins d'organicité[8].

Faut-il l'entendre au sens économique ? Dans le cadre d'une analyse des contradictions, des déchirements, des inégalités de la société française ? Dans le fil d'une juste et légitime indignation contre l'oppression, la misère, l'inégalité entre les hommes ? Parfois oui. Mais ce n'est pas l'essentiel. C'est même étrangement secondaire chez tous nos idéologues. C'est moins la richesse qu'ils fustigent ou les indignes possessions auxquelles cette richesse peut donner droit, qu'un mal plus obscur, plus sibyllin, quasiment ontologique, qui n'a pas grand-chose à voir avec cet « anticapitalisme » qu'on prête si complaisamment, parfois, à la droite française. L'argent, disait Péguy par exemple, est une catégorie morale, un être métaphysique, qui contamine quiconque y touche, les « seigneurs » comme le « peuple » et les ploie tous uniment à une identique malédiction. Il est, poursuit *Esprit* – c'est le titre d'un numéro spécial[9] que la revue lui consacre en 1939 – la « misère du riche » comme la « misère du pauvre », et on ne trouve point meilleur programme pour le réduire que les vieilles formules de saint Thomas ou de saint Jean Chrysostome exhortant à en « retrancher les enfantements monstrueux »[10]. Nulle envie, nulle colère, nulle revendication chez un Léon Bloy qui y voit, lui aussi, une malédiction, une sourde sorcellerie, « l'Argent qui tue et qui vivifie, l'Argent qu'on adore, l'eucharistique Argent qu'on boit et qu'on mange »[11]. Point trace non plus de la moindre analyse chez les protofascistes d'avant-guerre qui, dénonçant le « temps du financier », tiennent à préciser qu'il « n'incarne », ce financier, « aucune puissance, aucune fonction sociale » mais l'image simplement de la débauche, de l'incontinence, de la « jouissance »[12]. On ne saurait mieux dire. Mieux avouer qu'il ne s'agit plus même d'un signe mais d'une idole. Que la haine qu'on lui adresse n'est plus vraiment une haine, mais une peur, une terreur, une affreuse, irraisonnée panique. Que le discours sur lui tenu n'est plus discours mais anathème, moins proféré qu'exorcisé. Un psychanalyste aurait probablement fort à faire dans ce fatras de textes qui s'amoncellent en notre culture et où pointe si clairement le symptôme sexuel. Un théologien plus encore, qui ne saurait manquer de voir dans tout cela, et jusque chez les athées, un débordement de religion, une frénésie de superstition dont je doute qu'elles puissent, en leur manie, se réclamer des Écritures. Et quant à moi, lecteur simplement des tours et des détours, des entrelacs et des réseaux de métaphores qui tissent la trame de notre mémoire idéologique, je ne puis mieux faire qu'y déchiffrer la persistance de quelques images familières. Car lisons mieux. Lisons comme ils lisent plutôt nos exorcistes idéologues. Lisons ce qu'ils lisent, augures inspirés, penchés sur le corps évanescent de leurs démons de cauchemar. Il est *abstrait* d'abord, symbole même, chez tous ou presque, de cette « abstraction » dont on les a vus si acharnés à traquer la moindre manifestation. *Universel* par conséquent, faisant toutes choses à son image, donnant compte de tout le monde, emportant tous les objets dans la même ronde d'insignifiance. *Occulte* aussi, fondamentalement clandestin, d'autant plus insidieux qu'il échappe aux regards, et n'atteignant si bien ses fins que parce qu'il les dissimule dans les rets d'une invisible toile d'araignée. *Cosmopolite* du coup, sans feu ni lieu, sans foi ni loi, passeur de toutes frontières, brigand de toutes les transgressions, contrebandier impénitent des bornes de la tribu. *Anonyme* alors, sans nom et sans visage, sans odeur et sans couleur dit la langue commune, rebelle aux « lois du sang », dit plus brutalement Berth[13], affranchi des vérités de la « race », dirait Péguy. *Puant* pourtant, paradoxalement porteur des plus fétides odeurs, infecté de toute la merde, de tout l'excrément du monde, avec ces fantasmes de « pourriture », de « décomposition », qui reviennent constamment sous les plumes[14]. *Pleutre* aussi, ennemi des règles de la guerre, étranger à la gloire de la force, le contraire des « valeurs héroïques » dont on disait volontiers du côté du cercle Proudhon – mais aussi, plus tard, de chez Drieu – qu'elles ne sont pas « cotées en Bourse »[15]. *Hybride* encore, hésitant sur sa propre nature, androgyne infernal qu'on décrit tantôt privé de sexe, tantôt au contraire outrageusement sexué, énorme signifiant phallique dont on ne se lasse pas de dénoncer les fabuleuses fécondations. *Accapareur* dans tous les cas, mais

d'un accaparement pervers, qui ne se confond jamais
avec l'avarice par exemple, la thésaurisation et, qui est
même tout l'inverse de cette appropriation gracieuse
que dispense le contact charnel avec la chose et dont il
ne procure, lui, que les effets symboliques[16]. *Inscription*
enfin, irréelle épigraphe, fils de la lettre et père de toute
lettre, dont les opérations s'écrivent, s'étalent, s'ali-
gnent, de cet alignement dont on se souvient qu'il était,
chez Péguy par exemple, l'exact contraire de l'« enfon-
cement », de l'« enlisement » de l'homme en sa matrie.
Bref, il est juif. Fondamentalement juif. Juif par desti-
nation sinon par ascendance. Juif par vocation sinon
par généalogie. Et tous les fantasmes sont là qui,
depuis un siècle, nourrissent la fantasmagorie antisémite.

Cela ne veut pas dire, bien sûr, que les contempteurs
d'Argent le Malin soient tous, explicitement, ouvertement, animés par la haine du juif lui-même. Mais cela
veut dire en revanche que le schéma est analogue, que
le portrait est cohérent, que la théologie est identique
qui fait de l'un, inévitablement, quoique parfois impli-
citement, l'équivalent symbolique de l'autre. Et cela
implique alors cette conséquence décisive que faire le
procès de l'argent comme tel, c'est-à-dire comme fait
l'idéologie française, c'est toujours, dans notre culture,
penser juif, penser le juif, instruire silencieusement le
procès du juif comme tel. C'est vrai, cela va sans dire,
chez les antisémites chrétiens qui, comme l'explique
Bernanos dans la préface inachevée de 1939 à *la
Grande Peur des bien-pensants*[17], « sont moins obsédés
par le juif que par la puissance de l'argent dont le juif
est à leurs yeux le symbole et pour ainsi dire l'incarnation ». C'est vrai également, et cela va sans dire aussi,
des antisémites « de gauche » qui, dans les mêmes termes ou presque, remplaçant la figure de Judas par celle
de Rothschild, proclament, tels Chirac ou Tridon,

qu'ils visent moins l'homme juif qu'une juiverie cosmique dont il est supposé être, quoi qu'il en ait, le porteur
et le suppôt[18]. C'est si vrai, même, que c'est probablement là le véritable point de concourre des deux courants concurrents ; le carrefour où ils se croisent,
s'échangent, se renversent ; et la chicane, par exemple,
qui permet au catholique Drumont de se réclamer du
socialiste Toussenel, en même temps que Toussenel de
figurer dans la bibliothèque des assomptionnistes de *la
Croix*[19]. Mais c'est vrai surtout – et c'est le point le plus
symptomatique – d'un philosémite comme Péguy qui
demeure à ce point hanté par la contiguïté des deux
images, à ce point prisonnier de cette très ancienne
concaténation, qu'il ne parvient à sauver ses « frères
juifs » qu'en affirmant leur extrême « pauvreté » ; qu'il
ne peut s'expliquer le mépris où ses coreligionnaires
tenaient Bernard Lazare qu'en insistant sur le fait que
Lazare, le saint, « n'était pas riche »[20] ; bref, que le juif,
à ses yeux, ne peut qu'être pauvre absolument, riche
absolument, – indéfinissable, autrement dit, sans ce
tenace et substantiel rapport à l'Argent[21].

Vieilles histoires ? Vieux schémas ? Liés à une époque révolue où dominait encore l'imagerie catholique ?
Je ne crois pas. Je crois que la loi vaut pour aujour-
d'hui encore. Je crois même qu'elle vaut, en un sens,
plus que jamais. Et j'en veux pour preuve deux cas que
je choisis à dessein aussi éloignés que possible de ce
contexte et de cette scène des origines, – et d'abord,
celui de la « nouvelle droite », plus précisément du
G.R.E.C.E., ce « groupe de recherches » qui serait, à
l'en croire, son officine « théorique »... Voilà des hommes en effet qui nous annoncent[22] à grand fracas le
projet d'une société inédite, « doublement révolutionnaire », disent-ils, et qui ne trouvent pas mieux pour la
définir que cette expression de « communauté organique » qui faisait corps déjà avec la problématique

pétainiste. Des esprits « libres », non conformistes,
presque terrifiés de leur propre audace, qui nous
confient que cette « communauté organique » n'a
qu'un ennemi, qu'un adversaire, une hydre redoutable
qu'elle ne se lassera pas de pourfendre : l'« Argent »,
ou mieux la « mentalité marchande », – les mêmes termes autrement dit, que l'ancêtre Georges Valois. Cette
« mentalité marchande » elle-même, continuent-ils,
avec ce rien de lourdeur qui marque généralement leurs
textes, a pour caractéristique essentielle de « juger en
marchand de tout » et de « corrompre » les valeurs
« guerrières » et les fonctions « de production », – au
mot près, cette fois, les vieilles lunes du cercle Proudhon. Et devinez alors quel est le premier effet de cette
corruption ? L'inexpiable crime de cette « mentalité
marchande » ? C'est de porter atteinte à l'intégrité
« physiologique des peuples ». De couper le « fil » qui
« relie » l'homme moderne à « ses ancêtres indo-euro-
péens ». De perpétuer alors, sous le pavillon d'appareils « anonymes », à l'abri de l'« internationalisme
libéral », bref, dans l'ombre de l'increvable cosmopolitisme, « la mentalité économique biblique ». On est
prudent au G.R.E.C.E. : on préfère dire « mentalité
biblique » que « mentalité juive ». On est moderne
aussi : on ne dit plus « aryen » qui sonne mal, mais
« indo-européen » qui fait savant. Mais l'essentiel est
là : ces païens retrouvent spontanément l'archaïque
maillon qui enchaîne la haine obsessionnelle de l'argent au retour du refoulé antisémite.

Le deuxième exemple est plus caractéristique encore.
On y voit fonctionner le mécanisme avec une perfection inégalée. Il concerne un grand parti surtout, et non
plus une chapelle de technocrates analphabètes. En un
mot, c'est celui du Parti communiste. Oh ! je ne me
risquerai pas à prétendre, à affirmer à la légère, que le
parti de Georges Marchais est un parti antisémite. Mais

je constate simplement qu'à écouter ses dirigeants, nous n'aurions, nous autres Français, qu'un ennemi de nouveau, acharné à notre perte, et qui, apparemment, n'a pas pris une ride depuis que la droite d'avant guerre ferraillait déjà contre lui : l'argent encore, l'Argent roi toujours, les « dynasties de l'argent »[23], les « aristocraties de l'argent »[24], une « mince couche » de « parasites »[25]. Que, lorsqu'on essaie de savoir à quoi ressemble ce monstre qui nous tient ainsi sous sa férule, on apprend qu'il se rassemble dans des « trusts sans patrie »[26], qu'il représente l'« anti-France »[27], qu'il est inévitablement « cosmopolite »[28], qu'il « parasite » la société et qu'il y « accapare »[29] les biens des petits et vrais Français : à peu de chose près, autrement dit, le centaure que foudroyait Pétain en 1940 après que les Rebatet, les Brasillach, les Céline, l'eurent infatigablement traqué en sa retraite. Que, lorsqu'on s'étonne enfin des singuliers pouvoirs de cette infime « minorité de ploutocrates » – « vingt-cinq » titre *l'Humanité Dimanche* en 1976[30] – qui parviennent à eux tout seuls et par l'opération du Saint-Esprit à asservir – selon la même *Humanité Dimanche* toujours – « cinquante millions de Français », on nous répond que nous n'y sommes pas : car ce n'est pas du Saint-Esprit qu'il s'agit justement, mais de Satan, de Satan en personne, qui, comme chez Drumont ou Bernanos, rôde dans un occulte, un mystérieux, un arachnéen « collège électoral des milliardaires »[31]. Si on ajoute à tout cela tel congrès où l'on déclare que l'« aristocratie de l'argent » a remplacé l'« aristocratie du sang »[32] ; les vieilles sottises qu'on a vues dans l'analyse du concept de « capitalisme monopoliste d'État »[33] ; l'allégresse avec laquelle les idéologues du Parti remplacent la plus élémentaire réflexion marxiste par la simple curée contre le fric et ses tenants ; si on ajoute tout cela donc, on voit revenir l'imaginaire charrié depuis cent cinquante ans par l'idéologie française ; toutes les troubles obsessions qu'elle n'a cessé, depuis lors, d'attacher à la malignité de l'argent ; et à la suite, comme toujours, l'habituelle séquence d'immondice.

Car la suite ne tarde guère. Quand Georges Pompidou, en 1969, entre à l'Hôtel Matignon, *l'Humanité* est le seul journal avec *Aspects de la France* qui, pour exprimer l'aversion que lui inspire la politique du personnage, ose titrer simplement, en première page[34] : « Le directeur de la banque Rothschild a formé le gouvernement. » Quand elle veut désigner à la colère populaire le symbole, l'incarnation de cette « mince couche de parasites » qui « monopolisent » l'argent français, c'est spontanément, naturellement, et au mépris de l'évidence économique, deux noms qui lui viennent aussitôt[35] : Dassault et Rothschild. Quand Benoît Frachon, secrétaire général de la C.G.T., rend compte d'une manifestation au mur des Lamentations de Jérusalem, l'information décisive lui paraît être qu'« assistaient à ces saturnales deux représentants d'une tribu cosmopolite de banquiers bien connus du monde entier : Alain et Edmond de Rothschild ». Et, de cette précieuse information, il tient à tirer aussitôt cette conclusion : « Le spectacle faisait penser que, comme dans *Faust,* c'était Satan qui conduisait le bal. Il n'y manquait même pas le Veau d'Or toujours debout qui, comme dans l'opéra de Gounod, contemplait à ses pieds, dans le sang et la fange, le résultat de ses machinations diaboliques »[36]. Comme chez Gounod ? Comme dans *Faust,* vraiment ? Je dirais plutôt, moi, comme au bon vieux temps de Tridon, de Malon, de Toussenel, ses maîtres. Comme chez tous ceux qui, avant lui, ont, comme lui, joué avec le diable et pris le risque de se frotter à Satan. Comme dans cet opéra grinçant qui s'appelle l'« Idéologie française » et dont les rôles principaux sont tenus par l'Argent et par le

Juif. Vieille gauche, nouvelle droite, même combat : et ce combat, lourd d'un siècle d'histoire de France, s'appelle, qu'on le veuille ou non, celui de l'antisémitisme.

Il peut s'appeler aussi d'un autre nom, un nom d'emprunt, un nom passe-partout, un nom qui ne dit rien à personne, et qui, au premier regard, confond par son innocence : l'anti-américanisme... Car je ne suis pas sûr qu'on ait prêté suffisamment d'attention à ce lieu commun, à ce mot de passe, à cette évidence indémontrée et presque liturgique qui veut que, lorsqu'un communiste français entend fixer un peu l'horizon de ses phobies et trouver une patrie aux fantômes qui l'enfièvrent, cette patrie, c'est toujours l'Amérique. A ce fait tout de même étrange que la délégation communiste française soit la seule qui, à la conférence de Madrid de novembre 1980, ait tenu à évoquer, au beau milieu d'un débat sur l'invasion soviétique en Afghanistan, l'« invasion de l'anglais dans notre langue » et les menaces qu'elle fait peser sur les « modes de penser et d'être » qui sont constitutifs de notre être national[37]. A cet autre, plus étrange encore, qui veut qu'au-delà même du P.C.F., l'épithète « atlantiste » demeure l'une des plus infamantes de notre vocabulaire politique ou que, lorsque tel maurrassien de gauche entend porter le coup décisif, le coup dont il ne se relèvera pas, à tel de ses adversaires, il ne semble pas trouver de qualificatif plus injurieux que celui de « gauche américaine »[38]. A cette curieuse équation encore, qui veut qu'on ne puisse, à gauche, dénoncer le Goulag, l'exode des boat people vietnamiens, les déportations de masse en Chine ou la terreur instituée à Cuba, sans jurer ses grands dieux, d'abord, qu'on dénigrait hier le rôle de la C.I.A. au Chili, qu'on dénoncera demain les crimes de la même

C.I.A. ailleurs, et qu'on tient soigneusement à jour son petit carnet de bord et de comptes cadavériques. Vieux réflexes politiciens ? Yalta dans l'idéologie ? Guerre froide dans les cervelles ? Il y a de cela, bien sûr. Mais je pense que l'explication ne suffit pas. Et cela, parce qu'il n'y a pas, en l'occurrence, autant de guerre qu'on le croit. Parce qu'en ce domaine au moins, Yalta a fait long feu. Et parce que la droite, en réalité, tient, elle aussi, exactement le même langage.

Elle tient le même langage quand, gaulliste, elle fait de la résistance à l'américanisation des mœurs, de la langue, de la culture françaises, l'article premier de son programme et de son nationalisme. Elle tient le même langage quand, giscardienne, elle nous informe qu'il n'y a pas plus grande urgence, à l'heure où Kaboul meurt et où Phnom Penh ressuscite sous les chars, que de résister aux pressions, au chantage américains. Elle tient le même langage encore, quand, imbécile, elle brocarde ce « marchand de cacahuètes », curé de campagne atterri en Maison-Blanche, spiritualiste attardé et égaré en politique, qui a l'audace et le ridicule de rappeler à l'Occident qu'un jour, jadis, loin dans la nuit des temps déjà, il adressa au monde la bonne nouvelle des droits de l'homme. Elle tient le même langage toujours quand, « nouvelle droite », elle nous serine à longueur de semaine que l'ordre « organique » dont elle rêve, l'Europe des « ethnies » qu'elle fomente, la société racialement pure à quoi elle aspire, que tout cela passe et passera par la réduction dans les têtes des modèles américains et du symbole qu'ils constituent de la « mentalité marchande »[39]. Étrange, cette insistance de disciples de Gobineau à rappeler que cet « internationalisme »-là leur paraît « plus dangereux » que les « diverses internationales marxistes »[40]. Troublants, ces apôtres de l'eugénisme qui perdent rarement l'occasion de nous dire que, à tout prendre, ils préfèrent encore un philosoviétique musclé à un « atlantiste mou », modéré, décadent. Dans quel musée des aberrations intellectuelles le ranger, ce dialogue déjà cité entre un communiste et un fasciste avéré qui communient, semble-t-il, dans la même répugnance à l'endroit du « modèle de république universelle marchande de type américain »[41] ? La vérité, c'est qu'il n'y a pas d'aberration du tout. Que cette rencontre est dans l'ordre, sinon des choses du moins du discours. Qu'elle est dans l'ordre de notre culture, de nos mémoires et de nos dispositifs idéologiques. Et qu'elle s'explique parfaitement dès lors que l'on consent à se souvenir que cet anti-américanisme où baigne aujourd'hui la classe politique et intellectuelle fut d'abord, il y a un demi-siècle, l'invention d'une autre « nouvelle droite », dont j'ai à maintes reprises parlé, et à laquelle je voudrais, une dernière fois, revenir.

Car je crois tout d'abord qu'il faut en finir avec l'idée reçue d'une droite pré-pétainiste qui aurait grandi, dix ans durant, dans la crainte du danger, de la menace soviétiques. La légende a trop duré d'anticommunistes maniaques qui eussent vécu dans la hantise d'un Moscou tentaculaire investissant peu à peu, par ses agents ou ses partis, les redoutes occidentales. Elle est inexacte, fondamentalement inexacte, l'analyse qui veut que ces hommes se soient déterminés et, comme on dit pudiquement, « fourvoyés », à partir de l'image classique du bolchevik au couteau entre les dents incarnant à lui tout seul la barbarie moderne. Et elle est inexacte, tout simplement, parce que les principaux intéressés disent presque toujours l'inverse. Ils ne cessent de dire, de répéter, que s'il y a une « barbarie » qui menace « tout l'édifice humain », elle s'appelle, avant toutes choses, l'« américanisme »[42]. Ils multiplient les livres, les articles, les numéros spéciaux de revues pour démontrer que le seul tentacule qui, pré-

sentement, « nous assiège, nous tient, nous possède »,
est installé à Washington[43]. Quand ils veulent
« apprendre à connaître la nature profonde du danger
qui nous menace », ce n'est pas au bord de l'Oural
mais « outre-Atlantique » qu'ils suggèrent d'aller en
remonter la source et en analyser les ressources, les
effets réels[44]. Bref, il n'y a qu'un parti de l'Étranger,
pour la jeune droite des années 30 : c'est celui de Tardieu[45], conservateur bon teint, mais modèle déjà de
l'« atlantiste ». Ils ont une bête noire, ces hommes qui,
bientôt, pour certains d'entre eux au moins, iront grossir les bataillons du Maréchal : c'est le clan de Briand
ou de Jules Moch[46], socialistes ou radicaux, la « gauche
américaine » de l'époque. A l'heure des camps de
concentration soviétiques, et du fascisme triomphant à
Rome, il n'y a, pour nos jeunes pré-fascistes, qu'un
péril sérieux : l'homme au dollar entre les dents, – dont
ils ne se lassent pas de comptabiliser les forfaits.

Et quels forfaits ! Quel désastre ! Car l'adversaire,
pour eux, est depuis longtemps dans la place, parasite
insidieux, passager clandestin, tout occupé déjà à dévo-
rer voracement les riantes terres de France. Il est
comme un cancer, il *est* même un propre « cancer »[47],
dit-on, foudroyant et ravageur, qui phagocyte « notre
sol », s'insinue dans « nos villes », pénètre « même nos
universités »[48]. Il est là, tout entier là, omniprésent à la
cité, qui, l'air de rien, sans crier gare, s'est « installé
dans nos institutions, dans la mentalité ambiante, dans
le cœur même de la majorité des Français »[49]. L'Amérique ? Il ne s'agit plus même de l'Amérique, de celle qui
est sise outre-Atlantique, mais d'une Amérique dans les
cervelles, d'une Amérique dans la vie quotidienne,
d'une « Amérique intérieure », et sise en intériorité,
qu'un numéro spécial de *Réaction* s'attache à
« décrire » et à « faire vivre ». Une invasion ? Ce n'est
même plus d'invasion qu'il s'agit, puisque, selon *Réac-*

tion toujours, l'invasion a eu lieu, qu'elle appartient au passé, que le mal est consommé et que, « quand un Yankee débarque à Paris, il peut voir un pays conquis »[50]. Résister alors ? Oui, il reste à résister ; « le devoir, dit-on, est de répondre à l'alerte »[51] ; mais comment répondre à son « ombre »[52] ? comment lutter contre soi-même ? comment tenir face à une crue qui a fait craquer toutes les digues et qui vous submerge sans retour ? La vérité, geignent-ils, c'est que Washington n'est plus dans Washington. Que c'est moins une partie du monde qu'une partie de l'Être, « un cadre de pensée et d'action »[53]. Qu'elle n'a plus de « territoire »[54], mais qu'elle est chez elle partout, à demeure en toute demeure, à sa place sous tous les cieux. Que le bon langage pour l'approcher, alors, n'est plus celui de l'économie, de la politique, de la sociologie, mais celui de la pathologie – une « maladie de l'esprit » – ou du satanisme de nouveau – la « bestialité » américaine. En d'autres termes : que le langage par lequel, de fait, on l'approche, ressemble singulièrement à d'autres, plus anciens et plus familiers ; que cette américanophobie semble penser, parler, figurer dans le cadre des phobies diverses que nous avons énumérées ; et que cette fringante « jeune droite » semble décidément ne point pouvoir sortir de l'horizon de la signophobie politique.

Et, de fait – c'est-à-dire, dans le détail des textes – à quoi ressemble-t-elle, cette Amérique maudite ? Qu'est-ce donc qui la rend aussi profondément haïssable à cette génération des années 30 ? Quel crime a-t-elle commis surtout, quel crime commet-elle toujours, pour qu'on puisse ainsi l'accuser, et avec une telle outrance, de « consacrer la pire dégradation qu'une civilisation ait imposée à l'homme »[55] ? Eh bien, justement, crime de Signe. Péché de Signe. Empire des Signes. L'Amérique intérieure, c'est les signes au pouvoir. C'est la signomanie dans tous ses

états. Et tous les textes de l'époque ne vont rien faire
d'autre que décliner les versions de ce péché, – à commencer, on pouvait s'y attendre, par le péché d'Argent... Car tout y est[56]. Toute la foire aux fantasmes.
Tout le bon vieux bestiaire antiploutocratique. Toute la
diabolique ménagerie du nouveau prince de ce monde.
Voici l'hydre « Spéculation ». La licorne « Crédit ». Le
dragon « Or ». La méduse « Société Anonyme ». La
gorgone « Productivisme ». Le freak Fric. Je n'insiste
pas. Car ces monstres hideux nous sont désormais bien
connus. Mais ce qui mérite d'être noté, en revanche,
c'est que cette Amérique des années 30, c'est l'Angleterre d'avant 14*. Que c'est le moment où, dans l'imaginaire de la droite française, Wall Street commence de
prendre la place qui était, du temps de Drumont, celle
de la City. Que c'est le moment où, surtout, dans l'imaginaire politique français, les « trusts américains »
viennent au rang qu'ils ne cesseront plus, jusqu'à nos
jours, de tenir. Et j'en veux pour exemple un fragment
très significatif de *l'Homme contre l'Argent* de Georges
Valois[57], où on peut lire, à propos de l'Amérique toujours, un procès des « méthodes de l'impérialisme économique » ; la description d'un impérialisme militaire
qui conçoit ses « troupes » moins comme des
« conquérants » que comme des « policiers » ; l'analyse
d'un impérialisme financier qui « investit ses capi-
taux » en France et, par ce biais, la colonise ; bref, sur

---

* On pourrait en effet mener une analyse analogue sur la phobie antibri-
tannique dans la tradition réactionnaire française. Elle passerait par les
antisémites d'avant 14 (Toussenel, Regnard, Chirac, Drumont...). Par un
Rebatet décrivant dans *les Décombres* un Churchill « imbibé de whisky » et
incarnation, à ses yeux, du Mal absolu. Par Laval montrant fièrement à ses
visiteurs, au lendemain de la guerre de 39, la trace des dégâts causés par les
Anglais dans sa propriété à l'époque de... la guerre de Cent Ans. Et c'est
probablement à ce fonds que puise encore, et une fois de plus, le P.C.F.
quand, en 1940-1941, il fait de la résistance à l'impérialisme de la « City » le
nerf de sa politique et de sa plongée dans l'infamie.

cette scène des années 30, sous la plume du premier
« fasciste » français, une réflexion sur le rôle international des États-Unis à laquelle, bien souvent, certaine
gauche n'a pas eu grand-chose à ajouter.

La suite, comme d'habitude, ne tarde pas. Et il suffit
d'un léger glissement pour que le péché d'argent
devienne péché de juif. L'empire des signes, le règne
des apatrides. Et l'anti-américanisme, le paradis de
l'antisémitisme. C'était déjà le cas chez Barrès obser-
vant dans ses *Cahiers* que « les juifs sont maîtres aux
États-Unis et en Angleterre »[58]. Ce sera le cas chez Bernanos qui, brossant le portrait-robot du maître de
demain, le décrit, non point comme un « nouveau
Lénine », mais comme un « petit cireur de bottes yankee, un marmot à tête de rat, demi-saxon, demi-juif,
avec on ne sait quoi de l'ancêtre nègre au fond de sa
moelle enragée »[59]. L'association se fera plus nette,
plus insistante encore, à Vichy et surtout dans le Paris
occupé quand, en juin 1941 par exemple, on distri-
buera aux visiteurs de la grande exposition sur la
« France européenne », un faux billet de banque américain au dos duquel on peut lire[60] : « Ce dollar a payé
la guerre juive. Tous les attributs juifs figurent sur ce
dollar : l'Aigle d'Israël, le Triangle, l'Œil de Jéhovah et
les treize lettres de la Devise. Cet argent est bien juif. »
Et on peut se demander, là encore, si, quand un responsable du P.C.F., pour dénoncer l'idéologie « sioniste » – attention ! pas les juifs – écrit que[61] « c'est un
fait que les grandes banques américaines, auxquelles le
mouvement sioniste a toujours été lié, ont favorisé l'arrivée de Hitler au pouvoir » et que « la rencontre décisive de von Papen et de Hitler a eu lieu » au siège de
telle banque « qui était la correspondante des maisons
américaines Lévy, Salomon, Oppenheim and Co »
notoirement liées « au mouvement sioniste », – on peut
se demander si, donc, l'après-guerre a vraiment tout à

fait rompu avec l'anti-américanisme primaire tel qu'il s'élaborait autour des années 30.

Mais ce qui est sûr en tout cas, et pour finir, c'est que cette « Amérique intérieure » est lourde d'un troisième péché encore. Et qu'elle est justiciable d'un chef d'accusation plus large, plus général, visant, cette fois, l'abus de Signe en tant que tel... C'est tantôt un procès du « machinisme », de la « technique », de cette « standardisation » déchaînée dont Bergson eût dit qu'elle plaque le mécanique sur le vivant, – et dont Mounier explique[62], après lui, qu'elle « étouffe », sous le « mécanisme », la « vie » et la « spontanéité » qui sont la « marque de l'humain ». Tantôt, le procès d'une « rationalité », d'une « intelligence » abusive dont Péguy eût pu regretter qu'elles coupent les sujets des sources du concret et du contact avec les choses mêmes, – et dont les collaborateurs d'*Ordre nouveau*, imprégnés de péguysme, déplorent[63] qu'elles engendrent un monde décharné, coupé des « réalités concrètes et sentimentales » de l'instinct. Tantôt encore, la critique très sorélienne d'un ordre où les sujets sont « asservis » à la « production », à l'« avoir », à l'« anonyme », – et qui nous vaut, sous la plume de Thierry Maulnier[64], une description de ce que nous appellerions aujourd'hui la « société de consommation ». Mais, dans tous les cas, la démarche est la même. Le mot qui revient le plus souvent est celui d'« abstraction ». L'image qui ressort le plus constamment est celle d'un pays sans attaches, sans racines, sans mémoire de la terre et du sang. Ce qui terrifie ces idéologues, c'est l'idée d'une nation bâtie sur une Idée et qui, fait unique dans les annales de modernité, a pensé son rassemblement comme un effet de sa volonté. Cette « maladie de l'esprit » qu'ils veulent extirper, c'est le mirage, la tentation, la redoutable séduction d'une communauté inorganique dressée sur le néant, érigée dans le sable, taillée dans la lettre des lois et d'une simple Constitution. Mieux, c'est le scandale, la provocation, le crime de lèse-idéologie française, d'une communauté qui, par sa seule existence, devient le plus vivant, le plus cinglant démenti à l'onanisme politique dont notre fascisme national avait fait son ontologie. L'Amérique, ou l'anti-ontologie politique. Les États-Unis, ou la première nation proprement rousseauiste, bâtie sur le coup de force d'un pur contrat social. New York, ou la ville de vent, de brume et de papier, où la chair et la pierre elles-mêmes flottent et planent entre les nuées. Et l'anti-américanisme, en ce sens : une catégorie fondamentale où, comme dans une nasse, viendraient refluer tous les fantasmes les plus divers, les plus douteux, de l'imaginaire fasciste.

Cela ne veut pas dire, bien sûr, qu'il faille prendre cet imaginaire au contre-pied de sa lettre et opposer à son anti-américanisme primaire je ne sais quel pro-américanisme, adverse et tout aussi primaire. Rien ne serait plus absurde que de répondre à la sottise par la sottise, au délire par le délire, à l'extravagance par l'extravagance symétrique, et aux images de l'Enfer par des clichés de Paradis. Je précise, même, à l'intention des sourds et des malentendants, que je ne tiens pas le « Deep South », la patrie du Ku Klux Klan, le pays du napalm au Vietnam et des souteneurs de Pinochet, pour l'incontesté parangon d'une incontestable liberté. Mais ce que je dis, c'est que la haine brute, brutale, totale, de l'Amérique en tant que telle, est bel et bien, elle, par contre, la haine de la liberté. Que la question n'est pas de savoir si ce qu'elle y voit s'y trouve et si ce cauchemar américain est un rêve ou une réalité – car ce rêve, à lui seul, est éloquent, où se condensent quelques-uns des signifiants majeurs de la folie antidémocratique. Qu'il y a là, de nouveau, une fine mais implacable maille de mots qui ne sont pas que des mots,

hélas, mais qui valent leur pesant de choses, – et, nom-
mément, de barbarie. Et si je me suis ainsi attardé sur
cet exemple, sur ce cas « particulier », c'est qu'il n'est
pas si « particulier » justement qu'on aurait pu le
croire, et qu'il en dit beaucoup plus long qu'il ne semble de prime abord : car il atteste, au fond, de la totalité d'un discours ; il témoigne de la propriété qu'a ce
discours, plutôt, d'investir ses plus anodins énoncés des
plus accablants fardeaux ; il est la preuve, plus exactement encore, d'un étrange procès de signification où la
plus infime parcelle de sens semble devoir se grever des
faix les plus infâmes.

Peu importe, du coup, l'Amérique. Comme peu
importe l'Argent. Comme peu importent, finalement,
chacun des thèmes simples dont nous avons suivi la
mécanique d'engendrement. Car la vérité c'est que ces
thèmes s'engendrent moins qu'ils ne cohabitent, ne
convivent et ne conspirent les uns avec les autres. C'est
qu'ils sont tous contemporains, simultanés, mutuelle-
ment assidus, et toujours équivalents. C'est qu'ils tissent une langue plurielle mais rigoureusement équivoque, dont chaque poche signifiante signifie pour toutes
les autres. C'est qu'elle ne parle pas, cette langue, par
énoncés clairs et distincts, mais par lapsus furtifs,
nomades, malins. Et c'est qu'on peut y pénétrer par
n'importe quelle entrée, l'aborder chaque fois par une
rive ou un bord différent, se fixer indifféremment à tel
nœud, tel point de son réseau : ce sont tous ses nœuds,
son entière callosité, la totalité de sa machinerie qui
affleurent aussitôt, au moins virtuellement. L'idéologie
française, demandais-je tout au début de ces analyses,
a-t-elle une unité ? A-t-elle une charpente à laquelle on
puisse l'accoter et qui lui fasse comme des solives de

verbe et de concepts ? Peut-on en parler au singulier surtout, et assigner une cohérence à la dispersion de ses discours ? La conclusion qui s'impose, à présent, c'est que cette unité existe. Qu'elle a mieux même qu'une charpente, des solives ou une banale cohérence. Et que ce « mieux » peut ainsi se formuler : elle fonctionne comme un lexique, une encyclopédie, un cercle bien fermé, une ronde réglée d'images, – le fascisme français est un langage qui est, à la lettre, *structuré comme un inconscient.*

ÉPILOGUE

Tel est donc le visage de cette idéologie française sur la piste de laquelle nous étions d'abord partis. Telle la constellation de signes qui la composent, que je ne prétends certes pas avoir tous élucidés, mais dont la langue, en tout cas, nous est maintenant plus familière. Et même si nombre d'ombres demeurent, en ces gîtes de textes dont je n'ai fait qu'arpenter quelques-uns des réseaux, au moins suis-je sûr qu'ils existent, que nous persistons d'y séjourner, – et qu'ils nous obligent plus rudement qu'on n'a coutume de le penser.

Oui, je sais maintenant que la France, la France de ma culture, la France de ma mémoire, est aussi une France noire. Je sais son visage d'ordure, la ménagerie de monstres qui y habitent, et ces paysages étranges où s'ouvrent parfois, en pleine lumière, des gouffres abominables. Je sais sa voix d'outre-brume, grinçante, meurtrière, et qui sonne si juste, pourtant, je l'ai assez dit, le plus incomparable de nos patois. Et ne saurais-je que cela, que j'aurais déjà beaucoup appris : et, par exemple, à ne plus ânonner le rituel et magique « fascisme ne passera pas », sans en observer les premiers pas aux lieux où il est déjà passé ; où il n'a pas même eu à passer puisqu'il y a toutes ses dynasties ; où il n'aura pas même à revenir puisqu'il ne les a, en réalité, jamais désertés tout à fait.

J'ai appris également, et dans le même mouvement, à me défier de cette autre illusion, toujours diligente au défaut de la première, et qui, France pour France, ne consent à s'aviser du visage de cette France noire qu'en le fixant sous les traits d'une France imaginaire. France imaginaire, on l'a vu en effet, la France des « collabos » proprement dits, dont le rôle fut mince aux temps de la honte vichyssoise. France imaginaire, de même, le club moderne des nostalgiques de Drieu, de Doriot ou de Brasillach, hideux mais grotesques poupons de cire au musée Grévin de notre Histoire. Antifascistes imaginaires du coup, ces trop habiles régisseurs du théâtre de nos émois qui, régulièrement, une fois l'an, et dans un vacarme de grand guignol, viennent nous offrir en pâture des nazis purs et durs, criminels trop parfaits et prodiges de barbarie. Et péril réel alors, point du tout imaginaire, lui, en revanche, que ces oripeaux d'épouvante dont on drape la Bête française et où se déguise, tout autant, son mufle très ordinaire : cette Bête, on ne le répétera jamais assez, n'est ni forcément ni évidemment la bête « immonde » de nos grand-peurs ; le propre discours à la traquer n'est pas celui de la pathologie, de la tératologie sociale, ou de l'exorcisme superstitieux ; mais c'est un discours plus fin, une écoute plus subtile, un regard de biais, – attentifs à des grondements discrets, à des sanctuaires mieux préservés et à d'incessants glissements, surtout, au fil de la modernité.

Car rien ne serait plus faux, je l'ai appris aussi, que de supposer ces voix tues, chues avec ceux qui les ont une fois portées, et indéfectiblement prisonnières des textes où elles sont d'abord apparues. On se souvient par exemple comment l'esprit du péguysme peut perdurer, avec ses fantasmes d'« archies » et d'« organicités », lors même que s'effacent, dans les consciences, ses signes de terre ou ses chiffres patriotes. On a vu comment les antiques matrices du socialisme primitif continuent de se décliner, en mille et une versions, en autant de neuves devises, lors même que s'estompent les conditions de leur genèse. J'aurais pu insister davantage sur tel avatar de l'antisémitisme de gauche, si preste à jeter au loin ses guenilles usées et à endosser désormais, à peine travesti, le pimpant uniforme d'un « antisionisme » de bon aloi. Mais c'eût été redonder inutilement l'évidence. Et j'ai préféré m'attarder aux vastes nappes de sens qui, mi-dites ou non dites, gouvernent en sourdine tous ces énoncés disparates ou fluctuant au gré du temps ; au filigrane muet qui les trame, les diffère, dicte leur dispersion et commande, en même temps, à leurs régularités ; et si j'ai parlé de « dispositif », c'est pour donner un nom à cette structure, à cette algèbre, qui, sous-tendant le désordre de leurs images, de leurs mutations spectaculaires, de leurs métamorphoses de surface, autorisent à reconnaître la pérennité d'une idéologie savante, riche en stratagèmes, – éternel phénix éternellement ressuscité de l'insistante saison des cendres.

De là encore que, si j'ai nettement souligné les formes les plus criminelles, les plus tumultueuses de cette idéologie, – l'antisémitisme justement ou, plus largement, le racisme –, je me suis gardé d'en faire l'unique objet ou même le pivot de mes analyses. Non pas, bien entendu, que je les croie accessoires. Pas davantage que je parie sur leur imminente extinction. Moins encore que je nie qu'elles soient toujours l'horizon, même reculé, du délire. Mais je pense simplement qu'elles ne sont, de ce délire, ni les seules figures, ni même les figures centrales. Et cela, simplement, parce que le fascisme français n'a pas de centre du tout. Qu'il a des sources assurément, mais pas d'unique foyer. Qu'il prend appui sur un ordre, mais n'a pas de dôme, de voûte souveraine qui le subjugue. Et que parler de

« dispositif », c'est viser un champ équivoque, une plaine aux mille voies, une langue aux infinies versions, dont il importait de dresser quelques-unes des plus diffuses tables, de nommer quelques-uns des plus ineffables quiproquos : les œuvres de la France noire, comme celles du Malin, procèdent toujours à bas bruit, à pas de loup, impromptues et inopinées ; et ce livre n'avait d'autre intention que d'exercer le regard à ses méridiens les plus troubles, les plus déroutants, et donc les plus redoutables.

Dira-t-on enfin que, procédant de la sorte, m'exerçant ainsi au guet et à tant de vigilance, je n'ai guère dégagé, au bout du compte, de « solutions positives » ? Ou bien que, face à une menace si sournoise, à l'affût de tous parages, grande nef de Verbe louvoyant à l'estime de nos cultures, il nous reste, ici et maintenant, peu de redoutes, de recours pour résister ? Ce qui est exact, c'est que nos stratégies traditionnelles de résistance apparaissent bien chétives, et de bien peu de poids, face à une telle machinerie. C'est que l'idée même de « résistance » telle que nous avons coutume de la penser et que j'en ai moi-même, ailleurs, élaboré le dessein, n'est plus très pertinente, avec son parti pris de riposte et finalement de prudence, à l'ampleur de la menace. C'est qu'il est peut-être même l'heure d'aller au-delà de ces politiques « minimales », « ponctuelles », répondant au coup par le coup, au coup pour le coup, à la guerre totale par la petite guerre d'usure, qui sont devenues toute notre doctrine, tous nos menus programmes, depuis que nous avons rompu les amarres aux grands systèmes d'autrefois. Et qu'il est temps, alors, d'imaginer autre chose, d'élaborer d'autres desseins, de réfléchir enfin aux lignes de cet antifascisme conséquent dont nous invoquons si souvent le patronage sans toujours prendre la peine de le penser jusqu'au bout.

Mais cet « antifascisme », justement, comment ne pas voir qu'il est là, lui aussi, tout près de nous, et également familier ? Qu'il s'impose tout autant, avec une égale évidence, ombre portée du délire, à l'aplomb de son ravage, lisible en creux de ses ubiquités ? Que de hautes figures en témoignent, hérauts vrais de nos Lettres, dont nous avons quelquefois eu à croiser la silhouette et qui, au long du siècle, en ont maintenu vaille que vaille l'ardente et difficile exigence ? La vérité, c'est qu'à une « idéologie » ne peut réellement s'opposer qu'une autre idéologie. C'est qu'à un lien social ne peut valablement répondre qu'un lien social adverse. C'est que si le fascisme est ce limbe d'une entière Cité, on ne peut l'ébranler, en conjurer l'avalanche, qu'en y opposant l'utopie d'une autre Cité, d'une autre houlette pour tenir ensemble les hommes. Ce lien social à inventer, cette Cité à retracer, cette houlette à retrouver, il faudra bien un jour se décider à leur rendre leur nom. A se soucier de leur lustre. A défouir leurs parvis, voilés d'obscurité. A revenir aux abords de leurs sources, surtout, presque exsangues au terme d'un siècle d'idéologie française. D'un mot : c'est la « démocratie », cette idée neuve, exotique, et étrangement cernée de brumes, dans la France des « Lumières », de la « Liberté », des « Droits de l'homme ».

Je tiens à remercier Denis Bourgeois, Roseline Dussard, Florence Maisel et Francesca Piolot pour l'aide qu'ils m'ont apportée, à des titres divers dans l'élaboration et la mise au point de ce travail.

Les quelques amis qui en ont suivi pas à pas la gestation ; et, au premier chef, Françoise Verny sans qui, une fois de plus, il n'aurait tout simplement pas vu le jour.

Nicolas Wahl, Philippe Roger et les étudiants de New York University qui, au premier semestre 1980, m'ont permis d'en éprouver pour la première fois les hypothèses et la cohérence.

Enfin, Jean-Toussaint Desanti, Henri Noguères et Léon Poliakov qui ont accepté de relire, en leur ultime état, les chapitres respectivement consacrés à l'histoire de la philosophie, à l'histoire de Vichy et à la naissance du racisme.

NOTES

PREMIÈRE PARTIE

Chapitre 1

1. Denis de Rougemont, *Revue du siècle*, n° 2, mai 1933, p. 7.
2. Georges Valois, *l'Homme contre l'Argent*, Librairie Valois, 1928, p. 126. L'appel de Thorez aux Croix-de-Feu est plus tardif puisqu'il date de la campagne électorale de 1936.
3. Robert Aron et Arnaud Dandieu, *la Révolution nécessaire*, Grasset, 1933, préface, p. 12.
4. André Marty, « Lettre ouverte à M. Blum, directeur du Populaire », *le Monde*, 7 octobre 1939.
5. Charles Maurras. Cité par Colette Capitan-Peter, *Charles Maurras et l'idéologie d'Action française*, Seuil, 1972, p. 166.
6. Romain Rolland, *l'Annonciatrice*, t. 2, Albin Michel, 1933, p. 58.
7. *Esprit*, n° 6, mars 1933, p. 1025, « Ceux qui ont commencé » (article signé « D.R. », dans la rubrique : « Les événements et les hommes »). Le texte dit exactement : « Il semble que toutes les tentatives de résistance au conformisme social aient été paralysées après guerre par le double cadre que leur offrait l'héritage du passé : celui de l'Action française où on lutta courageusement contre la démocratie libérale et parlementaire, mais au profit d'un conformisme traditionaliste compromis avec une conception païenne de la cité ; celui du Sillon, [où on compromet] des forces généreuses dans des vagues compromissions politiques et une idéologie périmée. »
8. Pierre Drieu La Rochelle, *Gilles*, cité par Pascal Ory, *les Collaborateurs*, Seuil, 1980, p. 211.
9. Cf., par exemple, *Combat*, novembre 1938.
10. Jean Schlumberger, *NRF*, novembre 1938. La citation exacte est : « Il y a des libertés onéreuses, luxes des époques paisibles, qu'un pays en danger ne peut plus se permettre, celle de renverser le gouvernement tous les deux mois est de ce nombre, comme celle de tout prêcher et de tout exprimer avec une irresponsabilité totale. »
11. *Chronique de l'homme maigre*, Grasset, 1941.
12. Denis de Rougemont, *Penser avec les mains*, Gallimard, coll. Idées, p. 140. (Le texte vise, plus spécifiquement, l'« individualisme ».)
13. Robert Aron, *Ordre nouveau*, n° 21, juin 1935, p. 13.
14. Pétain, *Actes et Écrits*, Flammarion, 1974, p. 518.
15. Louis Aragon, conférence du 18 avril 1925, in *Révolution*

surréaliste, n° 4. Également : déclaration du 27 janvier 1925, citée par Maurice Nadeau, *Histoire du surréalisme,* pp. 104-105.

16. Antonin Artaud, *le Théâtre et son double,* Gallimard, *passim.*

17. Cf. les très belles analyses de Julia Kristeva, *Pouvoirs de l'horreur,* Seuil, 1980.

18. Cf. notamment, Roger Caillois, *Vent d'hiver,* in *le Collège de sociologie,* textes rassemblés par Denis Hollier, Gallimard, coll. Idées 1979, pp. 79 et 83 (« une démarche de sursocialisation »).

19. C'est chose faite avec le beau livre de Micheline Tison-Braun qui m'inspire ces remarques, *la Crise de l'humanisme,* t. 2, Nizet, 1967.

20. Cf. notamment les textes de Georges Bataille, *op. cit.,* pp. 36-60 (« L'apprenti sorcier »), pp. 208-231 (« Attraction et répulsion, II « La structure sociale »).

21. Les questions paraissent dans le numéro de février 39 ; les réponses dans celui de juin 39. Réponses de Alain, Benda, André Chastel, Klossowski, Rougemont, Grenier, Maulnier, Mounier, Paulhan, Picon, Schlumberger, Jean Wahl, Paul Guth, Armand Petitjean.

22. Julien Benda, *la Fin de l'Éternel,* Gallimard. Marcel Arland, *Essais critiques,* NRF, 1931, p. 26.

23. Déat, Marquet, Montagnon, *Néosocialisme - Ordre, autorité, nation,* Grasset, 1933, pp. 50 et 57.

24. J. Touchard, *La Gauche en France depuis 1900,* Seuil, 1977, p. 183.

25. Cf. Deuxième partie, chapitre 4.

26. *L'Humanité,* 23 juillet 1935 (« Les ligues contre le peuple »). *L'Humanité,* 27 juillet : caricature d'E. de Rothschild (seul à bénéficier de cet honneur alors que de Wendel et quelques autres sont cités à ses côtés). *L'Humanité,* 2 août, 11 août, etc.

27. Maurice Thorez, « Renégats et policiers d'union sacrée. Léon Blum tel qu'il est », *Die Welt,* 16 février 1940, reproduit en 1956 dans *Léon Blum tel qu'il est.* Cf. Annie Kriegel, *le Pain et les Roses,* PUF, 1968, pp. 236-237.

28. *Tribune juive,* 24 décembre 1920 : « Même *l'Humanité* du 3 décembre affirmait que les juifs qui se sauvent des pogromes sont plus ou moins atteints d'une infection spéciale, appelée par les savants maladie n° 9. »

29. Textes cités par Léon Poliakov, *Histoire de l'antisémitisme,* t. 2, Calmann-Lévy, pp. 325-326, 324, 330, 329.

30. Cf. le bel article de Michel Winock, « Une parabole fasciste, *Gilles* de Drieu La Rochelle », *Mouvement social,* n° 80, juillet 1972.

31. Cf. Jean Laloum, *la France antisémite de Darquier de Pellepoix,* Syros, 1979.

32. Jean Giraudoux, *Pleins pouvoirs,* 1939, pp. 76 et suivantes.

33. M. Tison-Braun, *op. cit.,* pp. 47-49.

34. Châteaubriant, *la Gerbe des forces*, Grasset, 1937, p. 136 : « Si Hitler a une main qui salue, qui s'étend vers les masses de la façon que l'on sait, son autre main, dans l'invisible, ne cesse d'étreindre fidèlement la main de celui qui s'appelle Dieu. »

35. Cf. M. Tison-Braun, *op. cit.*, p. 223.

36. Gide, *Nouvelles Nourritures*, cité in B.-H. Lévy, *Testament de Dieu*, p. 288.

37. Winock, *art. cit.*, pp. 39-40.

38. Cité par Régis Debray, *le Scribe*, Grasset, 1979, p. 177.

39. *L'Humanité*, 24 avril 1924.

40. Brasillach, *Notre avant-guerre*, p. 182-183.

41. Denis de Rougemont, *Revue du siècle*, n° 2, mai 1933, p. 7.

42. A. Delaune, *le Peuple au visage radieux*, cité dans « Aimez-vous les stades ? », *Recherches*, n° 43, avril 1980, pp. 83-94.

43. *Sport*, 135, 29 avril 1936.

44. Pétain, *op. cit.*, p. 457. Allocution du 12 juillet 1940.

45. Textes cités in M. Tison-Braun, *op. cit.*, p. 337.

46. « Lettre à Adolf Hitler », *Ordre nouveau*, n° 5, novembre 1933, 1re partie, « Victoires national-socialistes », p. 13 : « La grandeur authentique de votre gouvernement est d'être par l'héroïsme, le sacrifice et l'abnégation qu'il enseigne, une protestation contre le matérialisme contemporain. » Et p. 14 (derniers mots de la 1re partie de la « lettre ») : « Votre mouvement possède dans son fondement, une grandeur authentique. De cette grandeur, qu'avez-vous fait ? Surtout que ferez-vous demain ? »

47. Emmanuel Mounier, « Adresse des vivants à quelques survivants », *Esprit*, avril 1936, p. 8 : « Il y a entre eux les [Sarraut, Flandin, etc.] et l'Allemagne nouvelle, quelque jugement qu'on porte sur celle-ci, une différence non seulement d'opinions juridiques mais d'allure historique. »

Et, « Prise de position », *Esprit*, janvier 1934. Il est vrai que, dans ce texte, Mounier tient à se démarquer de « certains jeunes mouvements dits non conformistes, que l'on a voulu, contre notre gré avoué, bloquer avec nous dans un front commun de jeunesse » (p. 534). Vrai aussi qu'il voit dans le fascisme « la plus dangereuse démission qui nous soit aujourd'hui proposée ». Également vrai encore qu'il reproche aux « amis » d'*Ordre nouveau* le ton de leur « Lettre à Hitler » (pp. 539-540). Mais il n'en reste pas moins que l'« Appel » qui en résulte est un appel au « réveil national » (p. 536), à la « jeunesse », à l'« énergie », à l'« ardeur », à l'« ordre » (p. 537). Et que ce singulier programme est bien proche de ce « fascisme » où Mounier voit donc « un élément de santé et une hauteur de ton » (p. 535).

48. *Ibid.*, p. 536.

49. Textes cités par Pierre de Senarclens, « L'image de l'Allemagne dans la revue *Esprit* », *Relations internationales*, 1974, n° 2, pp. 132 et 140.

50. « Prise de position », *art. cit.*, pp. 536, 537.

51. « Lettre à Adolf Hitler », _art. cit._, p. 8. Et, dès le début du texte (p. 4) : « Monsieur le chancelier, nous sommes français [...]. Nous n'avons pas en France l'habitude de compter sur d'autres pays pour accomplir notre salut. Nous avons une certaine habitude de nous tirer nous-mêmes d'affaire, et, par la même occasion, tirer d'affaire l'humanité. »

52. Cf. Colette Capitan-Peter, _Charles Maurras et l'idéologie d'Action française_, Seuil, 1972, pp. 194 et 199.

53. Pierre Drieu La Rochelle, _Avec Doriot_, Gallimard, 1937, p. 107.

54. _Revue française_, avril 1933, p. 535, cité par Jean-Louis Loubet del Bayle dans son excellent _les Non-conformistes des années 30_, Seuil, 1969, p. 313.

55. _Ordre nouveau_, « Lettre à Adolf Hitler », 2e partie, _art. cit., ibid_, p. 309.

56. Emmanuel Mounier, « Prise de position », _art. cit._

57. Denis de Rougemont, _op. cit._, p. 127.

58. _Ibid._, p. XIII.

59. Robert Aron et Arnaud Dandieu, _la Révolution nécessaire, op. cit._, préface, p. I.

60. Emmanuel Mounier, suite du fragment cité à la note 50 : « mais dans une résurrection de sa très ancienne vocation, qui est de libérer et de purifier les instincts du monde », (_art. cit._, p. 537).

61. Aron et Dandieu, _op. cit._, p. 277.

62. Thierry Maulnier, _la Revue universelle_, 15 mars 1933, p. 715, mots de conclusion de l'article.

63. _Ibid._, p. 715.

64. Loubet del Bayle, _op. cit._, p. 323.

65. Pétain, _Actes et Écrits, op. cit._, p. 471.

Chapitre 2

1. Pétain, _Actes et Écrits, op. cit._, p. 629. Note remise à la commission d'instruction de la Haute Cour en juin 1945. « J'ai toujours résisté aux Allemands. Donc, je ne pouvais qu'être favorable à la résistance. La résistance est le signe de la vitalité d'un peuple. [...] Je n'ai jamais cherché à avilir la Résistance, car j'étais moi-même un résistant. Le résistant de France dans la métropole. »

2. _Ibid._, p. 454.

3. _Ibid._, p. 455.

4. _Ibid._, p. 566, message du 13 août 1940.

5. _Ibid._, p. 480, article du Maréchal paru dans _la Revue universelle_, 1er janvier 1941.

6. Discours prononcé à Thiers, 1er mai 1942, _ibid._, p. 508. « Ardeur » aussi, p. 481 (_la Revue universelle, art. cit._).

7. Discours prononcé à Saint-Étienne, 1ᵉʳ mars 1941, *ibid.*, p. 500.
8. Message à la jeunesse française du 29 décembre 1940, *ibid.*, p. 483.
9. Allocution du 12 juillet 1940, *ibid.*, p. 456.
10. Message du 14 mars 1941, *ibid.*, pp. 511 et suiv.
11. Message du 20 avril 1941, à Pau, *ibid.*, pp. 504 et suiv.
12. Les seuls exemples comparables sont ceux des Croates de Yougoslavie et des Slovaques de Tchécoslovaquie qui voyaient, comme on sait, dans l'occupation hitlérienne, l'occasion d'une libération et d'une renaissance nationales.
13. Pétain, *op. cit.*, p. 471, article paru le 15 septembre 1940 dans la *Revue des deux mondes*. Cf. aussi, presque dans les mêmes termes, l'appel radiodiffusé du 9 octobre 1940, *ibid.*, p. 467.
14. *Ibid.*, p. 493.
15. Allocution devant la commission du Conseil national chargée de préparer un texte constitutionnel, *ibid.*, p. 518.
16. Cf. Jean Montigny, *Toute la vérité sur un mois dramatique de notre Histoire*, Clermont-Ferrand, 1940, pp. 139 et suiv.
17. Cf. Pascal Ory, *les Collaborateurs, op. cit.*, p. 134.
18. *Ibid.*, p. 137.
19. Cité par Robert Aron (avec la collaboration de Georgette Elgey), *Histoire de Vichy*, Fayard, 1956, p. 241.
20. Il fut, avant 14, directeur du *Mouvement socialiste*, publication dont on verra plus bas (deuxième partie, chapitre 2) l'extrême importance dans la formation de l'anarcho-syndicalisme.
21. Je suis ici l'analyse remarquable et peu connue de Jacques Rancière : « De Pelloutier à Hitler, syndicalisme et collaboration », *Révoltes logiques*, n° 4, hiver 1977.
22. *Ibid.*, p. 24.
23. *Ibid.*, p. 29. Georges Dumoulin « vénère » également le Maréchal « parce qu'il a épargné la vie d'un million de jeunes Français » (*l'Atelier*, 15 mars 1941).
24. P. Ory, *op. cit.*, p. 139.
25. *L'Atelier*, 11 juillet 1942.
26. *Révoltes logiques, art. cit.*, p. 31.
27. *Ibid.*, pp. 43 et suiv.
28. Christian Pineau, *la Simple Vérité*, Julliard, 1960, p. 82.
29. Cf. Julien Benda, *les Cahiers d'un clerc*, Émile-Paul Frères, 1950, p. 237.
30. Cf. les très belles pages de Gérard Miller sur l'anti-intellectualisme pétainiste, *op. cit.*, pp. 138-142.
31. Gide « ajoute » toutefois « en hâte », qu'il « ne parle ici que d'une dictature française » ! (*Journal, 1939-1949*, 10 juillet 1940, Gallimard, 1954).
32. E. Mounier, « D'une France à l'autre », *Esprit*, novembre 1940.

33. Cf. Michel Winock, *Histoire politique de la revue Esprit*, Seuil, 1975, pp. 212-215.

34. Emmanuel Mounier, *Esprit*, novembre 1940, p. 10.

35. *Ibid.*

36. Emmanuel Mounier, *Esprit*, janvier 1941, p. 129.

37. Cf. Jean-Louis Loubet del Bayle, *op. cit.*, p. 410.

38. *Jeunesse-France, Cahiers d'Uriage*, nº 32, 7 juin 1942 :
« On avait l'âme fière, on regardait droit,
On croyait à la France et à la bonne foi,
On haussait les épaules aux complications,
On méprisait les discours et les intellectuels,
C'est qu'on avait l'âme fière et qu'on marchait droit. »

39. Janine Bourdin, « L'École nationale des cadres d'Uriage », *Revue française des sciences politiques*, 1959, pp. 1033 et suiv.

40. *Ibid.*, p. 1044.

41. Message diffusé par Radio-Jeunesse, le 11 mai 1941, et cité par Raymond Josse, « L'École des cadres d'Uriage », *Revue d'histoire de la Seconde Guerre mondiale*, 1966, n° 61, p. 69.

42. Hubert Beuve-Méry, mars 1945, cité par J. Bourdin, *op. cit.*, p. 1037.

43. Équipe d'Uriage (sous la direction de Gilbert Gadoffre), *Vers le style du XXe siècle*, Seuil, 1945.

44. Josse, *op. cit.*, p. 71.

Chapitre 3

1. *Journal Officiel, lois et décrets*, 13 octobre 1944 ; cité par Gordon Wright, *Rural Revolution in France*, Stanford, 1964, p. 224.

2. Cf. sur tous ces points Paxton, *la France de Vichy*, Seuil, 1974, pp. 143-146, 171-172.

3. Pétain, *Actes et Écrits, op. cit.*, p. 540, « Appel aux combattants, légionnaires et volontaires », 31 octobre 1940.

4. *Ibid.*

5. C'est la thèse centrale, irréfutable et irréfutée, du livre de Paxton.

6. Par exemple, Xavier Vallat, *le Procès de Xavier Vallat présenté par ses amis*, Plon, 1948, p. 117 ; Yves Bouthillier, *le Drame de Vichy*, Plon, 1950-1951, t. 2, (« Finances sous la contrainte »), p. 280 ; Pierre Pucheu, *Ma vie*, Amiot-Dumont, 1949, p. 287.

7. Robert Aron, *Histoire de Vichy*, Fayard, 1956, pp. 231-232.

8. Archives Centre de documentation juive contemporaine, XXVb-49a, cité par Jean Laloum, *op. cit.*, p. 127. Rappelons que la rafle initialement prévue pour le 13 juillet fut ajournée aux 16-18 juillet en raison de... la fête nationale du 14-Juillet.

9. Archives Centre de documentation juive contemporaine, LXXIV-7(13), cité *ibid.,* p. 9.

10. Archives du commissariat général aux Questions juives, document LXXV-147 ; cité par Miller, *op. cit.,* p. 183.

11. Pétain, « La politique sociale de l'avenir », *Revue des deux mondes,* 15 septembre 1940, *Actes et Écrits, op. cit.,* p. 490.

12. Marcel Péguy, *le Destin de Charles Péguy,* Librairie académique Perrin, 1941. Cf., dans le même sens, Père Doncœur, *Péguy, la révolution et le sacré,* éd. de l'Orante, 1942.

13. Cf. Pascal Ory, *op. cit.,* p. 143. Et, pour la récupération de Jaurès, l'éditorial de *la France au travail* cité dans « De Pelloutier à Hitler, syndicalisme et collaboration », *Révoltes logiques, op. cit.,* p. 29.

14. Pascal Ory, *op. cit.,* p. 160.

15. Gustave Thibon, *Diagnostics,* 1942.

16. « Révolution française et révolution allemande, 1793-1943 », conférence prononcée le 18 décembre 1943, cité par P. Ory, p. 110.

17. Jacques Boulenger, *le Sang français,* Denoël, 1943.

18. Pétain, *op. cit.,* p. 496, allocution à la séance inaugurale du comité d'organisation professionnelle. Plus loin (p. 497) : « J'ai la conviction que vous me préparerez une œuvre sage et hardie, construite avec des réalités françaises. »

19. *Ibid.,* p. 541, déclaration faite le 17 janvier 1941 à M. Allen, correspondant du *New York Times.*

20. Dès le 23 juillet 1940, Pétain avait demandé un rapport à Déat sur le sujet. Un comité de constitution du parti national unique s'était même mis en place, qui devait aller dans ce sens. Les textes de Déat sur la question sont repris dans *le Parti unique,* éd. Aux armes de la France, 1942. Ainsi que ceux où il dit son amertume de voir le Tout-Vichy répugner à son projet et le saboter dans la coulisse.

21. Robert Aron, *op. cit.,* pp. 196 à 205, a bien souligné le rôle, à Vichy, des anti-étatistes, partisans de la déflation de l'État ou de la décentralisation, que sont les maurrassiens, les personnalistes et autres « non-conformistes des années 30 ».

22. Paxton, *op. cit.,* p. 175.

23. *Ibid.,* p. 176.

24. Archives Centre de documentation juive contemporaine, LXXV-46, cité par Laloum, *op. cit.,* p. 8.

25. *Le Procès de Charles Maurras,* Paris, 1946, p. 371.

26. Charles Maurras, *la Seule France,* chronique des jours d'épreuve, Lyon, H. Lardanchet, 1941.

27. Il y a des exceptions bien sûr. Mais ce sont des hommes comme Pucheu (ministre de l'Intérieur d'août 1941 à avril 1942) ou Marion (grand maître de la Propagande de février 1941 à janvier 1944), tous deux renégats du P.P.F. *dès avant 1940.* Comme Darnand (Maintien de l'ordre), Henriot (Information), Déat lui-même (Travail et Solidarité nationale), mais jamais aux portefeuilles clés

et toujours après 1944, à l'ultime période de Vichy. Et quant à Doriot, il put bien croire son heure arrivée début 1942 au moment de la disgrâce de Darlan. Multiplier les attaques contre Laval à partir de l'été (« Avec ce parti, je veux arriver au pouvoir, déclare-t-il alors, et ce pouvoir nous n'entendons pas le partager »). Tenir, à l'automne, son fameux « congrès du pouvoir ». Reste que, le 24 mars, il réintègre la Légion des volontaires contre le bolchevisme et repart, amer et quasiment sans retour, pour le front de l'Est. Cf. Didier Wolf, *Doriot, du communisme à la collaboration,* Fayard, 1969, pp. 348-373.

28. *Les Décombres* de Rebatet regorgent d'invectives contre l'« inaction française », la « raclure » des Croix-de-Feu, la bourgeoisie vichyssoise « veule » et « enjuivée ». Brasillach en novembre 1942 déclare : « Nous ne pouvons pas continuer longtemps à tenir à bout de bras une fiction à laquelle nous ne croyons plus [...] Cette révolution nationale. » (P. Ory, *op. cit.,* p. 59). Et Maurras de son côté fustige à l'envi ce qu'il appelle « le clan des Ja ».

29. René Gillouin, *Esquisses littéraires et morales,* Grasset, 1926. Du même auteur, le recueil de souvenirs, *J'étais l'ami du Maréchal,* Fayard.

30. Cf. note 21.

31. Gérard Leclerc le montre bien dans son incisif *Un autre Maurras,* Institut de politique nationale, 1974.

32. Gérard Miller, *op. cit.,* p. 25.

33. Jean Lacroix, « Charité chrétienne et justice politique », *Esprit,* février 1945.

34. Par exemple *Combat,* fondé fin juin 1940 par le capitaine Henri Frenay.

35. Paxton, *op. cit.,* p. 313, s'est livré à cette comparaison, dont je ne fais que reprendre les conclusions.

36. André Mornet, Paris, 1949. Sur tous ces points, voir « A propos du fascisme français », dialogue entre Philippe Sollers et Gérard Miller (*Tel Quel,* hiver 75, n° 64). On n'a jamais mieux posé, à mon sens, la question du refoulement de Vichy.

Chapitre 4

1. Sur cette affaire, Charles Tillon, *On chantait Rouge,* Laffont, pp. 315 et suiv.

2. Cité par A. Rossi, *les Communistes français pendant la drôle de guerre,* Albatros, 1972, p. 373.

3. Le tract s'adresse à « M. le maréchal Pétain, chef de l'État français, pour protester contre les mauvais traitements infligés aux internés du camp de Vernet dans l'Ariège ». Il est cité par Rossi, *ibid.,* p. 380.

4. Entrefilet dans *l'Humanité* du 4 juillet 1940.

5. *L'Humanité,* 24 juillet 1940. Pour l'image des « gangsters » cf. *l'Humanité,* 16 mai 1940.

6. Cité par Stéphane Courtois dans son excellent *le P.C.F. dans la guerre,* Ramsay, Paris, 1980, p. 190.

7. Rossi, *op. cit.,* pp. 227-230.

8. Cf., entre cent exemples, *la Vie du Parti,* 1er trimestre 1941 : « On comprend aisément la nature des sentiments qui animent les masses populaires de France, sentiment que les capitalistes partisans de l'Angleterre voudraient orienter dans le sens du chauvinisme et que nous devons orienter, nous communistes, dans le sens de la fraternité avec le peuple allemand, que nous ne confondons pas avec ses maîtres du moment. »

9. Georges Politzer, *Révolution et contre-révolution du XXe siècle ;* ce texte est reproduit aujourd'hui dans *Écrits I. La philosophie et les mythes,* Éditions sociales, 1973, p. 315.

10. Comme pour chacun des trois textes que je m'apprête à commenter, et afin que le lecteur puisse disposer, lui aussi, des éléments de la démonstration, j'en donne, ici, de larges extraits, – qui font contexte aux fragments que je commente. Maurice Thorez : « Les vrais traîtres », 1940, *The Communist International,* no 9.

« Le peuple de France traverse une période tragique. Notre pays a été submergé par le désastre effrayant de la guerre impérialiste, de la défaite et de l'invasion étrangère. Des centaines de milliers de jeunes hommes dans la force de l'âge ont péri sur les champs de bataille. [...] Des millions de malheureux, que l'invasion a chassés de chez eux, errent sur les routes de France dans un état de misère abjecte. De nombreuses villes et des centaines de villages ont été détruits. Les riches campagnes de Flandre, de Picardie et de l'Ile-de-France ont été dévastées. Tout est en ruine et dans un état de profonde désolation. Des multitudes de travailleurs ont retrouvé leurs usines vides ou pillées. Et quand ils sont rentrés chez eux, les soldats démobilisés se sont retrouvés sans travail et le plus souvent sans famille et sans abri. [...]

« Beaucoup ont été abasourdis par l'évolution rapide de la situation. Ils avaient du mal à comprendre l'ampleur de la catastrophe. Beaucoup se sont laissés aller à la tristesse et au découragement qui frisent parfois le désespoir. Mais on entend aussi se lever chaque jour plus clairement et plus puissamment, une autre voix : « Nous voulons connaître les responsables du désastre ! Nous réclamons leur châtiment dans les plus brefs délais. Nous exigeons que les gouvernants, les responsables du Parlement, les généraux incompétents, les peureux ou les traîtres soient punis comme ils le méritent pour leurs crimes ignobles contre le peuple et contre la France. »

« Les capitulards de Vichy sont pressés de monter la comédie de Riom pour masquer les vrais problèmes, c'est-à-dire les causes réelles et profondes de la guerre impérialiste et de la défaite française. En se défaussant, sur leurs prédécesseurs au pouvoir, de la responsabilité de la débâcle, les gouvernants actuels espèrent être capables

de cacher la vérité aux larges masses populaires : [...] Pétain et Laval
sont en train de monter un procès contre Mandel et Reynaud afin
d'éviter le vrai procès dans lequel le peuple serait seul juge.

« [...] Ce devrait être un procès auquel chaque soldat qui a com-
battu au front, chaque victime de guerre et chaque travailleur se
verrait reconnaître la possibilité de venir à la barre et de témoigner
de ce qu'il a supporté. Ce devrait être un procès public, entouré
d'une large publicité dans une presse libre, de telle sorte que les
masses puissent véritablement contrôler les débats.

« [...] Il va sans dire que les communistes n'ont pas la moindre
sympathie pour les accusés du procès de Riom. Nous, et nous seuls,
avons eu le courage de les désigner comme des fauteurs de guerre et
des traîtres bien avant le désastre actuel. [...] A la tête du peuple des
travailleurs révolutionnaires, nous étions les seuls à lutter contre la
guerre impérialiste que tous les partis, y compris les socialistes,
défendaient. [...]

« [...] La guerre est la poursuite de la politique par d'autres
moyens. Avant la guerre, la bourgeoisie française menait une politique réactionnaire. Celle-ci devint encore plus marquée pendant la
guerre qui donna libre cours à la voracité et la rapacité de la
bourgeoisie. [...]

« [...] En 1940, le peuple a été conduit, contre son gré, dans une
guerre injuste. Et la bourgeoisie, qui craint le peuple plus que tout,
a elle-même affaibli et sapé la défense du pays. Elle a désorganisé
la production de matériels de guerre. Elle a confié la conduite des
armées à des hommes de quatre-vingts ans, soulignant ainsi de
manière frappante la sénilité et la décadence du régime. Les traîtres
à leur pays bénéficiaient de positions avantageuses dans le gouvernement, l'état-major et à la tête de la police.

« [...] En 1918, l'atmosphère de « victoire » aida à refouler les
souvenirs sanglants qui étaient attachés au nom de Pétain depuis
1917. Les gens oublièrent le fait qu'il avait ordonné l'exécution de
nombreux Français. [...]

« [.....] Le second personnage sur lequel il faut enquêter de
manière précise n'est autre que Weygand, ce bâtard royal qui a
employé un nom d'emprunt pour entrer en France à l'école de
Saint-Cyr, et qui maintenant, en plus, veut s'établir comme le maître des ouvriers et des paysans. [...] Il est membre du conseil d'administration du canal de Suez ; c'est un ploutocrate personnellement
intéressé par la protection de son capital.

« Un autre homme qui agissait fortement dans le même sens, pas
de manière aussi voyante que ces « généraux », mais de façon plus
détournée et d'autant plus dangereuse, c'est le sinistre Laval, le
corrupteur corrompu. [...] Aujourd'hui, Laval, qui en 1914, était
aussi pauvre qu'une souris d'église est millionnaire et possède une
chaîne de journaux de province. [...] Un autre membre de cette fine
équipe, Ybarnégaray, [...] libertin dévergondé et immoral, est un
politicien à tous crins. C'est lui qui, en sous-main, manigança avec

Blum et Laval la transformation des Croix-de-Feu en Parti social français. [...] Un autre membre de la clique, Lémery, est un brigand des colonies, sénateur de la Guadeloupe et politicien pourri. [...]

« En plus des hauts dignitaires, on trouve également dans le gouvernement de Vichy, quelques lumières moins brillantes dans la personne des larbins empressés de l'oligarchie financière comme Mireaux et Baudoin. [...] Bonnet a toujours été l'âme de la tendance défaitiste. Corrompu jusqu'à la moelle, il était protecteur de Stavisky, l'escroc bien connu qui a volé aux petits épargnants des centaines de millions de francs. [...] Flandin, qui descend d'une riche famille bourgeoise, s'est toujours distingué au premier chef par ses cyniques opérations financières. Alors qu'il était ministre, il occupait en même temps le poste grassement payé de conseiller juridique de l'Aéropostale [...]. Le « théoricien » Spinasse chanta les louanges de l'Amérique des milliardaires et de l'affaire Sacco et Vanzetti. [...] Il est le « socialiste » dont Blum souligna si souvent « le profond savoir » et la « culture ».

« [...] Le crime de la plupart des accusés de Riom, le crime de Daladier, Blum et leurs semblables, tient au fait qu'ils ont consciemment favorisé la réussite des plans de la guerre réactionnaire et impérialistes de la bourgeoisie, d'abord en organisant l'alliance de combat entre d'une part la classe ouvrière et d'autre part la paysannerie et de larges secteurs de la petite bourgeoisie urbaine. [...]

« La Troisième République de la bourgeoisie est morte, elle a péri dans la poussière et le sang ; sous ses ruines elle a enseveli tous les vieux partis de la démocratie bourgeoise, Parti socialiste compris. [...].

« Notre peuple ne regarde pas derrière, vers le passé, mais devant, vers l'avenir. Et l'avenir signifie que le peuple prendra en main son propre destin. Regroupé autour de la classe ouvrière et conduit par le Parti communiste, le peuple français se libérera lui-même de toute exploitation et de toute oppression, et réussira à rétablir l'indépendance et le renouveau de la nation. Au milieu de la débâcle générale des institutions et des partis, seul le Parti communiste est resté intact. [...] Et ils combattent pour exiger que soient condamnés les hommes, tous les hommes responsables du désastre.

« [...] Comme toujours et dans toutes les circonstances, nous, les communistes, nous restons aux côtés du peuple dans ces jours de durs procès, de terreur et d'immenses souffrances. Le destin du peuple est notre destin. Nous avons profondément confiance dans les forces et dans l'avenir de notre peuple, dans l'avenir de la France. [...] »

11. *Actes et Ecrits, op. cit.,* p. 462.
12. *Ibid.,* p. 463.
13. Allocution du 12 juillet 1940, *ibid.,* pp. 455-457.
14. *Ibid.,* pp. 602-603.
15. *Ibid.,* p. 599, discours prononcé le 17 octobre 1941.

16. *Ibid.*, pp. 636 et 641, message non diffusé du 20 août 1941 et déclaration à la Haute Cour du 14 août 1945.

17. Appel du 10 juillet 1940. Manifeste du P.C.F. intitulé *Peuple de France !* dit « Appel du 10 juillet ». Publié en tract à la fin juillet 1940, il n'a jamais été repris dans *l'Humanité* de l'époque. En voici, de nouveau, de larges extraits :

« [...] La clique des dirigeants banqueroutiers de la politique de guerre a bénéficié de l'appui de tous les partis, unis dans une même besogne de trahison et dans une même haine de la classe ouvrière et du communisme. [...] Mais rien ne pourra empêcher que les comptes soient réglés et les masses laborieuses en demandant que *la France soit aux Français* expriment à la fois *la volonté d'indépendance de tout un peuple* et sa ferme résolution de se débarrasser à tout jamais de ceux qui l'ont conduit à la catastrophe.

« Seul, debout dans la tempête, fidèle à sa politique de paix, notre Grand Parti Communiste s'est dressé contre la guerre, comme il s'était dressé seul contre l'occupation de la Ruhr par Poincaré, parce qu'il a toujours été *contre l'oppression d'un peuple par un autre peuple.*

« [...] Jamais un grand peuple comme le nôtre ne sera un peuple d'esclaves et si, malgré la terreur, ce peuple a su, sous les formes les plus diverses, montrer sa réprobation de voir la France enchaînée au char de l'impérialisme britannique, il saura signifier aussi à la bande actuellement au pouvoir, *sa volonté d'être libre.*

« [...] *Cela ne doit pas être ; cela ne sera pas !* [...] La France doit se relever, elle se relèvera ; [...] La France doit se relever en tant que grand pays avec son industrie et son agriculture. [...] La France doit se relever mais elle ne se relèvera que par le travail et dans la liberté. Les usines doivent rouvrir et travailler pour les besoins quotidiens des hommes ; les paysans doivent être ramenés à leur terre d'où la guerre les a chassés en grand nombre. [...] La France doit se relever pour être une terre de travail et de liberté, mais non une terre de servitude et de misère.

Qui donc peut relever la France ?

« Qui peut relever la France ? C'est la question qui se pose. [...] C'est dans le peuple que résident les grands espoirs de libération nationale et sociale.

« Et c'est seulement autour de la classe ouvrière ardente et généreuse, pleine de confiance et de courage, parce que l'avenir lui appartient ; c'est seulement autour de la classe ouvrière guidée par le Parti communiste, parti de propreté, d'honneur et d'héroïsme, que peut se constituer *le front de la liberté de l'indépendance et de la renaissance de la France*. Nous appelons à s'unir pour sauver notre pays, pour l'arracher des mains de ceux qui l'ont conduit au désastre, les paysans, les petites gens qui ont été si abominablement trompés par le Parti radical, les travailleurs socialistes que le parti

de Blum et de Paul Faure ainsi que les chefs traîtres de la C.G.T.
ont placés à la remorque des potentats du capital, les travailleurs
chrétiens à qui les principes de l'Église ont prêché la confiance en
des gouvernants indignes, tous les Français honnêtes qui veulent
que la France se relève [...].

« *L'unité de la nation peut se faire.* Elle doit se faire et elle peut
se faire tout de suite, pour alléger le fardeau de misère qui pèse sur
notre pays.

« Que tous les hommes et femmes de bonne volonté, que les
vieux et les jeunes s'unissent à la ville, au village, partout en des
comités populaires de solidarité et d'entraide, pour organiser l'assistance aux réfugiés, aux malheureux, aux démobilisés, aux chômeurs, aux malades, aux blessés ; pour organiser le ravitaillement
qui, dans de nombreuses communes isolées, n'est pas assuré ; pour
créer d'un bout à l'autre du pays, un esprit de solidarité fraternelle
fondé sur le principe *« un pour tous, tous pour un ».*

La France au travail

« Mais il faut panser les plaies, il faut aussi reconstruire ; reconstruire pour le bien de la collectivité et non pour fournir l'occasion
de nouveaux profits aux maîtres et protégés de ces Messieurs du
gouvernement de Vichy.

« *Il faut remettre la France au travail,* mais en attendant, il faut
assurer le pain quotidien aux sans-travail. [...]

Les droits du peuple

« [...] Le peuple a le droit d'exiger la mise en accusation des responsables de la guerre et des désastres de la France. [...]

Un gouvernement du peuple

« [...] Mais le peuple de France ne se laissera pas faire. A la ville,
dans les campagnes, dans les usines, dans les casernes doit se former le front des hommes libres contre la dictature des forbans.

« A la porte le gouvernement de Vichy ! A la porte le gouvernement des ploutocrates et des profiteurs de la guerre !

« C'est un tout autre gouvernement qu'il faut à la France. Un
gouvernement que l'unité de la Nation rendra possible demain ; un
gouvernement qui sera le gouvernement de la renaissance nationale
composé d'hommes honnêtes et courageux, de travailleurs manuels
et intellectuels n'ayant trempé en rien dans les crimes et combinaisons malpropres de la guerre ; un gouvernement du Peuple, tirant
sa force du Peuple, du Peuple seul, et agissant exclusivement dans
l'intérêt du Peuple.

« Voilà ce que pense le Parti communiste, voilà ce qu'il te dit,
peuple de France, en ces heures douloureuses en t'appelant à t'unir
dans tes comités populaires de solidarité et d'entraide, dans les

syndicats, dans les usines, les villes, les villages, sans oublier jamais que tous unis, nous relèverons la France, nous assurerons sa liberté, sa prospérité et son indépendance. [...] Sous le signe de la fraternité des peuples, nous serons les artisans de la renaissance de la France. »

18. Pétain, message radiodiffusé du 30 octobre 1940, *op. cit.*, p. 549.

19. Note remise à la commission d'instruction de la Haute Cour, en juin 1945, *ibid.*, p. 602.

20. Message du 13 août 1940, *ibid.*, p. 570.

21. Discours de Saint-Étienne, le 1er mars 1941, *ibid.*, p. 500.

22. Appel radiodiffusé du 9 octobre 1940, *ibid.*, p. 467.

23. La lettre est datée du 19 décembre 1940. En voici, dans leur enchaînement les principaux passages :

« Monsieur le Maréchal,

« Il y a un an aujourd'hui, après une détention préventive de quarante jours, j'étais inculpé de reconstitution de ligue communiste dissoute [...] Le gouvernement choisissait ce mauvais prétexte [...] parce qu'il ne voulait pas donner la véritable raison de nos poursuites. Nous étions les seuls à nous dresser contre la guerre, nous étions les seuls pour la paix.

« C'était pour mieux préparer la guerre impérialiste que le gouvernement français avait renforcé la répression communiste. [...]

« Le 26 juin 1940, dans un manifeste, vous disiez, Monsieur le Maréchal : « Je hais les mensonges qui nous ont fait tant de mal. » Il faudrait alors, pour dissiper un certain nombre de mensonges que vous fassiez connaître à l'ensemble de la population de France :

« 1°) La lettre du groupe ouvrier et paysan français adressée, le 1er octobre 1939, au président de la Chambre ;

« 2°) Les comptes rendus des débats de notre procès et la déclaration que j'ai lue au nom de tous mes amis, au terme de ces débats.

« Dans cette déclaration, nous disions par exemple : « Nous sommes poursuivis parce que nous nous sommes dressés et que nous nous dresserons avec la dernière énergie contre la guerre impérialiste qui sévit sur notre pays, parce que nous appelons le peuple à exiger qu'il y soit mis fin par la paix, parce que nous indiquons au peuple de France le moyen de rendre notre pays libre et heureux. » Et plus loin : « Le gouvernement français et les capitalistes au nom de qui ils agissent tentent de faire croire que les responsabilités de la guerre sont unilatérales, qu'eux-mêmes n'y sont pour rien, que le peuple de France se bat pour la justice, la liberté, l'indépendance des peuples. Mensonges... Les responsables de la guerre ? Nous nous refusons à nous faire les complices de cette énorme duperie qui consiste dans chaque pays à les rejeter sur les gouvernements ennemis. Il y en a chez nous, en premier lieu l'ex-gouvernement et son chef, M. Daladier, qui a dirigé l'État contre le peuple et dans l'intérêt d'une minorité de gros possédants. »

« [...] Lors de mon interrogatoire, je disais : « Cette guerre sera néfaste pour la France. Vaincus, nous serons les esclaves d'Hitler. Vainqueurs, nous serons les domestiques de Chamberlain. [...] Et, comme je me dressais contre la soumission de nos gouvernements à l'impérialisme britannique, le commissaire du gouvernement Bruzin, qui est maintenant substitut à la Cour suprême de Riom, me faisait interrompre violemment par le président du tribunal. [...] Personne autre que nous les communistes n'a eu le courage de dire la vérité au pays. Dans un article élogieux à votre égard, M. Georges Suarez, dans *l'Illustration* du 30 novembre 1940 (le seul journal ou revue que nous pouvons lire), écrit : « La guerre était une folie, les neuf mois d'inactivité furent un crime. » Pendant ce temps, on donnait au pays l'illusion qu'il était gouverné par les arrestations arbitraires de ceux qui avaient défendu la paix : on emprisonnait, on condamnait.

Mais qui emprisonnait-on ? Qui condamnait-on ? Sinon, à quelques exceptions près, seulement les communistes [...]. Si vous voulez donc en finir avec les mensonges, Monsieur le Maréchal, il faut aussi libérer immédiatement les communistes et les seuls députés qui se sont dressés contre la guerre.

« [...] Étant donné que rien n'a été publié sur les débats à huis clos de notre procès, où nous avions dénoncé les véritables fauteurs de guerre, je demande à être entendu comme tous mes amis en qualité de témoin par la Cour suprême de Riom.

« Veuillez agréer, Monsieur le Maréchal, l'assurance de ma haute considération. »

24. Cf. Rossi, *op. cit.,* p. 371.

25. Cf. A. Rossi, *Physiologie du Parti communiste français,* Self, 1948, pp. 409-410.

26. C'est l'expression qu'emploie Thorez, à propos de Pétain, dans « Les vrais traîtres ».

27. *Ibid.*

28. Cf. témoignage d'Henri Cohen, *Libération* du 18 novembre 1980. Et surtout, pour les années 30 : David H. Weinberg, *les Juifs à Paris de 1933 à 1939,* Calmann-Lévy, 1974, pp. 54-55.

29. Cf. Par exemple, l'insistance du thème dans l'appel du 10 juillet. Cf. surtout, Rossi, *Physiologie du Parti communiste français, op. cit.,* pp. 27-35, qui donne de nombreux textes en ce sens.

30. Courtois, *op. cit.,* pp. 157, 181.

31. Texte lu par le Maréchal, vice-président du Conseil, au cours du conseil des ministres du 13 juin 1940. *Actes et Écrits, op. cit.,* p. 447. Pour l'attitude du P.C.F., cf. Courtois, *op. cit.,* p. 137.

32. *Ibid.,* p. 138.

DEUXIÈME PARTIE

Chapitre 1

1. Alain Peyrefitte, Europe n° 1, déclaration au micro d'Ivan Levaï, le 24 juin 1980.
2. Cf. le beau livre de Colette Guillaumin, que je démarque sur ce point et quelques autres : *l'Idéologie raciste : genèse et langage actuel,* Mouton, 1972, pp. 14-23.
3. Saint Augustin consacre deux chapitres de la *Cité de Dieu* à réfuter les théories païennes sur l'éternité du monde. Ce sont le chapitre 10 du livre XII et le chapitre 40 du livre XVII.
4. Ernest Renan, *l'Avenir de la science,* préface de 1890. De même, chez Barrès : « La question des races est ouverte », *Scènes et doctrines du nationalisme,* 1902, t. I, p. 211.
5. Cf. aussi Talmud Sanhédrin, 38a.
6. Cité par Patrick Girard dans son article essentiel et malheureusement inédit : « A la recherche d'un nouvel Adam : les spéculations polygénistes et préadamites à la renaissance ».
7. On consultera sur ce point le livre de F. Tinland, *l'Homme sauvage, Homo ferus et Homo sylvestris, de l'animal à l'homme,* Payot, 1968.
8. Patrick Girard, *op. cit.*
9. Voltaire, *Traité de métaphysique,* œuvres complètes, Éditions Moland, t. XII, p. 210. Cf. aussi, *ibid.,* p. 192 : « Les blancs barbus, les nègres portant laine, les jaunes portant crins et les hommes sans barbe, ne viennent pas du même homme. » Et encore, dans l'*Essai sur les mœurs et l'esprit des nations :* il « n'est permis qu'à un aveugle de douter que les Blancs, les Nègres, les Albinos, [...] sont des races entièrement différentes » (*ibid.,* t. XI, p. 7). Ces textes, et d'autres, que j'utilise plus bas, sont cités par Léon Poliakov dans son très beau *Mythe aryen,* Calmann-Lévy, 1972.
10. La « lettre programme » d'Edwards, fondateur de la Société ethnologique de Paris, à Amédée Thierry, date de 1829. L'idée fondamentale en est la correspondance entre races « historiques » et races « physiologiques ». Quant à la Société anthropologique de Paris, elle est ouverte en 1859. *Ibid.,* pp. 230, 263, 273.
11. C. Guillaumin, *op. cit.,* p. 26.
12. Daniel Lindenberg et Pierre André Meyer, *Lucien Herr, le socialisme et son destin,* Calmann-Lévy, 1977, pp. 45 et 46. Il est toutefois vrai que si, en 1882, date à laquelle le jeune Herr vient écouter Soury, celui-ci est déjà au zénith de sa gloire et considéré par le Tout-Paris intellectuel comme l'égal de Bergson, il ne semble pas avoir versé encore dans le racisme explicite.
13. Georges Vacher de Lapouge, *l'Aryen, son rôle social,* Fontemoing, 1899. Où on lit par exemple (pp. VII et 22) : « La faillite de la Révolution est éclatante [...]. Celle-ci a été avant tout la substitu-

tion du brachycéphale au dolichoblond dans la possession du pouvoir [...]. Par la Révolution, le brachycéphale a conquis le pouvoir, et par une évolution démocratique, ce pouvoir tend à se concentrer dans les classes inférieures, les plus brachycéphales. » Et plus loin (p. 238) : « C'est déjà un fait grave que de nos jours la malédiction de l'indice fasse des brachycéphales, de toutes les races brachycéphales, des esclaves-nés, à la recherche de maîtres quand ils ont perdu les leurs, instinct commun seulement aux brachycéphales et aux chiens. » Et, ailleurs encore (*Revue d'anthropologie*, 15 mai 1887, p. 15) : « Je suis convaincu qu'au siècle prochain, on s'égorgera par millions pour un degré ou deux en plus ou en moins dans l'indice céphalique. [...] Les derniers sentimentaux pourront assister à de copieuses exterminations de peuples. »

14. Gustave Le Bon est l'auteur, notamment, de : *Psychologie du socialisme* (Alcan, 1898) ; *les Lois psychologiques de l'évolution des peuples* (Alcan, 1894) ; et surtout *Psychologie des foules* (Alcan, 1895), son plus grand succès, qui, traduit en seize langues, en est en 1963, à sa 45ᵉ édition. La seule étude d'ensemble sur ce penseur étrangement oublié de nos jours est due à un britannique : N.A. Nye, *The origins of Crowd Psychology. Gustave Le Bon and The Crisis of Mass Democracy in the Third Republic*, Londres, Sage, 1975. On en consultera avec profit le chapitre 3 par exemple où, à propos d'un autre de ses livres, (*l'Homme et les sociétés*, 1881) sont parfaitement marqués les axes et les origines de sa pensée. Son darwinisme sous-jacent. L'observation des « sociétés primitives ». L'emprunt à Spencer de sa théorie des « réflexes ». Les concepts d'« atavisme » et d'« hérédité ». La polémique antidémocratique. L'obsession de la décadence. Une réflexion sur l'hypnose, proche des travaux de Charcot. Et, au bout du compte et sur ces bases, le cauchemar raciste.

15. Cf. J.-M. Charcot, *Leçons du mardi à la Salpêtrière*, Paris, 1889. Et Théodule Ribot, *l'Hérédité psychologique*, Paris, 1890.

16. Cité par Poliakov, *op. cit.*, p. 265. A signaler aussi, dans ce cadre, mais dès germinal an III, l'ouverture de l'École des langues orientales vivantes, à l'initiative de Sylvestre de Sacy.
Le cas d'Eugène Burnouf, enfin, est particulièrement intéressant. Car cet héritier des Lumières, maître de Littré, de Jean-Jacques Ampère et quelques autres, auteur (en 1884) d'une admirable *Introduction à l'étude du bouddhisme indien*, fut aussi un raciste avoué. On lit par exemple, dans sa *Science des religions* (1885), à propos des Chinois : « Les hautes spéculations abstraites échappent à cette race d'hommes à qui manque aussi la partie du cerveau qui en est l'organe. » Et, à propos du christianisme : qu'il « est dans son ensemble une doctrine aryenne ». Cité *ibid.*, pp. 282, 283.

17. *Ibid.*, p. 211.

18. Ernest Renan, *ibid.*, pp. 209, 210. Mussolini (dans *la Doctrine du fascisme*, Florence, Vallechi, 1937, p. 34 parlera des « illuminations préfascistes de Renan ». Il est juste d'ajouter, toutefois,

les avertissements que lance *en même temps* Renan contre la confusion de l'ordre des peuples et de celui des langues, avec leurs inévitables effets politiques. (Poliakov, *op. cit.,* p. 208).

19. Hippolyte Taine, *Histoire de la littérature anglaise,* Hachette, 1863, t. 1, pp. XIX, XXIII.
20. Cf. Colette Guillaumin, *op. cit.*
21. Cité par Poliakov, *op. cit.,* p. 209.
22. G.L. Mosse, *The Crisis of German Ideology : Intellectual Origins of the Third Reich,* New York, Grosset and Dunlap, 1964.
23. Cité par Pierre Pierrard, *Juifs et catholiques français, de Drumont à Jules Isaac,* Fayard, 1970, p. 37.
24. Georges Bernanos, *les Grands Cimetières sous la lune,* Plon, p. 49.
25. Cf. Vladimir Rabi, « La Vierge de Sion » in *Péguy,* Cahier de l'Herne, 1977, pp. 264-265.
26. Cf. le très grand livre de Léon Poliakov, *l'Europe suicidaire,* t. IV, de l'*Histoire de l'antisémitisme,* Calmann-Lévy, 1977, pp. 54-55.
27. Édouard Drumont, *la France juive,* édition de 1943, p. 11.
28. Cité par Jean-Noël Marque, *Léon Daudet,* Fayard, 1971, p. 288.
29. Sur le catholicisme de Barrès, il faut lire *la Grande Pitié des Églises de France,* 1925, notamment pp. 248-249, où se mêlent la condamnation de principe du paganisme et l'appel, pourtant, à réconcilier les saints avec les divinités vaincues, le « sentiment religieux » du catholicisme avec l'« esprit de la terre ». Voir aussi ces passages de *Mes cahiers,* Plon, pp. 265 et 274-275 où il écrit que « le sémitisme et le sémitisme seul » est « monothéiste ». Que le « christianisme », lui, est autre chose, plus proche de la conception « aryenne » du monde. Et que, même s'il est « certain » qu'il y demeure une bonne dose de la « religion d'Israël », la note « polythéiste » y est essentielle.
30. Cité par Sternhell, *la Droite révolutionnaire, op. cit.,* p. 171.
31. Les deux premiers tomes de *Mes cahiers* fourmillent en allusions à Soury. Cf. notamment t. 1, pp. 66-74, 87-89, 92-93. Cf. aussi les excellentes pages de Zeev Sternhell dans son *Maurice Barrès et le nationalisme français,* Colin, 1972, pp. 253-266. Dans *Scènes et Doctrines du nationalisme,* Plon, 1925, t. 1, p. 153 : « Nous exigeons de cet enfant de Sem (i.e. Dreyfus) les beaux traits de la race indo-européenne. Il n'est point perméable à toutes les excitations dont nous affectent notre terre, nos ancêtres, notre drapeau, le mot « honneur ». Il y a des aphasies optiques où l'on a beau voir des signes graphiques, on n'en a plus d'intelligence. Ici l'aphasie est congénitale ; elle vient de la race. »
32. « On peut parler d'une race indo-européenne et d'une race sémitique [...]. Peut-être même sont-ce deux espèces différentes » (*Mes cahiers, op. cit.,* p. 141). Cf. aussi, *ibid.,* p. 120 : « En toutes choses, la race sémitique nous apparaît comme une race incomplète

par sa simplicité même. Elle est [...] à la famille indo-européenne ce que la grisaille est à la peinture, ce que le plain-chant est à la musique moderne. » Et surtout, *ibid.,* pp. 117-118, ces propos tenus par Soury lors du second procès Dreyfus, à Rennes, en 1899, et que Barrès rapporte en les reprenant à son compte : « Je suis arrivé au point où vous étiez quand vous me disiez : Je ne tiens plus qu'à la tradition et il n'y a plus d'ordre et de dignité que dans l'armée... Combattre pour la France et pour les Aryens. La France est perdue, mais qu'est-ce que cela fait à nous qui sommes dans l'ordre idéal. [...] C'est ici, à Rennes un magnifique champ de bataille. La Russie, l'Allemagne n'ont pas trouvé le champ de bataille ; il est ici. Car vous l'avez très bien dit il ne s'agit pas d'un pauvre petit capitaine juif, il s'agit de l'éternelle lutte entre le sémitisme et l'aryen. [...] Je crois que le Juif est une race ; bien plus, une espèce... Je crois vraiment que le Juif est né d'un anthropoïde spécial comme le noir, le jaune, le peau-rouge. [...] Aujourd'hui, elles sont trop dangereuses pour qu'on les tolère. »

33. C'est le cas de *Leurs figures,* de Maurice Barrès, Plon, 1960. Nombreuses allusions dans les *Cahiers* ou *Scènes et Doctrines.* Cf. entre cent, l'article du 22 juin 1890 dans *le Courrier de l'Est,* « Interpellation sur le monopole Hachette ».

34. Cf. « Lettre d'un antisémite », *le Courrier de l'Est,* 26 mai 1889 ; *les Déracinés,* Fasquelle, 1897, pp. 297-301 : *l'Appel au soldat,* Fasquelle, 1900, p. 466. Sur ce thème, lire les commentaires de Robert Soucy, *Fascism en France, the Case of Maurice Barrès,* Berkeley, University of California Press, 1972, pp. 120-122.

35. *Le Courrier de l'Est,* 12 février 1889, 21 juillet 1889. Cf. également, 1ᵉʳ décembre 1889 : toute une région peut être affamée « par une association de cinq ou six marchands et usuriers juifs ». Voir aussi les véritables appels au pogrome lancés par *le Courrier de l'Est* les 5 septembre et 2 mai 1891 (cités par Zeev Sternhell, *la Droite révolutionnaire, op. cit.,* p. 209).

36. « La formule antijuive », *le Figaro,* 22 février 1890. Cf. Jean Diez, « Les débuts de Maurice Barrès dans la vie politique (1888-1891) », *la Revue hebdomadaire,* 15 août 1931, p. 280. L'opposition du « menu peuple » et du « peuple gras » se trouve dans *Mes cahiers, op. cit.,* t. 3, p. 50.

37. C'est la thèse de Zeev Sternhell, *Maurice Barrès et le nationalisme français, op. cit.*

38. On lira sur la filiation Barrès-Drieu, l'article de Michel Winock, « Une parabole fasciste, *Gilles,* de Drieu La Rochelle », *Mouvement social, art. cit.,* notamment pp. 38, 42. 46.

39. Robert Soucy, *Fascism in France, the Case of Maurice Barrès, op. cit.,* insiste longuement sur ce point. Et il cite notamment le très éloquent article « M. le général Boulanger et la nouvelle génération », *la Revue indépendante,* avril-juin 1888. Ainsi que *l'Appel au soldat, op. cit.,* pp. 465-467.

40. « Les violences opportunistes », *le Courrier de l'Est,* 28 juil-

let 1889 : « Nous sommes encore la sainte canaille de 1789, de 1830 et 1848. »

41. La classe ouvrière est « la partie saine du pays », cité par Sternhell, *op. cit.,* p. 66. Voir aussi *le Jardin de Bérénice,* Perrin, 1891, p. 179 ; *l'Ennemi des lois,* Perrin, 1893, p. 251 ; *l'Appel au soldat,* Fasquelle, 1900, p. 359. Et surtout *Scènes et Doctrines,* cité par Sternhell, p. 173 : « Il nous faut rétablir la concordance entre la pensée, parfois chancelante, de notre élite et l'instinct sûr de nos masses. »

42. *Ibid.,* p. 173 : « C'est le secret de la vie que trouve spontanément la foule » *(le Jardin de Bérénice) ;* « Les volontés obscures des masses possèdent le sens le plus sûr de la santé sociale » *(Scènes et Doctrines) ;* « Les masses m'ont fait toucher les assises de l'humanité » *(le Jardin de Bérénice).*

43. Déjà dans *les Déracinés :* « La vérité, c'est ce qui satisfait les besoins de notre âme ; et dans *Mes cahiers, op. cit.,* t. 2, p. 86 : « Il faut enseigner la vérité française, c'est-à-dire celle qui est la plus utile à la nation. »

44. Cf. Robert Soucy, *op. cit.,* pp. 120 et suiv., citant *l'Appel au soldat* et *les Déracinés.*

45. *Ibid.,* pp. 116-120.

46. Charles Péguy, *Notre jeunesse,* Gallimard, col. Idées, 1969, pp. 86-132. (« Le prophète, en cette grande crise d'Israël et du monde, fut Bernard Lazare. »)

47. *Ibid.,* pp. 9, 10, 11.

48. *Ibid.,* p. 172 (Un « socialisme » qui « était » dans « la sève » et dans « la race même ». « Dans la sève et le sang de la race »), p. 166 (« Des peuples montants dans leur sève, dans leur essence, dans leur droiture et la lignée de leur végétale race »), p. 166 encore (le « sabotage bourgeois et capitaliste » est « entré dans le monde bourgeois comme une seconde race »), p. 169 (« par une contamination descendante, c'est le désordre qui a désordonné l'ordre »). Le mot « abtronqué » apparaît dans *l'Argent,* Gallimard, la pléiade, t. 2, p. 1112.

49. *Notre jeunesse, op. cit.,* p. 242.

50. Cité dans l'exceptionnel *Cahier de l'Herne* sur Péguy, 1977. Je m'y référerai désormais sous le titre *Péguy.*

51. Voir note 56.

52. *Notre jeunesse, op. cit.,* p. 21 : « Des pensées, des instincts, des races, des habitudes qui, pour nous, étaient la nature même, qui allaient de soi, dont on vivait, qui étaient le type même de la vie, à qui par conséquent on ne pensait même pas, qui étaient plus que légitimes, plus qu'indiscutées : irraisonnées, sont devenues ce qu'il y a de pire au monde : des thèses. »

53. « Solvuntur objecta » in *Victor-Marie comte Hugo,* Gallimard, la Pléiade, t. 2, p. 663.

54. Cf. l'excellent article de Jacques Chabot, dans *Péguy,* p. 184, dont je m'inspire ici.

55. *Ibid.*, p. 188.

56. C'est le texte fameux : « L'homme se retourne vers sa race et aussitôt après son père et sa mère [...] il ne voit plus rien qu'une immense masse et une innombrable race [...]. Pourquoi ne pas le dire, il s'enfonce avec orgueil dans cet anonymat. L'anonyme est son patronyme. L'anonymat est son immense patronymat. Plus la terre est commune, et plus il veut être poussé de cette terre. Plus la nuit est opaque, et plus il veut être sorti de cette ombre. Plus la race est commune et plus il a de joie secrète et il faut le dire un secret orgueil à être un homme de cette race. » (*Note conjointe sur M. Descartes et la philosophie cartésienne* », Pléiade, t. 2, p. 1379.)

57. *Ibid.*, pp. 1384-1385 : « Et une parole remonte à l'homme du fond des temps : la lettre tue. »

58. « Eve », cité in *Péguy, op. cit.*, p. 243.

59. *Ibid.*, p. 235.

60. *Ibid.*, p. 244.

61. *L'Esprit de système*, cité *ibid.*, p. 230.

62. Cité par Marcel Péguy, dans *le Destin de Charles Péguy*, Librairie académique Perrin, 1941, p. 239.

63. On trouvera des exemples de cette nostalgie païenne dans Marie-Claire Bancquart, *les Écrivains et l'Histoire*, Nizet, 1966, pp. 246-279.

64. Cf. *L'Argent suite, op. cit.*, p. 1216 : « C'est un mot d'un grand écrivain et tout ce que je pourrais dire n'est plus rien à côté. » Puis : « Tout est là, tout est dit, et tel est le programme et la dure destinée de notre génération. » Enfin : « C'est nous qui sommes les pères, véritablement, puisque c'est nous qui sommes la race. »

65. *Ibid.*, pp. 1208-1215.

66. Sur Maurras, cf. par exemple, *Notre jeunesse, op. cit.*, pp. 176, 242 et surtout 251 : « Quand je trouve dans *l'Action française* tant de dérisions et tant de sarcasmes, souvent tant d'injures, j'en suis peiné, car il s'agit d'hommes qui veulent restaurer, restituer les plus anciennes dignités de notre race. »

L'Argent suite, op. cit., p. 1226 : « Nous formions deux ardentes armées. Également honorables du point de vue de la guerre. Également honorables du point de vue du sport. »

Sur Jaurès, *L'Argent suite, op. cit.*, p. 1240. *Ibid.*, p. 1241 : « Quant à ce qu'un homme comme Proudhon aurait fait d'un misérable comme Jaurès, si le volumineux poussah lui était tombé entre les mains, il vaut mieux ne pas y penser. » De même encore, *L'Argent, op. cit.*, p. 1114 : « Je demande pardon au lecteur de prononcer ici le nom de M. Jaurès. C'est un nom qui est devenu si bassement ordurier que quand on l'écrit, pour l'envoyer aux imprimeurs, on a l'impression que l'on a peur de tomber sous le coup d'on ne sait quelles lois pénales. »

D'une manière générale, il faut absolument lire le très bel article

d'Henri Guillemin, « Péguy contre Jaurès », *Les Temps Modernes,*
mai 1959, pp. 78-109.

67. Cité par Daniel Halévy, *Péguy,* Livre de Poche, coll. Pluriel,
Paris, 1979, p. 168.

68. Cf. *l'Argent* et *l'Argent suite* qui, même s'ils digressent abondamment par rapport à leur propos affiché, n'en contiennent pas
moins quelques beaux morceaux de bravoure. Mais cf. aussi la
*Note conjointe sur M. Descartes et la philosophie cartésienne (op.
cit.,* p. 1532) où on trouve le texte célèbre : « Pour la première fois
dans l'histoire du monde toutes les puissances spirituelles ensemble
et toutes les autres puissances matérielles ensemble et d'un seul
mouvement et d'un même mouvement ont reculé sur la face de la
terre. Et comme une immense ligne elles ont reculé sur toute la
ligne. Pour la première fois dans l'histoire du monde l'argent est
maître sans limitation ni mesure. »

69. *Il me plaît...,* Pléiade, t. 2, p. 891.

70. *Notre jeunesse, op. cit.,* p. 15.

71. *Ibid.,* p. 50.

72. « Ce qu'il faut refaire avant tout, ce qui est capital, c'est la
paroisse. » Lettre à Lotte, citée par Halévy, *op. cit.,* p. 246.

73. *L'Argent suite, op. cit.,* p. 1261.

74. Cf. Eric Cahm, *Péguy et le nationalisme français,* publication
des *Cahiers Charles Péguy,* p. 58. Sur l'annexion de Péguy par la
droite antisémite, on consultera utilement Nelly Jussem-Wilson,
« L'affaire Jeanne d'Arc et l'affaire Dreyfus : Péguy et *Notre jeunesse, Revue d'histoire littéraire de la France,* juillet-septembre
1962, pp. 400-415.

75. *L'Argent suite, op. cit.,* p. 1261.

76. *Ibid.,* pp. 1217-1218.

77. Cité par Julie Sabiani, *Péguy, op. cit.,* p. 241.

78. *Notre jeunesse, op. cit.,* pp. 153-154.

79. Cf. Gérard Miller, *Les Pousse-au-jouir du maréchal Pétain,*
Seuil.

80. *Notre jeunesse, op. cit.,* pp. 153-154.

81. H. Beuve-Méry, *Charles Péguy et la révolution du XXᵉ siècle,*
reproduit dans *Péguy, op. cit.,* p. 321.

Chapitre 2

1. Cf. sur tous ces points, Zeev Sternhell, *la Droite révolutionnaire, op. cit.,* pp. 35-60.

2. Robert F. Byrnes, *Antisemitism in Modern France,* New
Brunswick, Rutgers University Press, 1950, p. 240.

3. *Ibid.,* p. 167.

4. Benoît Malon, « La question juive », *la Revue socialiste,*
nº 18, juin 1886, p. 510. Drumont ne manquera pas de rendre hom-

mage à Malon dans *la Fin d'un monde,* Savine éd., 1889, pp. 121-125. Quelques phrases au fil du portrait : « ... Quelle figure sympathique et bonne que celle de Benoît Malon ! C'est l'homme du peuple tel qu'il est sorti de la vieille terre française, tel aussi que l'ont fait les milieux actuels. Fils de pauvres journaliers, il reste à garder les vaches dans la plaine du Forez pour permettre à son jeune frère de passer son examen d'instituteur [...] Je me suis arrêté un peu à cette figure, car elle résume un côté du prolétariat français. [...] Quel travail pour en arriver à être le directeur écouté de *la Revue socialiste,* à écrire des livres, pleins d'erreurs [...], mais animés d'un souffle généreux. [...] Il m'a emmené avec lui pendant quelque temps pour me faire voir les milieux ouvriers de Paris, tout le monde m'a admirablement reçu et m'a fait des compliments sur *la France juive.* [...] Si, à ce moment, je n'ai pas encore été tué par les juifs, je ferai dire certainement une messe et je réciterai plus d'un Ave pour le socialiste Malon. »

5. Albert Regnard, « Aryens et Sémites, le bilan du christianisme et du judaïsme », *la Revue socialiste,* juin, juillet, octobre 1887 ; juillet et août 1888 ; février et octobre 1889. Cité par Z. Sternhell, *op. cit.,* p. 192.

6. *Ibid.,* pp. 193-194.

7. L'article du *Cri du peuple,* comme la déclaration sur Rothschild (prononcée lors d'un meeting du 3 juin 1886 auquel participaient Guesde et Lafargue) sont cités par R. Byrnes, *op. cit.,* p. 158.

8. Auguste Chirac, *les Rois de la république : histoire des juiveries* (première édition : Arnould, 1883 ; réédité en 1888-1889 chez Dentu). Cf. aussi *la Haute Banque et les révolutions,* Amyot, 1876 (réédité en 1888 chez Savine).

9. A. Toussenel, *les Juifs, rois de l'époque : histoire de la féodalité financière,* Marpon et Flammarion, 1886. Édouard Drumont, *la France juive,* Marpon et Flammarion, 1885, 13e édition, t. 1, p. 344 : « Dans le livre de Toussenel, la nouvelle féodalité juive est peinte de main de maître et nous ne pouvons résister au plaisir de reproduire le terrible tableau qu'en trace l'illustre écrivain [...] Nul mieux que Toussenel n'a signalé la conquête de tous les États chrétiens par le juif. »

10. Cf. P. Ory, *les Collaborateurs, op. cit.,* p. 153.

11. « Enquête sur les juifs, *l'Antisémitique,* 30 juin 1883, cité par Sternhell, *op. cit.,* p. 283. *L'Antisémitique* n'est pas une feuille proprement antisémite, mais Malon, dans « La question juive » (*la Revue socialiste,* n° 18, juin 1886, p. 506) salue « le même esprit anticapitaliste et non antijéhoviste » qui, comme chez Toussenel, y règne.

12. Sur Voltaire, cf. Henri Arvon, *les Juifs et l'idéologie,* Presses Universitaires de France, 1978. Et mon *Testament de Dieu,* Grasset, 1979, chapitre 8. Gustave Tridon, *Du molochisme juif. Études critiques et philosophiques,* Bruxelles, Maheu, 1884, p. 5. Le livre, selon Zeev Sternhell, (*op. cit.,* p. 190) fut composé, pour sa plus large

part en 1865, à Sainte-Pélagie, où Tridon purgeait une peine de prison. P. 13, du même ouvrage, on lit : « La morale des juifs diffère de celle des Aryens. » P. 11 : « Peuples secs, arides, féroces. »

13. Cité par M. Paz, « L'idée de race chez Blanqui », in Actes du colloque « L'idée de race dans la pensée politique française avant 1914 », Université d'Aix-en-Provence, mars 1975, pp. 4-5. Sur l'antisémitisme de Proudhon, on trouvera de précieuses indications dans A. Ritter, _The Political Thought of Pierre Joseph Proudhon_, Princeton University Press, 1969.

14. Cité par Michelle Perrot, _les Ouvriers en grève_, p. 178.

15. Cf. P. Guiral dans son intervention au colloque d'Aix-en-Provence (_op. cit_, p. 39-40) qui cite des textes d'A. Thierry et Henri Martin.

16. « Il peut être considéré comme certain que Hitler a soigneusement lu le livre de Vacher de Lapouge _l'Aryen et son rôle social,_ traduit en allemand sous le titre _Der Arier und seine Bedeutung für die Gesellschaft_ » (Masser, _A. Hitler, mythe et réalité_, p. 186).

17. P. Ory, _op. cit.,_ p. 154.

18. Jean-Jacques Moureau, « L'eugénisme : survol historique », _Nouvelle École,_ n° 14, janvier-février 1971.

19. Cf. « G. Thuillier, un anarchiste positiviste », Colloque d'Aix, _op. cit.,_ p. 2. Cité par Sternhell, _op. cit.,_ p. 164.

20. Regnard, _Aryens et Sémites, le bilan du judaïsme et du christianisme,_ Dentu, 1890, pp. 92 et 205-206 : « Les juifs partagent avec les Patagons la spécialité des nez les plus longs qui soient au monde. »

21. Sur Edmond Picard, cf. R. Byrnes, _op. cit.,_ pp. 172-175.

22. Cf. Marie-Claire Bancquart, _les Écrivains et l'Histoire, op. cit.,_ p. 294 et suiv.

23. C'est une des plus fortes thèses du livre de Sternhell.

24. On sait le rôle de Lucien Herr, bibliothécaire à l'École normale supérieure et haute figure de l'Intelligence française dans la conversion de Jaurès.

25. _La Petite République,_ 20 janvier 1898.

26. Léon Blum, _Souvenirs sur l'Affaire,_ Gallimard, 1935.

27. Georges Sorel, _la Révolution dreyfusienne,_ Librairie Marcel Rivière, 1909.

28. Georges Sorel, _le Procès de Socrate, examen critique des thèses socratiques,_ Alcan, 1889.

29. Georges Sorel, _Propos :_ conversations recueillies par Jean Variot, Gallimard, 1935, p. 26.

30. _Ibid.,_ pp. 26-28.

31. Cf. _l'Indépendance,_ 1er mai 1911, 1er mars 1912, 1er mai 1912. Cf. aussi, le 11 avril 1911, p. 1, l'élogieux compte rendu par Sorel, du livre de Le Bon, paru en 1911, _les Opinions et les Croyances :_ « Si la psychologie parvient quelque jour à être annexée, chez nous, au domaine des connaissances que doit posséder un homme [...] on

devra ce résultat aux efforts persévérants de Gustave Le Bon, aucun de nos contemporains [n'y] a, en effet, autant travaillé que lui. [...] Il a jeté dans la circulation un nombre considérable de propositions justes. »

32. Robert Louzon, « La faillite du dreyfusisme ou le triomphe du parti juif, *le Mouvement socialiste*, n° 176, juillet 1906. On y lit par exemple, pp. 197 et 198 : « Si nous étions de ceux qui croient à la Justice en soi, si nous étions de ceux qui pensent que l'exacte observation des droits de l'homme et de la légalité républicaine est seule constitutive du Droit, nous pourrions nous indigner, nous pourrions chercher dans les homélies dreyfusardes d'hier de quoi flétrir les dreyfusards d'aujourd'hui. Mais vraiment, ce n'est pas la peine. [...] Nier le sémitisme, nier qu'il existe un parti dont le judaïsme, grâce à sa puissance d'argent, à son activité commerciale et intellectuelle, est le chef, nier qu'il existe un centre de vie, un centre de lutte et de solidarité dont le judaïsme est l'âme, c'est vouloir fermer les yeux : il n'est pas plus possible de nier le sémitisme que de nier le cléricalisme. Le sémitisme et le cléricalisme constituent les deux pôles de la grande solidarité bourgeoise et c'est leur lutte d'influence qui tend de plus en plus à devenir la note dominante de l'histoire interne de la bourgeoisie. [...] Comme Drumont, nous pensons pour notre part, que le cléricalisme existe, que le sémitisme existe ; comme Drumont aussi, nous pensons que le cléricalisme est une forme de conservation de la bourgeoisie, tandis que le sémitisme en est une force de dissolution. »

33. « Les Rothschild et la grève », *la Guerre sociale*, 14-20 septembre 1910. « Ma visite à *l'Humanité* », *ibid.*, 16-23 novembre 1910. Hervé, contrairement à Louzon, ne se lance pas dans l'antisémitisme militant (cf. Sternhell, p. 327).

34. G. Sorel, *la Ruine du monde antique, conception matérialiste de l'Histoire*, G. Jacques, 1902 ; deuxième édition avec avant-propos d'Édouard Berth, Rivière, 1925.

35. Cf. par exemple, le premier « appendice » aux *Illusions du progrès*.

36. Feuillets de *l'Amitié Charles Péguy*, n° 77, mai 1960, « Péguy et Sorel », pp. 14 et 15.

37. Édouard Berth, *les Nouveaux Aspects du socialisme*, Rivière, 1908, p. 57.

38. J. Darville (pseudonyme de Berth), « Satellites de la ploutocratie », *Cahiers du cercle Proudhon*, septembre-décembre 1912. Dans ce texte essentiel, on découvre, certes, un Berth vitupérant le pacifisme à quoi semble se rallier la C.G.T. (elle « tombe », dit-il p. 184, « dans un césarisme administratif favorable à la domination des puissances d'argent et craintif devant la grève comme devant la guerre »). Mais il n'en continue pas moins de parler depuis le lieu d'une parole syndicaliste qu'il veut seule authentique (p. 192) : « Nous, écrivains syndicalistes, tout ensemble passionnément atta-

324 L'idéologie française

chés au maintien de l'indépendance nationale française et au développement autonome du syndicalisme ouvrier. »

39. Dans un article intitulé (déjà !) « La France s'ennuie », Hervé écrit (*la Guerre sociale*, 8 juillet 1908) : « Quand Marianne aura sa crise, nous serons là pour lui administrer l'extrême-onction. »

40. G. Sorel, *Réflexions sur la violence*, Rivière, 1950, 11e édition, pp. 434 et suivantes. Cf. surtout, Proudhon cité par Berth dans *les Nouveaux Aspects du socialisme*, Rivière, 1908, P. 54 : « Compagnies ouvrières, véritables armées de la révolution où le travailleur, comme le soldat dans le bataillon, manœuvre avec la précision de ses machines. »

41. Cf. Sorel, *Matériaux d'une théorie du prolétariat*, Rivière, 1921, pp. 103-107.

42. Édouard Berth, *les Méfaits des intellectuels, op. cit., passim ;* Jean Darvilles, *Satellites de la ploutocratie, op. cit., passim.*

43. *Ibid.*

44. Cf. Émile Pouget, *la Confédération générale du travail,* Rivière, 1909, pp. 34 et suiv. : « Qui pourrait récriminer contre l'initiative désintéressée de la minorité ? Ce ne sont pas des inconscients, que les militants n'ont guère considérés que comme des *zéros humains,* n'ayant que la valeur numérique d'un zéro ajouté à un nombre s'il est placé à sa droite. »

45. Cf. Gaëtan Pirou, *Georges Sorel,* Rivière, 1927, pp. 53-54. Mussolini, *Scritti e discorsi,* Milan 1934, 8e volume, pp. 67-69. Émile Ludwig, *Entretiens,* Albin Michel, 1932, pp. 81 et 169.

46. J. J. Roth, « The roots of italian fascism : Sorel and sorelismo », *Journal of Modern History,* vol. 39, no 1, 1967, p. 40.

47. Lettres de Sorel à Missiroli, Croce, Michels, citées in J. J. Roth, *ibid.. Propos, op. cit.,* p. 57 : « Il va sans dire que je ne serais pas peu fier si la lecture de mes livres avait pu intéresser un Lénine ou un Mussolini. Intéresser, c'est déjà beaucoup et je ne demande pas plus, surtout en ce qui concerne de tels hommes. » Et, p. 55 : « Il est possible, il est même probable, si j'en crois des personnes dignes de foi, que Benito Mussolini ait lu mes ouvrages [...]. C'est aussi un génie politique d'une envergure qui dépasse celle de tous les hommes d'État actuels, – à part Lénine. »

48. Sur *la Lupa* de Florence, voir l'article de synthèse d'Enzo Santarelli, « Le socialisme national en Italie, précédents et origines », *Mouvement social,* no 50, janvier 1965. Sur ses rapports avec Sorel, lire notamment les pages 55-56, où il est dit que même si « l'influence de Sorel sur la conversion à droite des groupes syndicalistes italiens ne saurait être exagérée », il reste qu'elle « devait encourager et dépouiller de toute défense les personnalités et les groupes qui subissaient déjà la pression de la montée intellectuelle et politique du nationalisme ». Sont cités également à la même page, de très édifiants passages de la correspondance de Sorel avec Missiroli. Sur les autres revues que je cite, cf. Roth, *art. cit., passim.*

49. *Ibid.*, p. 42.

50. Louis Gillet, « Naples nouvelle », *Revue des deux mondes,* 15 février 1933.

51. Cité par Ernst Nolte, *le Fascisme dans son époque,* t. 1, pp. 349, 233.

52. Charles Maurras, *l'Action française,* 27 mai 1929.

53. Léon Daudet, *l'Action française,* 26 juillet 1911, cité par Colette Capitan-Peter, *Charles Maurras et l'idéologie d'Action française, op. cit.*

54. *La Seule France. Chronique des jours d'épreuve,* Lyon, H. Lardanchet, 1941, pp. 194 et suiv. On lit par exemple, en note de la p. 196 : « La nouvelle législation de défense antijuive a surtout visé *les effets,* ainsi que le désiraient ses auteurs, des juristes. Peut-être aurait-il fallu procéder plus philosophiquement et s'en prendre aux causes. La cause, ici, c'est l'existence d'un État dans l'État, l'État juif dans l'État français. Si l'on part de ce principe, on peut suivre, à la trace, l'action juive partout. Si l'on s'en tient aux effets conséquents, il peut arriver que l'on laisse aux juifs de quoi tout retrouver et récupérer – par exemple ce qui n'est ni fonction militaire, administrative ou pédagogique, mais ce qui peut influencer tout le reste, industrie, commerce et même agriculture – l'Argent. Un homme extrêmement réfléchi me disait sur le même propos : cela ressemble un peu au traité de Versailles que Bainville trouvait trop faible pour ce qu'il avait de fort. »

55. *Le Procès de Charles Maurras,* Paris, 1946, p. 155.

56. *L'Action française,* 28 mars 1911.

57. Georges Valois, *la Monarchie et la classe ouvrière,* Nouvelle Librairie nationale, 1914, p. 216.

58. Jacques Bainville, « Antidémocrates d'extrême gauche », *l'Action française,* 15 juillet 1902, p. 121.

59. Charles Maurras, « Liberté d'esprit », *l'Action française,* 4 août 1908.

60. Jean Rivain, « Les socialistes antidémocrates », *l'Action française,* 1er mars 1907, p. 413.

61. Édouard Berth, *les Méfaits des intellectuels, op. cit.,* p. 22.

62. Cf. Z. Sternhell, *op. cit.,* p. 368.

63. Georges Valois, « Nationalisme et syndicalisme », *l'Action française,* n° spécial, 31 décembre 1911, p. 550.

64. Jean Rivain, « Les socialistes antidémocrates », *l'Action française,* 15 mars 1907, p. 472. « L'avenir du syndicalisme », *ibid.,* 15 septembre 1908, p. 477. Georges Valois, *la Monarchie et la classe ouvrière, op. cit.,* p. 4-5 et 43. Textes cités par Sternhell, *op. cit.,* p. 367.

65. Maurice Pujo, *les Camelots du Roi,* chap. V, « Le complot de la liberté ».

66. Cf. les mises en garde de Paul Biétry, le leader des « jaunes », citées par Z. Sternhell, p. 365.

67. *Ibid.*, p. 371.

68. « Rapport sur les milieux syndicalistes », *l'Action française,* 15 décembre 1910, pp. 526-527.

69. M. Pujo, *op. cit.,* pp. 235 et 237.

70. G. Valois, *la Monarchie et la classe ouvrière, op. cit.,* p. LXXIX.

71. Z. Sternhell, *op. cit.,* p. 362.

72. *Ibid.*

73. M. Pujo, *op. cit.,* p. 241.

74. *La Guerre sociale,* 23 novembre 1910.

75. Charles Maurras, « Libéralisme et libertés : démocratie et peuple », *l'Action française,* 1er février 1906, p. 169.

76. Jean Rivain, « L'avenir du syndicalisme », *l'Action française,* 15 septembre 1908. « L'avenir social », *ibid.,* 15 juillet 1905.

77. Cité par Z. Sternhell, *op. cit.,* p. 356.

78. Charles Maurras, *Dictionnaire politique et critique,* Fayard, 1931-1933, t. 3, p. 264.

79. Charles Maurras, *Dictionnaire politique et critique, op. cit.,* t. 5, p. 213. Le texte sur La Tour du Pin est l'introduction aux « Aphorismes de politique sociale », *l'Action française,* 15 octobre 1900, p. 527. La propre expression de « socialisme éternel » se trouve, elle, dans « Politique mortelle et société renaissante », *Gazette de France,* 21 décembre 1906.

80. *Propos, op. cit.,* pp. 25-28.

81. Cf. Ernst Nolte, *le Fascisme en son époque, op. cit.*

82. Barrès-Maurras, *la République ou le Roi,* correspondance 1883-1925, Plon, 1970.

83. Georges Bernanos, *les Grands Cimetières sous la lune, op. cit.,* p. 48.

84. Supplément à *l'Enquête sur la monarchie,* édition 1924, Nouvelle librairie nationale.

85. G. Bernanos, *ibid.*

86. G. Valois, « Sorel et l'architecture sociale », *Cahiers du cercle Proudhon,* mai-août 1912, pp. 111-112.

87. Édouard Berth, *les Méfaits des intellectuels, op. cit.*

88. Jean Darville, « La monarchie et la classe ouvrière », *Cahiers du cercle Proudhon,* janvier-février 1914, p. 19.

89. Jean Darville, « Proudhon », *Cahiers du cercle Proudhon,* janvier-février 1912, pp. 10-13.

Chapitre 3

1. Charles Maurras, *les Princes des nuées,* Éditions d'Histoire et d'Art – Plon, 1933, pp. 12 et 13.

2. Th. Funck-Brentano, *les Sophistes allemands et les nihilistes russes,* Plon, 1887. Henri Vaugeois, *la Morale de Kant et l'Université française,* 1917.

3. Claude Digeon, *la Crise allemande de la pensée française,* P.U.F., 1959, pp. 407 et suiv.

4. C'est le reproche implicite que fait Barrès à Bouteillier, le professeur de philosophie des *Déracinés.*

5. Cf. Digeon, *op. cit.,* pp. 335 et suiv. ; Daniel Lindenberg et P.A. Meyer, *Lucien Herr, le socialisme et son destin,* Calmann-Lévy, 1977, pp. 23 et suiv.

6. Cité par Geneviève Bianquis, dans son très utile *Nietzsche en France,* P.U.F., 1929, p. 25.

7. Alexandre Koyré, « Rapport sur l'état des études hégéliennes en France », in *Études d'histoire de la pensée philosophique,* Gallimard, 1971, p. 232.

8. Victor Basch, préface (p. VII) à : *les Doctrines politiques des philosophes classiques de l'Allemagne. Leibniz, Kant, Fichte, Hegel,* Alcan, 1927.

9. Je songe aux témoignages de Sartre et Merleau-Ponty sur les cours de Kojève avant-guerre. Aux premières pages, si belles, de *Pour Marx* où Althusser évoque notre « long siècle d'abêtissement philosophique ».

10. Cf. Nizan, *Morceaux choisis* par Jean-Jacques Brochier, Maspero, 1970, p. 24.

11. G. Politzer, *Écrits 1, la Philosophie et les mythes,* Éditions sociales, 1973, p. 14 : « Le professeur de Koenigsberg est l'intermédiaire d'une nouvelle révélation, il est en quelque sorte le christ de la société laïque. »

12. René Berthelot, *Nietzsche et Poincaré,* 1911, cité par Bianquis, *op. cit.,* pp. 30-31.

13. *Ibid.,* pp. 17 et 18 : le livre de Lichtenberger issu de ce cours et paru en 1898 n'en marque pas moins un tournant dans les études nietzschéennes, qui commencent là, même si timidement encore, leur carrière universitaire.

14. J'emprunte en réalité l'image de G. Politzer, *op. cit.,* p. 122.

15. Bianquis, *op. cit., passim.*

16. Charles Maurras, *Quand les Français ne s'aimaient pas,* 1916, pp. 28-41, 107-108, 126-138.

17. C'est dans la préface au *Chemin de Paradis* qu'on trouve les textes de Maurras les plus vifs contre le monothéisme et plus particulièrement le christianisme.

18. Cf. E. Nolte, *le Fascisme dans son époque, op. cit.,* p. 185. Nolte dit que, quoique publié en 1895, le livre fut en bonne partie rédigé dès 1891.

19. Cité par Julien Benda, *la Trahison des clercs,* Livre de Poche, 1977, p. 283.

20. *Ibid.,* p. 286 et *passim.*

21. G. Politzer, *op. cit.,* p. 38 : « Cette aventure peut paraître insupportable. Car la tension spirituelle qui la caractérise peut être mortelle à certains esprits. Ces derniers doivent donc s'en méfier, simplement par précaution sanitaire. »

22. On trouve un compte rendu et une analyse détaillés de cette séance aux pages 52 à 61 de l'irremplaçable mais introuvable *Hegel in Francia,* de R. Salvadori, De Donato éd., 1974.

23. *Ibid.,* pp. 93-99.

24. Jean Wahl, *le Malheur de la conscience dans la philosophie de Hegel,* 1929. Cf. Koyré, « Rapport sur l'état des études hégéliennes en France », *op. cit.,* pp. 244 et suiv.

25. Georges Politzer, *la Fin d'une parade philosophique, le bergsonisme,* réédité par J.-J. Pauvert, coll. Libertés nouvelles, 1968. Cf. notamment l'introduction, pp. 9 à 18.

26. Jean Hyppolite, « Du bergsonisme à l'existentialisme », extrait des *Actes du Ier congrès international de philosophie,* Mendoza, Argentine (avril 1949) ; et recueilli dans J. Hyppolite, *Figures de la pensée philosophique,* P.U.F., 1971, pp. 443-458.

27. Gilles Deleuze, *le Bergsonisme,* P.U.F.

28. André Henry, *Bergson, maître de Péguy,* Elzévir, 1948. « On ne pardonne pas à Bergson, disait Péguy, d'avoir brisé nos fers. »

29. *Réaction,* n° 12, juillet 1932, pp. 32-33.

30. C'est tout le sens des *Chiens de garde,* ce pamphlet dirigé contre les quatre grands B : Bergson, Boutroux, Blondel et Brunschvicg qui règnent sur l'université de son temps. Et tout le sens, aussi, des belles pages de mai 1926 (*op. cit.,* pp. 22-58) qu'il faudrait pouvoir citer en entier et où Politzer décrit la « vanité » de cette « scolastique contemporaine » qui fait vivre toute la recherche philosophique à l'heure du « programme de la classe de philosophie ».

31. La légende dorée a ses apôtres, à qui j'emprunterai, chemin faisant, quelques éléments, mais dont le témoignage, on va le voir, est souvent sujet à caution. Ce sont notamment, et pour fixer les idées, Alexandre Zévaès, (*De l'introduction du marxisme en France,* Rivière, 1947) et Compère-Morel (voir note suivante), les premiers « biographes » de Guesde.

32. Compère-Morel, *Jules Guesde, le socialisme fait homme, 1845-1922,* A. Quillet, 1937, p. 122. Voir aussi, dans un genre très différent, mais instructif, Mermeix, *la France socialiste,* F. Fetscherin et Chuit éd., 1886, pp. 62-63.

33. Cité pr A. Zévaès.

34. Cf. Neil McInnes, « Les débuts du marxisme théorique en France et en Italie (1880-1897) », *Cahiers de l'ISEA,* n° 102, juin 1960, p. 16. Cet article est, à ma connaissance, la meilleure mise au point parue à ce jour sur la question. Les lignes qui suivent y font souvent référence.

35. Lettres d'Engels à Laura Lafargue, 3 octobre 1883 : « Le défaut de ce travail, c'est que de nombreuses parties en ont été assez bâclées [...] Les arguments ne ressortent pas comme ils le devraient [...] On ne peut les séparer du contexte sans donner lieu à de fausses interprétations [...] Dans les parties théoriques, il y a aussi beaucoup d'inexactitudes de détail [...] et des choses faites à la hâte ». A Laura

Lafargue, 15 octobre 1883 : « Deville writes to say he as no time to recast the three chapters indicated by me. Please do you and Paul, as much as you can to get him to revise them as much as possible. Such as they are, they are not intelligible but to those who know the original ». A Paul Lafargue, 11 août 1884 : « Je dis *le Capital* et point le livre de Deville qui ne suffirait nullement, à cause des défauts sérieux de la partie descriptive ». Et surtout à Laura Lafargue encore, 17 janvier 1886 : « First of all, an extract form *the Capital* for our German workmen must be done from the german original, not from the french edition [...] It does well enough for France where most of the terms are not fremdwörter, and where there is a large public, not exactly working men, who all the same wish to have some knowledge – of easy access – of the subject, without reading the big book. That public, in Germany, ought to read the original book. Thirdly, and chiefly if D[eville]'s book appears in german, I do not see how I can consistently, with my duty towards Mohr, let it pass unchallenged as a faithful resume. I have held my tongue while it was published only in french, although I had distinctly protested against the whole to be put before the German public, that is quite a different thing. I cannot allow, in Germany, Mohr to be perverted – and seriously perverted – in his very words [...] All I can say, I reserve my full liberty of action in case the book is published in german, and I am the more bound to do so as it has got abroad that I looked it over in the manuscript. »
Je cite ces textes d'après : Friedrich Engels, Paul et Laura Lafargue, *Correspondance,* t. 1, Éditions sociales, 1956, textes recueillis, annotés et présentés par Émile Bottigelli, pp. 146-147, 149, 235, 332, 333.

36. A. Zévaès, *De l'introduction du marxisme en France, op. cit,* p. 171.

37. Neil McInnes, *op. cit.,* p. 28 : « Le résumé a été réédité en 1886, 1887, 1897, 1919, 1928 et 1948... et la série n'est peut-être pas terminée car le même plomb a servi invariablement et des dizaines de milliers d'exemplaires ont été jetés sur le marché sans qu'on crût nécessaire d'y ajouter le moindre changement. »

38. Paul Lafargue, « Le matérialisme historique de Karl Marx », in *Cours d'économie politique,* Oriol, 1884.

39. G. Sorel, *la Décomposition du marxisme,* 1908, pp. 6-7. Cf. aussi l'étude de Lafargue sur la circoncision dans les *Bulletins de la société d'anthropologie,* 1887, cités par Neil McInnes, *op. cit.,* p. 23.

40. Engels à Lafargue, 11 août 1884 ; à Laura Lafargue, 22 juillet 1884 (*Correspondance,* t. 1, *op. cit.,* pp. 217, 218 et 231, 235). Marx à Engels, 11 novembre 1882 : « Lafargue est en vérité le dernier disciple de Bakounine, en qui il avait entièrement confiance [...]. Le diable emporte ces oracles patentés du socialisme scientifique. » Engels à Lafargue, 11 mai 1889 : « Les possibilistes sont considérés

ici comme les seuls socialistes français ; et vous comme une clique futile et simplette d'intrigants » (*Correspondance,* t. 2, 1957, *op. cit.,* p. 252).

41. G. Sorel, « Science et socialisme », *la Revue philosophique,* vol. 35, mai 1893. La citation est de Neil McInnes, *op. cit.,* p. 37.

42. « L'ancienne et la nouvelle métaphysique », *l'Ère nouvelle, ibid.,* p. 38.

43. *Ibid.,* p. 36.

44. Cf., par exemple, J. Darville, « La monarchie et la classe ouvrière », *Cahiers du cercle Proudhon,* janvier-février 1914, p. 12 : « La philosophie marxiste, toute pénétrée de l'idée guerrière [...] fait de la lutte des classes le moteur souverain de l'Histoire. » Cf. aussi *les Méfaits des intellectuels, op. cit., passim.*

45. C'est le titre du livre de Daniel Lindenberg, Calmann-Lévy, 1975.

Chapitre 4

1. Cité par Jean Touchard, *la Gauche en France depuis 1900,* Seuil, 1977, p. 195.

2. La meilleure synthèse sur le sujet est le fait d'un Américain, malheureusement non traduit : E. Lichteim, *Marxism in modern France,* New York, 1966.

3. Cf. Annie Kriegel, *Aux origines du communisme français,* t. 1 et 2, Mouton, 1964. Et *le Congrès de Tours,* Gallimard, Coll. Archives, 1964.

4. Cité par J. Touchard, *ibid.,* pp. 190-191.

5. Charles Rappoport, Russe exilé en France, adhérent de la première heure, il sera aussi l'un des fondateurs de *la Revue marxiste.* Pour l'heure, il anime l'École marxiste-communiste. Quant à Souvarine il anime, depuis 1919, *le Bulletin communiste.*

6. Voir les souvenirs d'Henriette Nizan, dans le livre d'Annie Cohen-Solal, *Nizan, communiste impossible,* Grasset, 1980.

7. Lichteim, *op. cit.,* p. 63.

8. Aragon, « L'or de cet homme », *Cahiers du communisme,* n° 45, avril 1965, p. 147 : « Pourquoi, aurait demandé Thorez à Aragon, toi, tu ne le fais pas ? Pourquoi est-ce que toi, tu ne nous montres pas comment, pourquoi Péguy est aussi bien à nous, aux ouvriers, au peuple, qu'aux autres [...] peut-être même davantage ? » Et Aragon de commenter : « Réclamer Péguy ? C'était là, dans la bouche de Maurice, toute la question de l'héritage culturel, de la reprise de l'héritage culturel qui était ainsi posée. »

9. Louis Aragon, *J'abats mon jeu,* Éditeurs français réunis, 1954.

10. Rapport de Paul Vaillant-Couturier au comité central du 16 octobre 1936, intitulé « Au service de l'esprit ». Il est reproduit

dans : *Vers des lendemains qui chantent,* Éditions sociales, 1962, pp. 269 et 276.

11. *Ibid.,* cité par Pierre Gaudibert, *Action culturelle, intégration et/ou subversion,* Casterman, rééd. 1977, p. 77.

12. *Vers des lendemains qui chantent, op. cit.,* p. 273.

13. P. Vaillant-Couturier, *l'Humanité,* 31 octobre 1935, cité par P. Gaudibert, *op. cit.,* p. 75.

14. « L'or de cet homme », *art. cit.,* p. 148.

15. Cette nouvelle ligne va se formuler officiellement au Congrès du P.C.F. de juin 1954, où Aragon, dans son discours, lance l'essentiel des thèmes qui feront la matière de son intervention, en décembre, au deuxième Congrès des écrivains de Moscou.

16. *J'abats mon jeu* d'Aragon est une inépuisable mine de perles de cet acabit. Le mot même de « campagne » y figure d'ailleurs (p. 216). Les textes sur le vers français se trouvent pp. 190 et suiv. Duclos, par ailleurs, en 1953 (*la Nouvelle Critique,* décembre), proteste parallèlement contre l'européanisation de certaines salles du Louvre.

17. Discours prononcé à l'inauguration de la bibliothèque municipale de Stains, recueilli dans *J'abats mon jeu, op. cit.,* pp. 70-76.

18. *Ibid.,* p. 217.

19. Cf. Gaudibert, *op. cit.,* p. 87.

20. Aragon, *J'abats mon jeu, op. cit.,* p. 218.

21. Laurent Salini, « Ouvrir la porte », *l'Humanité,* 17 mai 1969.

22. Georges Marchais, *Parlons franchement,* Grasset, 1978, pp. 35 et 160. Interview télévisée depuis Moscou, au lendemain de l'intervention soviétique à Kaboul.

23. Ernst Nolte, *le Fascisme dans son époque, op. cit.,* p. 189.

24. Cf. ici même, chapitre 2.

25. Cf., par exemple, Michel Charzat et Ghislaine Toutain, *le CERES, un combat pour le socialisme,* Calmann-Lévy, 1977. Et également la collection de *Repères,* la revue du CERES.

26. Je n'ignore pas que la théorie du « capitalisme monopoliste d'État » naît dans l'orbite soviétique, dès 1960, lors de la réunion à Moscou de quatre-vingt-un partis communistes. Mais je crois pourtant que le thème est vite « naturalisé » et plonge *en même temps* ses racines dans le terreau idéologique français.

27. Voir la très pertinente anatomie du *Mouvement Poujade* de Stanley Hoffmann, Colin, 1956.

28. *L'Humanité,* 5 juillet 1955, cité par Pierre Birnbaum, *le Peuple et les Gros,* Grasset, 1979, p. 71.

29. Édouard Berth, *les Méfaits des intellectuels, op. cit.,* p. 239.

30. Cf. Z. Sternhell, *la Droite révolutionnaire, op. cit.,* p. 291.

31. *Le Testament de Dieu,* Grasset, 1979, pp. 40-42.

32. D'autant que cette histoire commence enfin d'être bien connue, grâce, notamment, aux travaux de David Caute.

33. Micheline Tison-Braun, *la Crise de l'humanisme,* t. 2, *op. cit.,* p. 279.

34. Louis Aragon, *Pour un réalisme socialiste,* Denoël, 1935, pp. 14-15.

35. Même si, je le répète, Bergson demeure, à titre individuel, à l'écart de toute espèce de délire totalitaire.

36. Jean de Fabrègues, *Revue du siècle,* n° 6, octobre 1933, p. 111.

37. Daniel-Rops, *Revue française,* avril 1933, pp. 489 et 493. Cité par Jean-Louis Loubet del Bayle.

38. M. Tison-Braun, *op. cit., passim.*

39. D'autant que cette nouvelle droite a pour adversaire principal, on le verra bientôt, l'« esprit américain ».

40. Récemment encore, fin 1980, dans une interview au *Monde-Dimanche.*

41. Cf. David Caute, *le Communisme et les intellectuels français,* Gallimard, 1967, pp. 95-97.

42. Cf. Michel Winock, *Histoire politique de la revue Esprit, op. cit.,* pp. 368-369.

43. Je continue sur ce point – et en attendant leur *Camus* – à renvoyer aux très belles pages que Claudie et Jacques Broyelle consacrent à ce procès de Moscou à Paris, dans leur *Bonheur des pierres,* Seuil, 1978.

TROISIÈME PARTIE

Chapitre 1

1. Psichari, *Terres de soleil et de sommeil :* « En vérité, nous faisons la guerre pour faire la guerre, sans nulle autre idée. » Et dans *l'Appel des armes :* « Notre rôle à nous [...] est de maintenir un idéal militaire, non pas, notez-le bien, nationalement militaire, mais si je puis dire, militairement militaire. »

2. Cf. Winock, « Une parabole fasciste ; *Gilles* de Drieu La Rochelle », *art. cit.,* pp. 43-44.

3. « Déclaration du Collège de sociologie sur la crise internationale », in Denis Hollier, *le Collège de sociologie,* Gallimard, 1979, pp. 98-104.

4. Jean Giono, *Écrits pacifistes,* Gallimard, Coll. Idées.

5. « La mobilisation contre la guerre n'est pas la paix », titre d'un tract signé, fin 1933, par les surréalistes, rejoints par René Char, Caillois, Monnerot et quelques autres.

6. Alain de Benoist, *Vu de droite,* éd. Copernic.

7. Julien Benda, *Discours à la nation européenne,* Gallimard, 1933. Réédité 1979, coll. Idées.

8. Cf. Maurice Nadeau, *Histoire du surréalisme.*

9. *Le Jeune Européen* date de 1927 ; *Genève ou Moscou,* de 1928 ; et *l'Europe contre les patries* de 1931.

10. C'est vrai, du reste, de l'élégante « nouvelle droite » autant que des nervis des « Faisceaux nationalistes européens ».

11. Pétain, *Actes et Ecrits, op. cit.,* p. 447 (« Il est impossible au gouvernement, sans émigrer, sans déserter d'abandonner le territoire français »), p. 468 (à propos des prisonniers : « C'est en s'accrochant au sol de France qu'ils sont tombés aux mains de l'ennemi »), p. 635 (« En concluant l'armistice en 1940 avec l'Allemagne, j'ai manifesté une décision irrévocable de lier mon sort à celui de ma patrie et de n'en jamais quitter le territoire »).

12. Cité par Winock, *art. cit.,* p. 45.

13. Francis, Maulnier, Maxence, *Demain la France,* 1934, pp. 86, 42, 46.

14. *Esprit,* n° 2, novembre 1932, p. 209.

15. Mounier, *Esprit,* n° 18, mars 1934, p. 915 : « Tous les partis révolutionnaires se sentent aujourd'hui déchirés entre le fait national et leurs tendances universalistes [...]. Mais l'universel se parle aux hommes en plusieurs langues qui chacune en révèlent un aspect singulier [...]. Gare à la canonisation des raideurs nationales [...]. Mais gare aussi à l'internationalisme abstrait qui confond l'universel et l'impersonnalité des cimetières logiques. »

16. Cela ne veut pas dire, je le répète, que ces hommes prennent simplement parti contre la nation : ils prennent parti plutôt – et simplement – contre l'« Abstrait ».

17. *Actes et Ecrits, op. cit.,* p. 526, déclaration du 8 décembre 1940, à l'occasion du 110e anniversaire de la naissance de Frédéric Mistral.

18. Paul Morand dira (*Le Figaro,* 29 novembre 1940) que le département « pèche contre la France ».

19. Jean-Michel Guilcher et Jean-Marie Serreau, « Les chants et la danse populaire, éléments de la culture française », *Esprit,* janvier 1941, pp. 168-181.

20. Paxton, *op. cit.,* pp. 194 et suiv.

21. Cf. Charles-Brun, « Une méthode, une philosophie », *Cahiers de formation politique,* n° 14, pp. 44-51. Voir aussi les remarquables analyses de Guy Scarpetta dans son *Éloge du cosmopolitisme,* Grasset, février 1981.

22. A la réserve près, une fois de plus, de Paxton dont le repérage de ce Vichy moderniste n'est pas la moindre originalité.

23. Paxton, *op. cit.,* pp. 203-204, 213, 329.

24. Philippe Bauchard, *les Technocrates et le pouvoir,* Arthaud, 1966.

25. Jean-Louis Loubet del Bayle, *op. cit.,* pp. 93-101.

26. Dès le n° 1 de *Plans* (janvier 1931) un article très significatif d'Hubert Lagardelle, l'ancien disciple de Sorel, qui s'intitule « Au-delà de la démocratie : de l'homme abstrait à l'homme réel ». On y lit par exemple : « La crise de la démocratie traduit l'impuissance

d'une société individualiste à s'adapter aux conditions de la vie moderne. La révolution industrielle qui a renouvelé le monde n'a pas encore trouvé son cadre social. C'est à le chercher que se débat notre temps, désorienté par l'opposition de la forme individualiste de la société et de la forme collective de l'économie. » Puis : « L'utopie de la démocratie a été de dépouiller l'individu de ses qualités sensibles et de le réduire à l'état abstrait de citoyen. De l'homme concret de chair et d'os, qui a un métier, un milieu, une personnalité, elle a fait un être irréel, un personnage allégorique, en dehors du temps et de l'espace, et le même à tous les étages de la société. Ni ouvrier, ni paysan, ni industriel, ni commerçant, ni du Nord, ni du Midi, ni savant, ni ignorant : un homme théorique. »
  27. Paxton, *op. cit.,* pp. 250-252.

Chapitre 2

  1. Claude Lefort, *le Travail de l'œuvre de Machiavel,* Gallimard, 1972, pp. 721-725.
  2. *L'Accord social :* bimensuel fondé en avril 1907, devenu hebdomadaire en octobre 1908, et que dirigea Firmin Bacconnier, l'un des artisans de la synthèse « national-socialiste » d'avant 14.
  3. Il s'agissait d'un placard publicitaire paru en première page du *Monde,* en 1979.
  4. Georges Bataille, *Lascaux,* Gallimard, p. 31 ; *Critique* 46, p. 263 ; *l'Erotisme,* Gallimard, p. 43 (« Nous devons, nous pouvons savoir exactement que les interdits ne sont pas imposés du dehors ») ; *Sur Nietzsche,* Gallimard, p. 72 (« Je ne rêve pas de supprimer les règles morales »). Sur ce point je ne peux que renvoyer aux très belles pages de Sollers, dans *Logiques,* Seuil, pp. 182-183 (« on ne vient pas à bout de l'interdit, on ne transgresse jamais définitivement l'interdit... »).
  5. Georges Bataille, *la Littérature et le Mal,* Gallimard, pp. 157-158 ; *l'Erotisme, op. cit.,* p. 70.
  6. Cf. Guy Scarpetta, « L'inquiétant retour du docteur Jung », *le Nouvel Observateur,* 16 août 1980.
  7. Cf. note 47 du chapitre 1 de la deuxième partie.
  8. *Actes et Ecrits, op. cit.,* p. 479.
  9. Pierre Solié, *la Femme essentielle.*
  10. Gérard Mendel, *la Révolte contre le père,* Payot, 1972, pp. 216-276.
  11. Cf. les analyses de Julia Kristeva dans ses *Pouvoirs de l'horreur,* Seuil, 1980.
  12. Je me permets, cette fois aussi, de renvoyer à mon *Testament de Dieu,* deuxième partie, chapitre 2 : « Le génie du christianisme ».
  13. Genèse II, 6 ; Isaïe, LI, 23.

14. Origène, *Commentaire sur Saint Jean.*
15. Léon Poliakov, *le Mythe aryen, op. cit.,* pp. 300-304.
16. Léon Poliakov, *Histoire de l'antisémitisme, op. cit.,* pp. 289-298.
17. *L'Express,* sondage publié le 11 octobre 1980, au lendemain de l'attentat de la rue Copernic.
18. Le sondage Louis-Harris indique que 49 Français sur 100 « trouvent » que les « Nord-Africains » sont « trop nombreux en France ». L'enquête de Vichy, réalisée en 1943, en zone sud, à la demande du commissariat aux Affaires juives, indique que 51 Français sur cent répondent non à la question : « Aimez-vous les juifs ? » On trouvera les résultats et le commentaire de cette enquête dans le livre de Jean Laloum, *la France antisémite de Darquier de Pellepoix, op. cit.,* pp. 187 à 201.
19. Le sondage dit par exemple que 23 p. 100 des sympathisants communistes (contre 10 p. 100 de socialistes, 18 p. 100 d'U.D.F., 11 p. 100 de R.P.R.) répondent « oui » à la question : « Les juifs sont-ils trop nombreux en France ? »
20. Je fais allusion à la campagne xénophobe qui sévit dans les banlieues rouges de la région parisienne pendant l'année 1980.
21. Christian Bonnet, ministre de l'Intérieur, déclarations faites le 15 mai 1980, au moment de la crise qui secoue les universités françaises à propos du nombre et du statut des étudiants étrangers.
22. Lionel Stoléru, secrétaire d'Etat aux Travailleurs immigrés : « quand on a 1,4 million de chômeurs sur le territoire, on doit se montrer intransigeant » ; et : « Les Marocains des houillères du bassin de Lorraine ne verront pas leur contrat renouvelé. S'ils désirent rentrer chez eux, nous ne les retiendrons pas. » (Déclaration faite à Metz, le 14 octobre 1980, et citée par *le Monde* du 16 octobre.)
23. Voir note 1 du premier chapitre de la deuxième partie. Voir aussi, au lendemain de la mort de Lahouri Ben Mohamed, ce jeune Marseillais assassiné de sang-froid, le 18 octobre 1980, par un policier français, le très bel article de Marek Halter : « Le racisme ordinaire », *Libération,* 22 octobre 1980.
24. Edouard Berth, *les Méfaits des intellectuels, op. cit.,* p. 255.
25. Hubert Lagardelle, *Plans,* n° 1, janvier 1931. Voir note 26 du chapitre précédent.

Chapitre 3

1. Cf. Jean-Louis Loubet del Bayle, *les Non-conformistes des années trente,* op. cit., p. 86.
2. Roger Garaudy, *Appel aux vivants,* Seuil, 1979. Entretien dans *le Nouvel Observateur* du 29-10-79.
3. Spinoza, *Traité théologico-politique,* V.

4. C'est une thèse chère à Emmanuel Levinas et qu'on trouve par exemple dans *Difficile Liberté,* recueil d'articles, Albin Michel, 1976.

5. Benda, *la Trahison des Clercs, op. cit.,* p. 116 : « Cette idéalité de la notion de justice n'est nullement un postulat de métaphysiciens, comme se plaît à le statuer l'adversaire du haut de son « réalisme ». J'ai idée que les peuples que Nabuchodonosor tirait par les routes de Chaldée avec un anneau dans le nez, l'infortuné que le Seigneur du Moyen Age attachait à la meule en lui arrachant sa femme et ses enfants, l'adolescent que Colbert enchaînait pour sa vie au banc de la galère, avaient fort bien le sentiment qu'on violait en eux une justice éternelle – statique – et aucunement que leur sort était juste étant donné les conditions économiques de leur époque. »

6. J. Benda, *les Cahiers d'un clerc,* Emile-Paul Frères, 1950, p. 209. Cf. aussi Jacques Henric, *le Narraté libérateur,* n° 2

7. Jean-Jacques Moureau, *Nouvelle Ecole,* n° 14, janvier-février 1971.

8. *Esprit,* septembre 1980. Il s'agit d'un article de Pierre Vidal-Naquet intitulé « Un Eichmann de papier ». Il se trouve encadré, du reste, par un éditorial de Paul Thibaud d'une part, concluant une longue méditation sur « la mémoire d'Auschwitz » par un étrange appel à « ne plus définir les juifs seulement comme des victimes mais aussi comme des acteurs » et à « véritablement poser », alors, « le problème de la participation de beaucoup d'entre eux à certaines phases du stalinisme ». Et par un article, d'autre part, de Serge Thion, « historien révisionniste » patenté, proche des thèses que cette livraison de la revue prétend pourfendre et critiquer, et qui, pour l'occasion, étend au cas du génocide cambodgien les méthodes qu'il applique d'habitude à celui du génocide juif. Oui, étrange *Esprit.* Etrange pérennité de la perversion. Et, surtout, étrange « mémoire d'Auschwitz »...

9. Il s'agit bien entendu du *Figaro Magazine.*

10. L'historien communiste Jean Elleinstein entama en effet une collaboration régulière avec *le Figaro Magazine* la semaine qui suivit l'attentat de la rue Copernic.

11. Proverbes, III, 31.

12. Hermann Rauschning, *Hitler m'a dit,* Livre de Poche, 1979, p. 272.

13. Alexandre Zinoviev, *les Hauteurs béantes,* l'Age d'homme.

14. Edouard Berth, *les Méfaits des intellectuels, op. cit.,* pp. 154 et 49.

15. Ernst Nolte, *le Fascisme dans son époque, op. cit.,* p. 267.

16. Colette Capitan-Peter, *Maurras et l'idéologie d'Action française, op. cit.* p. 169.

17. Malachie, II, 9.

18. Daniel Halévy, *Péguy, op. cit.,* pp. 244, 245.

19. Georges Vacher de Lapouge, *l'Aryen, son rôle social, op. cit.,* pp. 511-512.

20. 1ᵉʳ mars 1941, Pétain, *Actes et Ecrits, op. cit.,* p. 498.

21. Charles Maurras, *les Princes des nuées, op. cit.*

22. *Actes et Ecrits, op. cit.,* pp. 517-522.

23. Cf. *Péguy, op. cit.,* pp. 112 et suiv.

24. Péguy, *l'Argent suite, op. cit.,* p. 1116.

25. Pascal Bruckner et Alain Finkielkraut, *Au coin de la rue l'aventure,* Seuil, 1978.

26. Cf. deuxième partie, chapitre 1.

27. Voir note 18.

28. R.F. Byrnes, *Antisemitism in Modern France, op. cit.,* pp. 243-244.

29. Edouard Berth, *les Méfaits des intellectuels, op. cit.,* p. 240.

30. *Ibid,* p. 22.

31. Thierry Maulnier, *Demain la France, op. cit.,* p. 173.

32. *Ordre nouveau,* n° 1, « L'Etat contre l'homme ».

33. C'était la ligne, dans les années 50, du mouvement poujadiste. Cf. Stanley Hoffmann. *op. cit.*

34. Cf. deuxième partie, chapitre 2.

35. *Ibid.*

36. Péguy, *l'Argent suite, op. cit.,* p. 1270.

37. *Le Testament de Dieu,* première partie : « Limiter le politique pour faire place à l'éthique ».

38. Coluche, déclaration à France Inter, citée par *le Monde* du 20 novembre 1980.

39. Proudhon, cité par Jean Touchard, *la Gauche en France depuis 1900, op. cit.,* p. 35.

40. Coluche, *ibid.*

41. Appel pour la candidature de Coluche (*le Monde* du 19 novembre 1980).

42. Félix Guattari, *le Quotidien de Paris,* 19 novembre 1980.

43. Le principe de cette séparation, essentielle à un lien social démocratique a été établi et illustré par Claude Lefort, notamment dans *Un homme en trop,* Seuil, 1977.

44. Lettre à Lotte, citée par Halévy, *op. cit.,* p. 246.

45. *Ibid.,* p. 245.

46. Je songe à leur singulier mélange d'autogestion, d'étatisme et de nationalisme traditionnel.

47. *L'Idée socialiste* de De Man est, selon Mounier, « le livre culminant de l'après-guerre » (cité par Winock, *Histoire politique de la revue Esprit, op. cit.,* p. 75). Par ailleurs il est volontiers et officiellement proudhonien. Quant au versant « archaïque » de l'idéologie d'*Esprit,* on en trouvera des exemples chez Loubet del Bayle, *op. cit.,* pp. 355-380.

48. Pétain, *Actes et Ecrits, op. cit.,* p. 526.

49. *Ibid.,* pp. 515-516. Egalement, p. 559, discours du 12 août 1941 : les « commissaires au pouvoir [...] auront pour mission de

briser les obstacles que l'abus de la réclamation, de la routine administrative ou l'action des sociétés secrètes peuvent opposer à l'œuvre de redressement national ».
50. *Ibid.*, p. 492.
51. Pétain, déclaration à *Gringoire*, 14 novembre 1940, *ibid.*, p.
483. Cf. aussi Paxton, *op. cit.*, p. 188.

Chapitre 4

1. Cf. note 68 du chapitre 1 de la deuxième partie.
2. Halévy, *op. cit.*
3. Emmanuel Mounier, *Esprit*, n° 1, octobre 1932, pp. 29-30.
4. Valois, *l'Homme contre l'argent*, *op. cit.*, préface.
5. Dans *les Méfaits des intellectuels*, l'État, la Ville, le Clerc, le
Politique, sont présentés comme des versions d'une identique catégorie « marchande ».
6. Philippe Pétain, allocution du 12 juillet 1940, *Actes et Écrits*,
op. cit., p. 456.
7. Par exemple, Xavier Vallat qui était maintes fois intervenu en
ce sens à l'Assemblée.
8. Cf. les lumineuses remarques de Philippe Sollers dans *Tel
Quel*, n° 85, « on n'a encore rien vu », entretien avec Chowki
Abdelamir.
9. Cité par Jean-Louis Loubet del Bayle, *op. cit.*, p. 231.
10. Jacques Maritain, *Esprit*, n° 6, mars 1933, p. 904 : « Le
principe contre nature de la fécondité de l'Argent ».
11. Cité par Jacques Petit, *Bernanos, Bloy, Claudel, Péguy : quatre écrivains catholiques face à Israël*, Calmann-Lévy, 1972, p. 83.
12. Jean de Fabrègues, *Réaction*, n° 10, mars 1932, p. 1 : « C'est
la soif de l'or qui donne la jouissance. » Et, p. 4 : « le financier »
construit pour l'instant présent, « pour la plus immédiate jouissance ».
13. Jean Darville, « Satellites de la ploutocratie », *art. cit.*
14. Par exemple Bloy (Petit, *op. cit.*, p. 75).
15. Cf. Winock, « Une parabole fasciste », *art. cit.*
16. Sartre, *Réflexions sur la question juive*, Gallimard, coll.
Idées.
17. Petit, *op. cit.*, p. 74.
18. Cf. plus haut, deuxième partie, chapitre 2.
19. P. Sorlin, *la Croix et les juifs, 1880-1899*, Grasset, 1967,
p. 196.
20. *Notre jeunesse, op. cit.*
21. « Les antisémites riches connaissent peut-être les juifs riches.
Les antisémites capitalistes connaissent peut-être les juifs capitalistes. Les antisémites d'affaires connaissent peut-être les juifs d'affaires. Pour la même raison, je ne connais guère que des juifs pauvres

et des juifs misérables. Il y en a. Il y en a tant, que l'on n'en sait pas le nombre » (*ibid.*, p. 214). Cf. Petit, dont je suis l'analyse.

22. « Économie organique et société marchande », *Éléments,* mars 1979.

23. Georges Marchais, *l'Humanité,* 2 mai 1974 : « La droite [...] c'est la jeunesse dorée qui parade déjà aux Champs-Élysées et à l'Étoile, comme si la France était à la merci du candidat des dynasties de l'argent, Giscard d'Estaing. La droite, ce sont ces hommes sans cœur qui discourent sur la famille, la morale, la religion – et sous le règne desquels prolifèrent comme jamais la violence, la pornographie, la drogue, le désordre. »

24. *L'Humanité,* 8 mai 1974.

25. *Traité marxiste d'économie politique,* Éditions sociales, 1976, t. 1, p. 85. Cité par Pierre Birnbaum, *op. cit.*

26. Déclaration de Waldeck Rochet au 22e congrès, *l'Humanité,* 15 mai 1964.

27. *L'Humanité,* 22 mai 1958.

28. *L'Humanité,* 15 mai 1969.

29. 18e congrès, *Cahiers du communisme,* février-mars 1967, p. 582. Cf. Aussi André Wurmser, *l'Humanité,* 15 mai 1974.

30. *L'Humanité Dimanche,* 19-25 mai 1976. Avec, à l'intérieur (pp. 12-15), un dialogue entre Jean Boissonat et Charles Fiterman.

31. *L'Humanité,* 6 mai 1969, article de Jean Le Gadec ; le « candidat » Pompidou est présenté, en chapeau de l'article, comme le « poulain de la banque Rothschild ».

32. 20e congrès, *l'Humanité,* 14 décembre 1972.

33. Cf. Birnbaum, *op. cit.,* pp. 126-151, à qui j'emprunte des éléments de cette analyse et qui m'a mis sur la piste de ces textes.

34. *L'Humanité,* 16 avril 1962. *Aspects de la France,* du 19 avril 1962, accuse de Gaulle d'avoir introduit le « banquier dans l'État ».

35. Sur Dassault et Rothschild, voir par exemple Laurent Salini, *l'Humanité,* 17 mai 1969.

36. *L'Humanité,* 17 juin 1967.

37. Cité par *le Monde,* le 14 novembre 1980.

38. Il s'agit, bien entendu, de l'inévitable Jean-Pierre Chevènement. Sur tous ces points, et l'analyse de cet « anti-américanisme primaire », voir les développements de Scarpetta dans son *Eloge du cosmopolitisme,* Grasset, 1981. Et surtout, il y a quinze ans déjà , les pages plus actuelles que jamais, de Jean-François Revel dans son *Ni Marx ni Jésus,* Laffont.

39. *Le Point,* août 1980.

40. *Éléments, art. cit.*

41. Dialogue entre Jean Elleinstein et Louis Pauwels, *le Figaro Magazine,* 11 octobre 1980.

42. Emmanuel Mounier, cité par Loubet del Bayle, *op. cit.,* p. 258.

43. *Réaction,* juillet 1930, p. 77.

44. R. Aron et A. Dandieu, *le Cancer américain*, Rieder, 1931, p. 80.

45. Tardieu, selon Thierry Maulnier (*La crise est dans l'homme*, Rieder, 1932, p. 55) « considère la France comme une société anonyme ».

46. Jules Moch publie lui aussi, au même moment, mais en un sens favorable, un livre sur les États-Unis.

47. R. Aron et A. Dandieu intitulent leur livre « le Cancer américain » justement.

48. *Ibid.,* p. 80.

49. *Réaction,* n° 3, juillet 1930, p. 77.

50. *Ibid.,* p. 77.

51. E. Mounier, *Revue de culture générale,* octobre 1930.

52. *Esprit,* n° 8, mai 1933.

53. *Le Cancer américain, op. cit.,* p. 80.

54. *Ibid.*

55. Daniel-Rops et Denis de Rougemont, *Ordre nouveau,* n° 3, juillet 1933, p. 13.

56. Cf. Loubet del Bayle, *op. cit.,* pp. 253-260.

57. Georges Valois, *op. cit.,* pp. 35 et suiv.

58. M. Barrès, *Mes cahiers,* t. XI, 1938, p. 290.

59. G. Bernanos, *la Grande Peur des bien-pensants, op. cit.,* p. 454.

60. Jean Laloum, *op. cit.,* p. 72.

61. Georges Cogniot, « Les communistes et le sionisme », *la Nouvelle Critique,* mars 1953, p. 3.

62. *Revue de culture générale,* art-cité.

63. R. Aron et A. Dandieu, *Décadence de la nation française,* Rieder, 1931, p. 19.

64. Thierry Maulnier, *La crise est dans l'homme, op. cit.,* pp. 59-60.

TABLE DES MATIÈRES

COLLECTION « FIGURES »

Guy Scarpetta, *Éloge du cosmopolitisme.*
Michel Serres, *Zola, Feux et signaux de brume.*
Alexandre Soljénitsyne, *l'Erreur de l'Occident.*
Philippe Sollers, *Vision à New York.*
Gilles Susong, *la Politique d'Orphée.*
Armando Verdiglione, *la Dissidence freudienne.*

A PARAÎTRE

Jérôme Bindé, *les Hommes de fiction.*
Claudie et Jacques Broyelle, *le Procès Camus.*
Françoise Buisson, *les Migrations d'Antonin Artaud.*
Dominique Grisoni, *Propos barbares.*
Michel Le Bris, *le Paradis perdu.*

Composition réalisée en ordinateur par KAPPA

Achevé d'imprimer le 7 janvier 1981
sur presse CAMERON,
dans les ateliers de la S.E.P.C.
à Saint-Amand-Montrond (Cher)
pour le compte des éditions Grasset
61, rue des Saints-Pères, 75006 Paris